ZUM BUCH

Als nach dem Mord an dem wohlhabenden Pakistaner Aziz Balfour am Tatort die Fingerabdrücke des im Gefängnis sitzenden Straftäters Michael Brown gefunden werden, beginnt Detective Alex Morrow, die eigentlich nur gegen Brown aussagen sollte, zu ermitteln. Sie arbeitet sich durch einen Sumpf aus internationaler Korruption, macht die Bekanntschaft von hochrangigen Beamten in Polizei und Staat, die skrupellos bestechen, Beweise fälschen und auch vor Mord nicht zurückschrecken.

ZUR AUTORIN

Denise Mina, geboren 1966 in Glasgow, studierte Jura und spezialisierte sich auf den Umgang mit psychisch gestörten Straftätern. 1998 erschien ihr erster Roman. Für ihr Werk wurde sie mit dem Dagger Award und dem Barry Award ausgezeichnet, 2012 und 2013 gewann sie den Theakstons Crime Novel of the Year Award. Mehr Informationen unter www.denisemina.co.uk

LIEFERBARE TITEL
In der Stille der Nacht
Blinde Wut
Der letzte Wille

DENISE MINA

DAS VERGESSEN

Kriminalroman

Aus dem Englischen von
Heike Schlatterer

WILHELM HEYNE VERLAG
MÜNCHEN

Die Originalausgabe THE RED ROAD erschien 2013 bei Orion
Books, an imprint of The Orion Publishing Group Ltd.

Verlagsgruppe Random House FSC® N001967
Das für dieses Buch verwendete FSC®-zertifizierte Papier
Holmen Book Cream liefert Holmen Paper, Hallstavik, Schweden.

Vollständige deutsche Erstausgabe 11/2014
Printed in Germany 2014
Redaktion: Dr. Katja Bendels
Umschlagillustration: shutterstock/isoga
Umschlaggestaltung: Nele Schütz Design, München
Satz: hanseatenSatz-bremen, Bremen
Druck und Bindung: GGP Media GmbH, Pößneck
ISBN: 978-3-453-41787-8

www.heyne.de

1

Rose Wilson war vierzehn, sah aber aus wie sechzehn. Sammy meinte, es sei eine Schande.

Sie saß allein in seinem Wagen in einer dunklen Straße im Stadtzentrum. An den Geschäften und Pubs waren die Rollläden heruntergelassen. Eine leichte, sommerliche Brise blies die Überreste einer Samstagnacht vor sich her, hob Pappschachteln an und ließ leere Dosen rollen. Rose beobachtete einen gelben Burgerkarton, der wie eine Krabbe aus einer dunklen Gasse auftauchte und vorsichtig den Gehweg Richtung Bordsteinkante überquerte.

Sie wartete darauf, dass Sammy sie zurückfuhr. Es war eine lange Nacht gewesen. Eine schlimme Nacht. Drei Partys in verschiedenen Wohnungen. Sie sagte sich immer, dass sie Glück hatte, nicht draußen auf der Straße frieren zu müssen, aber heute war sie sich da nicht so sicher. Er vereinbarte bereits Termine für die nächste Woche. Jede Menge Kohle, sagte er mit glänzenden Augen.

Rose lehnte den Kopf an die Scheibe. Sammy laberte nur Scheiße – sie verdienten nicht viel Geld damit. Sie schloss die Augen. Es ging überhaupt nicht ums Geld. Er machte es, weil er wollte, dass andere Männer ihn mochten, damit er etwas von ihnen bekam, das er haben wollte. Und sie ließ sie für etwas bezahlen, das sie sich sowieso nahmen. Aber sie und Sammy taten so, als ob sie richtig viel Geld damit verdienten, dass sie minderjährig war. Er sagte, sie bekämen weniger Geld, als er ihr versprochen hatte, weil sie aussah wie sechzehn, aber das sei doch nicht so wild, oder? Sie hätte ja noch genug Zeit, Geld zu verdienen. Es ging den Männern nicht um ihr Alter. Das waren keine Perverse. Rose wusste nur zu gut, dass sich diese Typen auch mit einer blöden Junkie-Kuh mit sechs Bälgern einließen und sich dann kostenlos bedienten. Die Männer, mit denen Sammy sie zusammenbrachte, waren ganz normale Männer. Es gefiel ihnen, dass sie jung war, weil sie wussten, dass niemand ihr glauben würde. Nichts einfacher, als eine Minderjährige zum Schweigen zu bringen.

Aber Sammy musste sich etwas vorlügen, musste so tun, als ob er ein Geschäftsmann oder so wäre. Er würde das Geld sparen, behauptete er, und wenn sie volljährig wäre, würden sie zusammenziehen. Es ging ums Geld, und er liebte sie, sie liebten einander. Wenn er das sagte, sah er ihr immer tief in die Augen, wie der Hypnotiseur, den sie einmal im Pavilion Theatre gesehen hatte.

Vor dem Tod ihrer Mutter war Rose so gut wie nie ausgegangen. Sie ging auch kaum zur Schule. Schließlich konnte sie ihre Mutter nicht mit den Kleinen alleine lassen. Andauernd döste sie ein und ließ brennende Zigaretten fallen, und außerdem ließ sie alle möglichen Typen in die Wohnung. Aber das eine Mal war Rose doch weggegangen, weil sie Ida nicht hängen lassen wollte. Ida T. war ihre Nachbarin. Ida war anständig. Sie wusste, dass es Probleme gab, mehr als üblich. Da sie annahm, der Mutter von Rose ginge es ähnlich wie ihr, dachte sie, ihr würde ein bisschen mehr Spaß im Leben guttun, ein bisschen was zum Lachen. Also kaufte sie zwei Tickets für die Spätvorstellung der Hypnoseshow. Aber als Ida Rose' Mum abholen wollte, schlief die bereits und sah so aus, als ob sie sich nicht mehr groß rühren würde. Also zog Rose ihren Mantel an und ging an ihrer Stelle mit.

Als die Lichter ausgingen und die Show begann, forderte der Hypnotiseur alle Zuschauer auf, die Hände zusammenzupressen, als ob sie beten würden, und dann sagte er ihnen, jetzt würden sie ihre Hände nicht mehr auseinanderkriegen.

Im dunklen Theater lösten sich Rose' kleine Hände problemlos voneinander. Die von Ida auch. Beide dachten, der Trick hätte nicht funktioniert, aber dann sahen sie, wie die anderen Zuschauer aufstanden, die Hände wie im Gebet nach oben gerichtet, lachend, verblüfft. Sie hielten die Handflächen weiter aneinander gepresst, während sie über Knie und Handtaschen kletterten, um sich zum Gang vorzukämpfen. Sie liefen zur Bühne, versammelten sich dort und machten sich einen Spaß daraus, den Allmächtigen mit ihren zusammengeklebten Händen anzubeten.

Der Hypnotiseur befahl ihnen, irgendwelche dummen Sachen zu machen, und das übrige Publikum lachte darüber. Manche hatten Sex mit einem Stuhl, zogen sich aus, knutschten mit unsichtbaren Filmstars. Manche waren gar nicht hypnotisiert, das sah Rose sofort. Sie taten nur so als ob, damit sie auf die Bühne kamen, sich albern aufführen konnten und im Mittelpunkt standen. Eine Lüge, auf die sich alle geeinigt hatten.

Wenn Sammy ihr tief in die Augen sah und sagte, sie würden damit viel Geld machen, tat sie so, als ob sie hypnotisiert wäre. Ich liebe dich auch. Aber Rose konnte ihre Handflächen im Dunkeln voneinander lösen. Sie wartete nur, bis sich eine Gelegenheit ergab, von ihm wegzukommen, bis sie jemand anderen fand, jemanden, den sie nicht anlügen musste. Man brauchte jemanden, um sich an ihm festzuhalten, das wusste sie.

Sie sah hinaus auf die Straße mit den Pubs und Clubs, wo sich Kumpels, Cousins, Schwestern und Kollegen getroffen und den Abend miteinander verbracht hatten. Ihre eigenen Brüder und Schwestern waren in alle Winde zerstreut. Verschiedene Familien unten in England hatten sie adoptiert. Das war noch gar nicht so lange her, aber sie konnte sich nicht mehr richtig an ihre Gesichter erinnern. Die Verantwortung für sie fehlte ihr nicht, die ganze Last. Sie war erleichtert gewesen, als sie gingen. Sie würden sie nicht vermissen, da war sie sich sicher. Wo immer sie auch waren, es würde ihnen dort besser gehen als hier. Vielleicht schlugen sie sich in einer neuen Umgebung ja ganz gut. Sie ließ sie gehen. Rose war damals zwölfeinhalb gewesen, zu alt für eine Adoption, sie wusste das. Die Leute wollten frische, unverdorbene Kinder adoptieren, und das war sie nicht.

Alle hatten irgendjemanden. Und sie waren nicht einmal dankbar dafür. Meistens beschwerten sie sich sogar. Rose hasste die Kinder in der Schule, die über ihre Eltern jammerten. Die sich beklagten, weil die Eltern wissen wollten, wo sie sich die ganze Nacht herumgetrieben hatten, die wütend wurden, wenn sie mit blauen Flecken heimkamen und nach Kotze und Sperma stanken.

Sie tat sich selbst leid und spürte, wie ihre Laune in den Keller ging. Das kannte sie schon. Sie konnte es nicht kontrollieren und auch nicht abschwächen, weil sie so müde war, es war schon Morgen, und im Heim erwartete sie eine Diskussion mit den Erziehern, weil sie die ganze Nacht weg gewesen war. Sie ging im Kopf den Dienstplan der Erzieher durch: Die Neue war dran, die große, deshalb konnte Rose nicht einmal auf den alten Trick zurückgreifen, sich während der Standpauke einfach nackt auszuziehen. Ein männlicher Betreuer musste dann sofort den Raum verlassen. Die Erzieher ließen sich nie aus der Fassung bringen, sie hasste das. Sie wurden nie laut, regten sich nicht auf, schrien sie nie an, denn sie bedeutete ihnen nichts. Sammy schrie und brüllte. Seine Stimmung schwankte, sprang von einem Extrem ins andere. Dadurch war er ihr überhaupt erst aufgefallen. Er hatte sie auf dem Weg zur Schule angehalten und ihr gesagt, sie sei schön, und ihr war das peinlich und sie sagte ihm, er solle sich verpissen. Am nächsten Tag war er wieder da, wartete auf sie, aber jetzt war er wütend und sagte ihr, sie sei total eingebildet, wach auf, blöde Schnepfe, dein Arsch ist so groß wie ganz Partick. Und am nächsten Tag tat es ihm leid, das sah man ihm richtig an. Er wollte nur reden. Er spürte diese Verbindung zwischen ihnen, deshalb war er noch einmal gekommen. Rose hielt den Blick gesenkt, seit ihre Mutter gestorben war. Als sie zum ersten Mal wieder aufsah, war es wegen Sammys blödem Gehabe.

Ihre Stimmung verschlechterte sich weiter, sank tiefer und tiefer, war schon jenseits von Wut. Willkürliche Erinnerungen, passend zu ihrer miesen Laune, gingen ihr durch den Kopf: Wie sie in einem Flur voller Müllsäcke ihr Höschen auszog; ein schmuddeliges olivgrünes Badezimmer mit gelben Brandflecken von Zigaretten; vier Männer, die in einem Wohnzimmer saßen und zu ihr hochschauten.

Ihrem Psychologen gegenüber würde sie es zwar nie zugeben, aber sie nutzte tatsächlich manche Techniken, die er ihr gezeigt hatte: Sie schloss die Augen, holte tief Luft und dachte an Pinkie Brown.

Pinkie, wie er ihre Hand hielt, seine große Hand über ihrer kleinen. Pinkie, wie er in einem Topf mit Essen rührte. Pinkie in ihrer gemeinsamen sauberen kleinen Wohnung. Pinkie mit einem Baby im Arm, ihrem Baby vielleicht.

Es funktionierte. Das Atmen und die Bilder verdrängten ihre pechschwarze Stimmung. Der Psychologe hatte gesagt, man könnte immer nur einen Gedanken im Kopf haben und sie könnte sich aussuchen, welcher das war. Es wäre nicht einfach, sagte er, aber sie könnte wählen.

Pinkie auf der Couch, wie er sich ein Fußballspiel im Fernsehen ansah, in Jogginghosen und Unterhemd. Pinkie, wie er sich mit der Hand über seinen Bürstenhaarschnitt fuhr.

Dabei kannte sie Pinkie Brown gar nicht richtig. Sie hatte ihn ein paar Mal gesehen, wenn sie gegen die Kinder von Cleveden gekämpft hatten, einem anderen Kinderheim in der Nähe. Er überragte die anderen um einen Kopf, hatte sich aber im Hintergrund gehalten. Er war anders. Er hatte das Kommando. Einem weinenden Kind hatte er tröstend die Hand auf den Arm gelegt; seinem Bruder Michael, wie sich herausstellte. Er konnte gut mit Kindern umgehen, das wusste sie sofort. Zweimal fiel er ihr auf, einmal auf der Straße, einmal vor der Schule. Ein Mädchen in der Schule sagte, Pinkie hätte nach Rose gefragt.

Pinkie Brown ging ihr nicht mehr aus dem Kopf, und sie fing an, sich Geschichten über ihn auszudenken: Pinkie war ihre Sandkastenliebe. Klar, sie waren beide im Heim aufgewachsen, aber sie wussten, was Familie bedeutet, genau wie die kleinen Mädchen mit den schlechten Zähnen im Heim: Ihre Mutter ging zu Fuß durch die ganze Stadt, um sie zu besuchen, sie sparte sich das Geld für die Busfahrkarte, um ihnen Süßigkeiten zu kaufen.

In Rose' Fantasie wuchsen sie und Pinkie zusammen auf. Sie blieben einander treu. Sobald sie alt genug waren, kauften sie sich ihr eigenes kleines sauberes Haus und hatten ein Baby. Sie trugen passende Ringe aus dem Kaufhaus.

Ihm war völlig egal, was sie früher gemacht hatte. Er verstand das, sie hatte gutes Geld verdient. Vielleicht würde sie damit aufhören, wenn sie älter war und es sich leisten konnte. Vielleicht würde sie aufs College gehen und Sozialarbeiterin werden, nicht wie ihre Sozialarbeiter, sondern eine richtig gute, die wirklich wusste, was los war, und die dafür sorgte, dass Kindern wie ihr nicht solche Sachen passierten.

Schon besser. Ein Gefühl der Wärme nahm der düsteren Stimmung die Schärfe. Sie wurde schläfrig, aber sie riss sich zusammen und setzte sich aufrecht hin, biss sich in die Wange, um wach zu bleiben. Sie musste wach bleiben, denn nachher im Heim musste sie bestimmt gleich ins Büro und wurde ausgefragt, wo sie die ganze Nacht gewesen war. Sie durfte kein Wort über Sammy oder die Partys sagen. Sie würden sie umbringen. Sie drohten ihr nie, aber sie hörte sie reden. Das Einfachste der Welt, ein Mädchen loszuwerden, das niemand vermisste. Außerdem waren da noch die Erzieher: Sie wollte nicht, dass sie von dieser anderen Welt erfuhren. Die anderen im Heim sagten alle, sie würden die Erzieher hassen, aber manche hatten wirklich etwas Rührendes mit ihrer Hoffnung, sie könnten einem helfen. Rose wollte es ihnen nicht verderben.

Also öffnete sie die brennenden Augen und richtete sich auf. Und sah Pinkie Brown.

Er kam aus einer dunklen Gasse neben dem Pommes-Pakora-Kebab-Imbiss. Er sah direkt zu ihr herüber. Sie spürte, wie ihr Puls am Hals pochte. Er war gekommen, als ob sie ihn durch ihre Sehnsucht aus der schmutzigen Dunkelheit heraufbeschworen hätte.

Er trat aus dem Schatten und ging auf das Auto zu, den Blick fest auf sie gerichtet. Im Licht der Straßenlaternen erkannte sie, dass sein dunkles T-Shirt am Saum aufgerissen und vorn ganz nass war. Er beugte sich vor, öffnete die Beifahrertür. »Rosie vom Turnberry.« Er war außer Atem, seine Haut glänzte vor Schweiß und Panik. »Komm.«

Freudig stieg Rosie aus, aber dann sah sie die roten Spritzer auf seinem Hals, seinem Unterarm. Sein T-Shirt war blutgetränkt.

Er schloss die Autotür und zog sie tief in die dunkle Gasse.

Durch die schweren Frittierfettschwaden stach der aufdringliche Geruch von Pisse.

»Ist das dein Blut?«, fragte sie. Es war der erste Satz, den sie im echten Leben zu ihm sagte.

»Nein.« In der Gasse war es dunkel. »Ein paar Typen aus Drumchapel sind auf uns los. Haben unseren Michael verprügelt.« Der Junge, den er getröstet hatte: sein Bruder – er fühlte sich für ihn verantwortlich. »Hab dafür gesorgt, dass sie ihn in Ruhe lassen.«

»Typen aus einem anderen Heim?«

»Nö.« Er sah sie prüfend an. Sie verstand. Die Mitglieder der Gangs, die nicht aus dem Heim kamen, waren hinter ihnen allen her. Cleveden oder Turnberry bedeuteten ihnen nichts. Für sie waren sie alle Abschaum aus dem Heim. Sie wussten, dass man ihnen alles anhängen konnte, sie sowieso an allem schuld waren.

»Rose.« Pinkie streckte ihr eine Hand entgegen. »Nimmst du das?«

Kein Ring von Argos. In seiner offenen Hand lag ein Rambo-Messer mit gebogener Klinge und Sägezähnen. Der Griff war mit silbrigem Gaffaband umwickelt und mit Blut verschmiert.

»Steck das in deinen Strumpf, ich hol es später, okay?« Er hob die Hand, berührte fast ihr Gesicht. »Versteckst du das für mich? Die Polizei durchsucht Cleveden auf jeden Fall. Ich brauch das Messer noch, aber die Bullen dürfen es nicht bei mir finden.«

Das blutige Messer war nur wenige Zentimeter von ihrer Nase entfernt.

Er sah sie erwartungsvoll an, aber Rose rührte sich nicht. Tränen brannten in ihren Augen. Sie starrte weiter auf das verschmierte Messer.

Sie blinzelte. Wenn sie die Augen schloss, sah sie gelbe Brandflecken auf einer grünen Badewanne. Sie öffnete die Augen, eine

Träne löste sich und tropfte auf die schmutzige Klinge: Ein sauberer silbriger Spritzer auf dem Rot.

»Hab keine Angst«, sagte er, aber Rose weinte nicht aus Angst. »Du magst mich doch, oder?«

Rose hob langsam die Hand und nahm das Messer beim Griff. Er war klebrig und feucht. Egal. Sie hatte schon Schlimmeres angefasst.

Pinkie lächelte und flüsterte: »Jetzt sind deine Fingerabdrücke drauf.«

Eine Falle. Acht Männer in einer Wohnung, nicht nur ein einziger Freund von Sammy. Besoffene Männer, ein schmutziges Bett, Wodka, mit dem sie sich den Mund spülte. Ihre Hand umklammerte den Griff fester, durch das Gaffaband drang Blut, wie Schlamm, der zwischen den Zehen hervorquillt.

Er spürte ihren Stimmungsumschwung und versuchte sie zu beruhigen. »Ich mag dich doch auch, Rose.« Aber er sagte es ausdruckslos, wie »nett, dich kennenzulernen« oder »alles nur zu deinem Besten« oder »wir wollen doch nur helfen«.

Pinkie Brown wollte sie reinlegen, so wie sie Freier mit Bargeld und einem Gewissen reinlegte. Sie erkannte Schuldgefühle wie andere Kinder verschiedene Geschmacksrichtungen bei Chips. Und Pinkie Brown kannte ihre Gefühle. Er würde nie ihre Hand halten, nie in einem Topf rühren oder ein Baby in den Schlaf wiegen. Das saubere kleine Haus war leer. Es gab gar kein Haus. Wenn sie sich die Geschichten über ihn ausgedacht hatte, hatte sie die Handflächen zusammengepresst und sich eingeredet, sie könnte sie nicht mehr lösen. Tja, jetzt hatten sie sich gelöst.

Es gab nichts anderes. Dreck und der Gestank nach Pisse und Sammy und Schmutz. Sie schloss ganz fest die Augen.

»Rose, ich hab dich in der Schule gesehen.« Pinkies Schatten war über ihr, sein Atem in ihrem Gesicht.

Voller enttäuschter Hoffnungen schubste sie ihn weg.

Zumindest dachte sie das.

Sie wollte ihn schubsen, mit der Hand kurz und grob gegen seine Schulter stoßen. Aber er hatte sich bewegt und sie hatte vergessen, dass sie das Messer in der Hand hatte. Sie spürte, wie sich die Zähne im Fleisch verfingen. Warme Nässe bespritzte ihre Brust. Voller Ekel und Entsetzen riss sie die Hand abrupt nach unten, hielt aber das Messer umklammert und säbelte weiter, wenn es sich irgendwo verfing. Weiter und weiter, bis sich das Messer endlich löste. Sie ließ es fallen, hörte das Klirren des Metalls auf Stein. Sie kniff die Augen noch fester zu und presste die Lippen zusammen, damit ihr nichts in den Mund spitzte.

Sie spürte den Luftzug, als er mit seinem ganzen Gewicht zu Boden ging. Fühlte den Aufprall, hörte sein überraschtes Grunzen. Ein Plätschern auf dem Kopfsteinpflaster. Das Quietschen seiner Turnschuhe, die Gummisohlen, die über das Pflaster rieben. Dann war es still.

Sie konnte nicht hinsehen. Das warme Blut auf ihrem Gesicht kühlte langsam ab.

Vorsichtig öffnete sie ein Auge; das Auge, das dicht an der Mauer war. Alles normal. Dunkle, stinkende Nacht. Der Geruch von Pisse und Fett. Sie sah nach unten. Das Kopfsteinpflaster war nass.

Pinkie lag auf dem Boden, daneben das Messer. Er war auf die Seite gestürzt, mit ausgestreckten Armen, die Augen halb geöffnet. Er lag völlig still, nur an seinem Hals pulsierte etwas, in dem sich das silberne Licht fing.

Allmählich wurde das Pochen langsamer. Rose stand da, wagte kaum zu atmen, sah aus wie sechzehn, fühlte sich wie zwölf. Langsam wurde ihr klar: Eine Tür hatte sich geschlossen. Damit würde sie nie davonkommen. Die würden sie zerstückeln und in einem Müllsack liegen lassen.

Sie stützte sich mit einer Hand an der Mauer hinter ihr ab, beugte sich vor, griff nach dem Messer und steckte es in ihren Strumpf, wie Pinkie es gesagt hatte. Dann richtete sie sich, an die Mauer gelehnt, wieder auf. Ihre Finger waren klebrig, ihre Jeans und Strümpfe mit Blut verschmiert.

Rose blinzelte und schaltete alle körperlichen Empfindungen ab, sie konnte das. Rückwärts tastete sie sich aus der Gasse, eng an der Mauer entlang, wobei sie überall verschmierte, blutige Abdrücke hinterließ.

Sie ging zurück zum Auto, sah sich nicht einmal um, ob jemand sie beobachtet hatte. Sie stieg ein, verriegelte die Tür, schnallte sich an und saß reglos, blickte mit leerem Blick durch die Scheibe.

Sobald Sammy sah, was sie getan hatte, war sie tot. Wie ihre Mutter. Ein Mann lag auf ihr. Ein dicker, erdrückender Mann auf ihrer Mum in der dunklen Küche, die Füße ihrer Mutter strampelten, ein dicker Mann auf ihr. Sie strampelte weiter, als ob das etwas bringen würde. Trat mit den Füßen in die Luft, suchte nach etwas, das sie treffen konnte. Rose schloss die Tür des Schlafzimmers und lehnte sich dagegen, schaute auf die Kleinen, betete, dass sich keins von ihnen bewegte oder aufwachte und schrie. Sie stand hinter der Tür, bis der Mann weg war. Ein betrunkener, fetter, unbeholfener Mann, der auf dem Weg nach draußen die Wände streifte und nie wieder gesehen wurde, nie gefunden wurde. Ihre Mum hatte oft versucht, sich umzubringen, und es nicht geschafft. Sie hatte sich selbst dafür bemitleidet, und doch hatte sie beim Sterben gestrampelt und in die Luft getreten.

Rose saß in Sammys Wagen und hing eine Stunde oder einen Tag oder eine Minute ihren Gedanken nach, sie wusste es nicht. Schließlich kam Sammy die Straße entlanggeschlendert. Er ging direkt zum Auto, schaute nicht in die Gasse.

Als er den Schlüssel ins Türschloss steckte, presste sich sein Bauch gegen das Seitenfenster. Er würde sie umbringen. Oder sie zu den Männern bringen, die sie umbringen würden. Sobald er das Blut an ihr sah, war sie so gut wie tot. Aber er stieg ins Auto, ohne sie anzusehen.

Sammy hatte mit gerade mal vierundzwanzig schon eine Glatze. Und fett war er auch. Für sie sah er aus wie fünfzig. Sie sah aus wie sechzehn, aber er sah aus wie scheißfünfzig, ekelhaft.

»Du glaubst nicht, was passiert ist«, sagte er und schaute nach vorn durch die Windschutzscheibe, seine Stimme normal, laut und fröhlich.

»Was?«, fragte Rose wie betäubt.

»Prinzessin Diana ist tot.« Er gab ein schnaubendes Lachen von sich. »Stell dir das mal vor! Starb bei einem Autounfall in Paris.«

Rose verstand nicht, was daran so wichtig sein sollte. »Leck mich«, sagte sie mechanisch.

Er lächelte und ließ den Motor an. »Aye. Bei einem Autounfall.«

»Verdammte Scheiße«, sagte Rose.

Sammy schaltete die Scheinwerfer ein und fuhr aus der Parklücke hinaus auf die menschenleere Straße.

»Mann«, sagte er beim Fahren. »Da kommt man schon ins Grübeln.« Ihn schien die Geschichte wirklich zu beschäftigen. »Sie war zu jung zum Sterben. Denk doch nur an die Jungs. Was glaubst du, was Charles dazu meint?«

Rose war es nicht gewohnt, sich über aktuelle Ereignisse oder irgendein anderes Thema mit Sammy zu unterhalten. Dass er so kumpelhaft drauf war und tat, als ob sie immer über solche Sachen reden würden, ließ die Nacht noch seltsamer wirken.

Als sie die Bath Street entlangfuhren, stupste er sie mit seinem fetten Ellbogen an. »Was denkst du? Charles: Wie fühlt er sich?«

»Keine Ahnung.« Sie musste etwas sagen. »Fix und fertig?«

»Das glaubst auch nur du.« Lächelnd bog er an einer Ampel ab. »Er ist froh. Jetzt kann er endlich die andere heiraten.«

Sammy schwatzte weiter, über die Queen und Prinz Charles. Rose schaltete einfach ab. Sie hatte keine Ahnung von Politik. Sie war so hundemüde, dass sie Pinkie Brown vergaß. Sie konnte sich nur noch daran erinnern, dass er tot war und überall Blut war. Der Tod drängte sich in ihr Bewusstsein, nahm sie völlig in Beschlag, als ob sie Schmerzen hätte.

An der Einmündung der Turnberry Avenue beugte sie sich vor und kratzte sich gedankenverloren am Knöchel. Als sie die Feuchtigkeit an ihren Fingerspitzen spürte, fiel es ihr wieder ein: Ihre Haut juckte, weil überall an ihr Pinkie Browns Blut klebte. Sie hatte ihn getötet. Sie erstarrte und beugte sich noch weiter vor, berührte mit den Fingerspitzen den Fußraum des Wagens, als ob sie ein Sprinter in den Startblöcken wäre.

Das Kinderheim war in einer großen viktorianischen Villa inmitten des schicken West End untergebracht. Sammys Blick huschte durch die Straße, er wollte nicht von Erziehern oder sonstigen Zeugen gesehen werden.

»Braves Mädchen«, sagte er, weil er dachte, sie würde sich seinetwegen hinunterbeugen.

Er parkte zweihundert Meter vom Heim entfernt, im tiefen Schatten eines hohen alten Baumes. Ein Ast hing unter dem Gewicht seiner Blätter tief hinunter auf die Straße, schaukelte im Wind, die Blätter drehten und wendeten sich, silbern, schwarz. Dazwischen blinkten die orangefarbenen Lichter der Straßenlaternen, doch es dämmerte bereits. Rose blieb unten.

Sammy plapperte weiter, wahrscheinlich hatte er einen Joint

geraucht oder etwas eingeworfen, während sie im Auto auf ihn gewartet hatte.

Er sagte: »Eines Tages wirst du mich verlassen, weißt du? Du lebst dein junges Leben weiter, aber mich wirst du hoffentlich in guter Erinnerung behalten. Ich halte sehr viel von dir, das weißt du doch?«

Er wartete auf die übliche Lüge – ich werde dich nie verlassen, Sammy, du bist der einzige auf der Welt, der sich um mich kümmert –, aber Rose sagte kein Wort. Sie dachte an strampelnde Beine, die in die Luft traten. Das hätte sie jetzt auch gern getan.

Ihr Blick fiel auf die teuren Wohnungen draußen, die dunklen Fenster mit den zugezogenen Vorhängen. In solchen Wohnungen schliefen Anwälte und Studenten und Zahnärzte, erholten sich in einem warmen, gemütlichen Bett. In ein paar Stunden würden sie aufwachen, in aller Ruhe frühstücken und sich dann einen gemütlichen Sonntag machen. Sie würden sich anziehen und Briefe an die Stadt schreiben, um sich zu beschweren, dass das Kinderheim die Immobilienpreise ruinierte.

»Was wünschst du dir für dich, Rose?«, fragte Sammy, im selben Ton, aber in einer anderen Stimmung. »Was erwartest du vom Leben?« Und dann zog er die Handbremse an, bereit für ein langes Gespräch.

»Kohle«, sagte sie zum Fußraum. Sie konnte sich nicht aufrichten. Er würde sonst das Blut sehen.

»Tja, dann bist du auf dem richtigen Weg, Kleine.« Er lachte leise. »Was machst du eigentlich da unten?« Jetzt sah er direkt zu ihr, gaffte sie mit seinem großen dummen Gesicht an.

Was machte sie da unten? Die Frage gellte laut in ihrem Kopf. Was machte sie da ganz unten? Warum war immer *sie* ganz unten? Die Ungerechtigkeit wurde ihr mit einem Mal so deutlich und vollständig klar, dass sie blinzeln musste. Warum konnten andere Mädchen jetzt einfach schlafen? Warum trugen sie gebügelte Kleider und machten sich Sorgen wegen ihrer fetten Oberschenkel, lernten Klavier spielen und lackierten sich die Fingernägel, während sie selbst ganz unten war?

Rose wandte ihm das Gesicht zu. Ihre Finger krochen an ihrem Bein entlang und schoben die Jeans hoch, bis sie das Gaffaband spürte.

»Du bist heute so komisch drauf – was ist denn da unten …«

Ruckartig richtete sie sich auf, stach mit dem Messer in seinen Hals, zog es heraus, stach abermals zu. Sie hatte dabei mit den Beinen gestrampelt, aber jetzt schloss sie die Augen, zog die Knie hoch bis ans Kinn und drückte sich gegen die Beifahrertür.

Nasses Keuchen und Zappeln. Tropfen im Auto. Sammy trat um sich, die Füße strampelten gegen die Pedale. Er packte sie an den Haaren und zerrte sie auf seine Seite.

Doch langsam lockerte sich sein Griff, seine Hand rutschte an ihrem nassen Arm hinunter und verschwand.

Rose wartete, bis das Zappeln langsamer wurde. Wie bei ihrer Mutter waren es auch bei Sammy die Beine, die zuletzt Ruhe gaben. Das einzige Geräusch im Auto war ein nasses Gurgeln.

Sammy sackte zusammen und sank auf das Lenkrad. Ein dröhnendes Hupen ertönte.

Rose konnte sich nicht im Heim verstecken, sie war völlig blutverschmiert.

Sie konnte nicht weglaufen. Wenn die Polizei die Leiche von Sammy dem Perversen fand, würde sie zuerst im Heim suchen, und dann würde sofort auffallen, dass sie fehlte. Und selbst wenn sie der Polizei entkam, die Männer würden sie finden. Sie würde nie davonkommen.

Sie öffnete die Augen und sah aus dem Fenster, das ein Muster aus Blutspritzern zierte. Das schrille Hupen hörte sie gar nicht.

In den Wohnungen ringsum gingen die Lichter an. Vorhänge wurden zurückgezogen. Wütende Gesichter sahen nach dem Auto, dessen Hupe die Stille des Sonntagmorgens zerriss. Rose sah zu, wie sich die Straßenlaternen der Morgendämmerung ergaben und eine nach der anderen ausging.

Sie saß im blutverschmierten Auto und wartete auf die Polizei.

2

Alex Morrow hasste es, wenn sie so nervös war. Sie hasste es. Hinter der Tür scharrte ein Stuhl über den Boden, und ihr Magen sandte ein säuerliches Stresssignal. Sie biss die Zähne zusammen, bis es schmerzte, wütend auf sich selbst. Sie wusste, dass sie nervös war, weil sie ungern vor vielen Menschen sprach und Michael Brown wiedersehen musste, aber das half ihr auch nicht weiter. Tief Einatmen genauso wenig. Sie hatte Bananen gegessen und auf Kaffee verzichtet, aber das hatte auch nicht geholfen. Sie hasste es.

Der Warteraum für Zeugen strahlte öde Langeweile aus. Eine gelbliche Kiefervertäfelung an den Wänden, marineblauer Teppichboden. Sechs Stühle, ebenfalls aus Kiefernholz, mit marineblauem Bezug, dazu ein niedriger Tisch mit ein paar Zeitschriften, die niemand lesen wollte. Ein leerer Wasserspender setzte in der Ecke Staub an. Morrow stellte sich vor, wie ein verunsicherter Zeuge hier wartete, einen Becher Wasser nach dem anderen trank, um das trockene Gefühl im Mund loszuwerden, und dann aufs Klo musste, sobald er in den Zeugenstand gerufen wurde. Ihr Mund war ebenfalls trocken. Sie biss sich auf die Zunge. Wenn es ihr sonst so ging, fragte sie sich normalerweise, warum sie sich das antat. Aber heute saß sie liebend gern mit klopfendem Herzen hier; wenn es sein musste, ein ganzes Jahr lang jeden Tag, falls dadurch ein höheres Strafmaß für Michael Brown heraussprang. Sie wollte diesen Scheißkerl nie wieder verhören müssen. Er drohte ihr bei den Verhören. Er bedrohte Brian. Er sagte, er kenne Pädophile, die dafür bezahlen würden, ihre Kinder zu missbrauchen. Er kannte ihre Privatadresse, verhöhnte ihr Sexleben, hatte sogar vor ihr die Hose heruntergelassen.

Anfangs hatte Morrow mit dem Gedanken gespielt, die Verhöre an jemand anderen abzugeben. Sie wurde wütend, fühlte sich beschmutzt. Aber im Lauf der Zeit, als Browns Gesichtsfarbe immer fahler wurde und schließlich gefängnisblass war, er immer mehr Gewicht verlor und Häftlingskleidung trug, erkannte sie sein wahres Ich: Ein Lebenslänglicher im Todeskampf. Als er verhaftet wurde, war er bereits auf Bewährung. Er war als Teenager für den Mord an seinem älteren Bruder Pinkie verurteilt worden. Als sich herumsprach, dass er mittlerweile halbautomatische Waffen an Junkies verlieh, vermutete man bei der Polizei, dass er erwischt und ins Gefängnis zurückgeschickt werden wollte, weil er es draußen einfach nicht schaffte. Er wäre erledigt, wenn das bekannt werden würde, deshalb musste er eine gute Vorstellung abliefern und sich dem Arm des Gesetzes so gut wie möglich widersetzen. Es war so etwas wie die Abschlussprüfung für Lebenslängliche, und Morrow war nicht in der Prüfungskommission, sondern bloß eine notwendige Requisite.

Sie konnte sich das Finale gut vorstellen: Michael Brown würde einen Fluchtversuch aus dem Gericht unternehmen. Sein holländischer Anwalt hatte gerade die Renovierung von Browns Villa in Nordzypern in Auftrag gegeben. Wenn er es dorthin schaffte, da war sich Morrow sicher, würde er aus irgendeinem Grund versehentlich nach Glasgow zurückkehren und geschnappt werden. Sie wusste noch nicht wie, aber sie war überzeugt, dass er einen Fluchtversuch plante. Eine Möglichkeit war ein Sprung über die Abgrenzung zu den Zuschauerrängen.

Sie lehnte sich auf ihrem Stuhl zurück und ging noch einmal

die Sicherheitsvorkehrungen durch: Jeweils ein Polizeiauto vor und hinter dem Gerichtsgebäude. Zusätzliche Sicherheitsleute unten im Saal. Kameras an jedem Ausgang und ein abgesperrter Innenhof. Zwei bewaffnete Polizisten, die im Foyer eine Show abzogen. Die Geschworenen waren für das gesamte Verfahren isoliert worden, wohnten in einem streng bewachten Hotel. Das Ganze kostete ein Vermögen. Die Berichterstattung der Medien war eingeschränkt worden; Journalisten waren beim Verfahren zugelassen, durften sich aber nur Notizen für später machen. Das war einfacher, als die Medien ganz auszuschließen, hatte aber im Grunde denselben Effekt.

Die Tür zum Gerichtssaal ging auf, und Morrow zuckte auf ihrem Stuhl zusammen. Die Gerichtsdienerin sah zu ihr herein. Sie war schmal und ertrank fast in ihrer schwarzen Robe, die dunkelblonden Haare waren zu einem unordentlichen Pferdeschwanz zusammengebunden. Sie wirkte gestresst und müde.

»DI Alex Morrow.«

Die Gerichtsdienerin verschwand die Treppe hinunter und Morrow hörte, wie es im Gerichtssaal still wurde. Alle im Gericht schauten nun auf die Tür, mit jeder Sekunde Verspätung wuchs die Spannung.

Morrow stand auf, nahm ihre Tasche und wünschte, sie wäre nicht so groß. Aber sie konnte sie nicht im Warteraum oder im Auto lassen. In der Tasche war ihr Laptop, und wenn sie die darauf gespeicherten Akten verlieren würde, wäre das ein Kündigungsgrund. Sie musste die Tasche mitnehmen, obwohl sie damit aussah, als wollte sie verreisen.

Durch die Tür, fünf Stufen hinunter und hinein in den Gerichtssaal. Die falschen Schuhe. Ihre soliden Absätze klangen auf dem Holzboden, als ob jemand langsam in die Hände klatschen würde. Michael Brown starrte zu ihr herüber; aus dem Augenwinkel erkannte sie seine Umrisse. Wieder spürte sie extremes Unbehagen in seiner Gegenwart. Sie begab sich möglichst leise zum Zeugenstand, hielt die Augen auf die Richterbank gerichtet und lehnte ihre Tasche an die Wand des Zeugenstands.

Als sie sich aufrichtete, ließ sie den Blick durch den Raum schweifen. Die Geschworenen hatten sich bereits zu einer Gruppe zusammengefunden und Notizbücher und Stifte bereitgelegt. In der hinteren Reihe wurde heimlich eine Rolle Pfefferminz durchgereicht.

Alle in offizieller Funktion blickten zum Protokollführer, der direkt unterhalb des Richters saß. Er nickte, um anzuzeigen, dass die Aufnahmegeräte funktionierten und sie anfangen konnten.

Der Richter holte Luft und vereidigte Morrow. Sie hatte den Eid schon Hunderte Male gesprochen und folgte flüssig seinen Stichworten, während sie aus den Augenwinkeln den Gerichtssaal in sich aufnahm.

Michael Brown saß auf der Anklagebank und starrte sie an, versuchte, ihren Blick auf sich zu lenken. Es war wichtig, seinen Blick nicht zu erwidern. Ihre Aussage sollte nicht persönlich wirken, und Brown gab ihr ein so unbehagliches Gefühl, dass sich die Abneigung auf ihrem Gesicht widerspiegeln könnte. Die Geschworenen würden merken, dass sie Angst vor ihm hatte. Womöglich würden sie denken, dass ihre Gefühle die Ermittlungen gegen ihn beeinflusst haben könnten. Das war aber nicht so. Die Anklage gegen ihn war fundiert, davon war sie überzeugt.

Die meisten Kriminalbeamten mit ihrem Rang wussten, dass man bei Gericht auf das Beste hoffen und mit dem Schlimmsten rechnen musste, aber Morrow war in diesem Fall zu stark involviert: Sie wollte unbedingt, dass Brown eine hohe Haftstrafe erhielt. Überrascht stellte sie fest, dass ein Journalist im Saal saß, auf den für die Presse reservierten Plätzen, die über einen kleinen Klapptisch verfügten. Er wirkte seriös, kein Reporter in Tarnhosen, der für ein Kriminalmagazin berichtete, sondern ein Journalist in Hemd und Jackett. Sie konnte sich nicht erklären, warum er hier war, er durfte ja doch nichts veröffentlichen.

Nach dem Eid stand James Finchley, der Vertreter der Anklage, auf und stellte sich vor die Geschworenen. Er nahm sich Zeit, schlug seine Aktenmappe auf, betrachtete zwei Seiten, blätterte um, ließ sie warten.

Finchley war klein und affektiert. Seine schwarze Robe war stets frisch gebügelt, seine Perücke sorgfältig gepudert, seine Sprechweise kurz und präzise. Morrow wusste, dass er außerhalb des Gerichts freundlicher war, als er hier wirkte. Er war gründlich, aber langweilig.

Anton Atholl als Verteidiger war da ganz anders. Atholl war fast schon eine Berühmtheit und ein Earl, aber die Leute mochten ihn, weil er seinen Titel nicht gebrauchte. Stattdessen nutzte er sein Gespür für Dramatik und juristische Schlupflöcher, gab zornige Interviews für die Lokalpresse, trank viel und trug die welligen grauen Haare etwas zu lang. Bei einer Verurteilung Browns würde er garantiert in die Berufung gehen. Deshalb hatte Staatsanwalt Fiscal Finchley mit der Anklage betraut: gründlich, aber langweilig.

Heute schien sich Atholl beim Anziehen um sich selbst gedreht zu haben; alles an ihm war leicht verrutscht: die Perücke, der Talar, die Papiere in seiner Akte. Clever, dachte Morrow. Atholl war das einzig Interessante im Raum. Er inszenierte sich bewusst als Gegenstück zu Finchley. Selbst sie sah zu ihm hin.

Finchley blickte von seinem Aktenordner hoch, forderte Morrow auf, ihren Namen zu nennen, fragte, für welches Revier sie arbeite und wie lange sie schon für die Kriminalpolizei tätig sei.

Er stellte die Fragen in typischer Anwaltmanier, kurz und

wortreich zugleich, die Konvention eines Berufsstandes, der Präzision zu schätzen wusste, aber pro Stunde bezahlt wurde.

Und an jenem Tag im Mai, könne sie sagen, wann genau da der Durchsuchungsbeschluss umgesetzt worden sei?

Morrow erklärte, dass sie um 7.35 Uhr an der Tür geklopft hätten. Einige Geschworene sahen zu Brown hinüber. Sie fragten sich, ob er um diese Zeit schon auf war, vielleicht auch, was für einen Schlafanzug er trug, und versuchten sich die Szene auszumalen.

Brown starrte weiter Morrow an. Unwillkürlich schaute sie zu ihm hinüber. Er wirkte grau, ganz anders als der sonnengebräunte Schlägertyp, den sie stundenlang verhört hatten. Aber er saß mittlerweile auch seit vier Monaten in Haft und wurde von zwei bulligen Sicherheitsleuten flankiert, die offensichtlich einen Großteil des Sommers im Freien verbracht hatten.

Als ihr Blick schon weitergewandert war, versuchte Brown höhnisch zu grinsen. Zu spät. Er sah direkt zu ihr, wollte Blickkontakt herstellen, schien sie fast anzuflehen, ihn anzusehen. Morrow hielt den Blick auf Finchley gerichtet.

Finchley wandte sich nun der Durchsuchung des Hauses zu: Wie viele Beamte hatte sie an jenem Tag bei sich? Sieben. Waren darunter auch bewaffnete Beamte? Und wenn ja warum? Man vermutete, dass Mr. Brown Schusswaffen im Haus hatte.

Sie erinnerte sich noch sehr gut an das Haus: brandneu, mit vier Schlafzimmern und jeweils angeschlossenem Bad. Eine Luxussiedlung in einer heruntergekommenen Gegend. Brown lebte in der Hälfte eines Schlafzimmers, alles andere im Haus war unberührt. Seinen Bereich hatte er genauso ausgestattet wie im Hochsicherheitsgefängnis von Shotts: ein Fernseher und ein Einzelbett, ein kleiner Schrank, ein Stuhl und ein Tisch. Brown war im Gefängnis aufgewachsen. Er war nur drei oder vier Jahre lang auf Bewährung draußen gewesen.

War Mr. Brown bei der Durchsuchung hilfsbereit? Nicht im Geringsten, er weigerte sich, die abgesperrten Räume aufzuschließen und leistete zwei Beamten körperlichen Widerstand. Fanden sie Waffen in Mr. Browns Haus? Nicht im Haus, aber im Garten hinter dem Haus waren Waffen vergraben.

Gab es Beweise, dass Mr. Brown von deren Vorhandensein wusste? Seine Fingerabdrücke waren darauf.

Und die Waffen waren in seinem Garten? Ja, sagte sie. Sie waren in seinem Garten.

Atholl feixte und machte sich Notizen. Er wusste, dass sie und Finchley ein Spielchen spielten und unterstellten, dass Brown von den Waffen wusste. Auf Waffenbesitz standen mittlerweile mindestens fünf Jahre. Ein Postbote mit einem Paket, in dem sich eine Schusswaffe befand, konnte für fünf Jahre ins Gefängnis kommen. Aber wenn Waffen im Garten gefunden wurden, galt das nicht als Waffenbesitz. Dass Brown die Waffen im Garten vergraben hatte, zeigte, dass irgendjemand die neuesten Urteile kannte, bei denen die Tinte noch kaum trocken war. Irgendjemand hatte sich genau über die aktuelle Rechtslage informiert, und sie glaubte nicht, dass es Brown selbst war.

Finchley fragte weiter: Was hatten sie sonst noch gefunden? Viel Geld, in Folie eingeschweißt. Warum war das von Bedeutung? Das wies darauf hin, dass das Geld …

»Einspruch.« Atholl war aufgestanden und murmelte etwas von Spekulationen.

Na schön. Wie viel Geld? Eine halbe Million in Zwanzig-Pfund-Scheinen. Was fanden sie noch, das von polizeilichem Interesse sein könnte? Vierzig iPhones, noch originalverpackt. Woher kamen diese? Sie waren legal in verschiedenen Geschäften gekauft worden. An jedem klebte mit Tesa der Kassenbon.

Atholl sprang erneut auf: Wenn die iPhones legal gekauft worden waren, wie konnten sie dann »von polizeilichem Interesse« sein? Sein Einspruch war unangebracht, und er wusste es, aber Finchley gab nach. Die Staatsanwaltschaft musste in einem weiteren Fall Anklage erheben, wenn sie die Sache mit den iPhones vertiefen wollte, ein komplizierter Fall, an dem sicher etwas dran war, bei dem man aber nichts beweisen konnte.

Um Drogengeld ins Ausland zu schaffen, bediente man sich in Großbritannien eines internationalen Netzwerks namens Hundi. Ein schottischer Heroindealer ging zu einem Hundi-Vertreter in Schottland und brachte ihm eine Dreiviertel Million Pfund in bar. Innerhalb weniger Stunden, oft sogar noch schneller, wurde die entsprechende Summe in pakistanischen Rupien von einem Hundi-Kontakt an einen Dealer in Lahore geliefert, meist von einem Motorradkurier. Allerdings ging es bei diesen Transaktionen nicht immer um Drogengeld – manchmal waren es auch ganz harmlose inoffizielle Überweisungen von Leuten, die kein Bankkonto hatten oder den Banken nicht trauten. Doch die Unschuldigen waren von den Kriminellen nicht zu unterscheiden, weil die Hundi-Netzwerke extrem komplex und fragmentiert waren: Der Kassierer hatte nichts mit dem Hundi-Mann in Pakistan zu tun, und die Schuldeneintreiber waren wieder andere und wussten kaum, für wen sie eigentlich arbeiteten. Brown war nur einer von vielen Schachfiguren, und im Lauf der Verhöre war Morrow zu der Überzeugung gelangt, dass er gar nicht wusste, mit wem oder was es eigentlich zu tun hatte. Doch irgendjemand wusste es, und irgendein Anwalt gab topaktuelle Ratschläge zum Waffenbesitz und kannte die rechtlichen Grauzonen, wie die iPhones und die Belege bewiesen, die daran festklebten.

Die Polizei wusste, dass die vierzig iPhones nach Pakistan gingen und dort zum Quartalsende als Ausgleichszahlung zwischen zwei Hundi-Kontakten dienten. Sie alle wussten, dass Brown das Bauernopfer war, bei dem die Mobiltelefone und

Waffen gelagert wurden. Kanonenfutter für die Polizei. Die Waffen wurden stets bei einem Handlanger deponiert, auf den man gut verzichten konnte. Aber sie hatten keine Beweise, und Brown hatte kein Interesse, sie bei den Nachforschungen zu unterstützen. Er brauchte die Bonuspunkte, die ihn als Kriminellen auszeichneten, für seine triumphale Rückkehr ins Gefängnis.

Finchley blätterte gemächlich in seiner Akte, und Morrow scharrte mit den Füßen. Sie hielt sich ungern im Revier eines anderen auf. Die Förmlichkeit, die Perücken, die Roben, die altmodische Sprache, der begleitende Anwalt, dem man etwas ins Ohr flüsterte; all das sollte den Außenstehenden zeigen, wer hier das Sagen hatte.

Die Gerichtsdienerin brachte eine Beweismitteltüte, die sie sich ansehen sollte: einen durchsichtigen Plastikbeutel mit einer Schusswaffe. Alle im Gericht zuckten davor zurück. Morrow bestätigte Finchley, dass sie persönlich dabei gewesen war, als die Waffe in der Beweistüte verstaut wurde, und dass es sich um ein Sturmgewehr vom Typ SA80 handelte.

Das SA80 zählte zur Standardausrüstung der britischen Truppen beim Einsatz in Konfliktgebieten. Automatische Waffen mit einem dreißig Schuss Kurvenmagazin und einem Visier perfekt für Deutschüsse, was bedeutete, dass man sich schnell umdrehen und auf jemanden schießen konnte, ohne lange zu zielen. Die Identifikationsnummer war grob abgeschliffen worden, doch die Nummer hatte sich bei der Prägung tief eingedrückt und war noch lesbar, als man das Metall aufschnitt. Die Waffen waren alle in Afghanistan verloren gegangen, wo auch neunzig Prozent des Heroins produziert wurden, das weltweit in den Handel kam. Jemand brachte sie zurück nach England und verscherbelte sie an Verbrecher. Morrow fand das mörderische Potenzial dieser Waffen ebenso verstörend wie ihre Geschichte: Sie waren alle im Sand und Dreck eines Konfliktgebiets zum Einsatz gekommen. Irgendwie hatte sie das Gefühl, als ob ein Teil der dortigen chaotischen Zustände nun in ihr Revier zurückschwappen würde.

Aus dem Augenwinkel beobachtete Morrow, wie Brown sich aufrichtete, um die Tüte zu sehen.

Auch die Gerichtsdienerin registrierte seine Bewegung und erstarrte, die Sicherheitsleute setzten sich aufrechter hin, der Richter beugte sich vor, allen war plötzlich bewusst, was für eine tödliche Schusswaffe Brown zur Verfügung gehabt hatte. Brown lehnte sich zurück. Morrow konnte sich vorstellen, dass ihm die ängstliche Stimmung im Raum gefiel. Er genoss das Unbehagen anderer.

Nur Finchley schien völlig unbeeindruckt. Er ging die technischen Einzelheiten der Waffe durch und forderte Morrow auf, diese zu bestätigen, während die Gerichtsdienerin das Sturmgewehr wieder sicher verstaute.

Browns Fingerabdrücke waren auf dem Geld, den iPhones und den Waffen. Finchley fragte Morrow nun nach ihrer Rolle in der Beweiskette: Nein, Brown hatte kein Beweismittel berührt, als sie gefunden wurden. Das Gericht würde sicher auch noch den Experten für Fingerabdrücke dazu befragen.

Finchley blätterte in seinen Unterlagen vor und zurück, war gründlich, war langweilig. Morrow warf heimlich einen Blick auf Brown und sah, wie er dem Sicherheitsmann neben sich etwas zuflüsterte. Er wirkte beunruhigt, sprach eindringlich hinter vorgehaltener Hand.

Finchley entschied nun doch, dass er fertig war, und verstaute seine Unterlagen sorgfältig im Aktenordner. Auf dem Rückweg zu seinem Platz winkte ihn der Sicherheitsmann neben Brown heran und flüsterte ihm etwas zu.

Lord Anton Atholl erhob sich, trank einen Schluck Wasser

und verzog die Lippen zu einem leichten Lächeln. Er nahm eine unordentliche Akte und fing an zu reden, noch während er den Saal durchquerte.

»DI Morrow«, tönte seine sonore Stimme durch den Saal, »können Sie mir etwas sagen?«

Er schlenderte zu den Geschworenen, als ob er spontan beschlossen hätte, dass er in ihrer Nähe sein wollte. Dabei war das der Platz, wo er stehen sollte. »*Wie lange*, sagten Sie noch gleich, sind Sie schon bei der Polizei?«

Atholl sah nicht sie, sondern die Geschworenen an. Doch die Geschworenen erwiderten seinen Blick nicht, wie sie erfreut feststellte. Sie sahen zu ihr.

Morrow antwortete: »Ähm, das dürften zwölf Jahre sein.«

Er nickte und fuhr im Plauderton fort. »Verstehe. Und waren Sie persönlich *in dieser Zeit* je bei einer Hausdurchsuchung, bei der Sie oder wer auch immer, der die Durchsuchung durchführte, vom Betroffenen erfreut und bereitwillig in sein Haus oder seine Geschäftsräume gebeten wurden?« Atholl hob fragend die buschigen Augenbrauen. Er hatte einen Tick, das hatte ihr ein Beamter erzählt, er redete schnell, klang überzeugend, versuchte einen aus dem Konzept zu bringen. Doch auch Morrow beherrschte dieses Spiel. Sie nutzte es ständig. Sie ließ ihn auf die Antwort warten, tat so, als würde sie überlegen.

»Tut mir leid«, sagte sie, »mir ist nicht ganz klar, was Sie meinen.«

Aus dem Augenwinkel sah sie, wie Finchley zur Richterbank schlich und dem Protokollführer etwas zuflüsterte.

Atholl heuchelte Überraschung. Er lachte um Unterstützung heischend ein wenig in Richtung der Geschworenen. Nach einer kurzen Pause formulierte er seine Frage um: »Ist es *üblich*, wenn um halb acht Uhr morgens ein Haus von acht Beamten durchsucht wird, darunter einige bewaffnet und mit kugelsicheren Westen, dass man *erfreut* die Türe öffnet und die Beamten hereinbittet?«

Sie überlegte kurz und antwortete dann: »Nach meiner Erfahrung kann man wirklich nicht sagen, was üblich oder unüblich ist. Jede Durchsuchung ist anders.«

Er wandte sich um und sah sie direkt an. »Ein einfaches Ja oder Nein genügt.«

Wieder ließ sie ihn warten. Sie holte Luft. »Das kann ich nicht mit ja oder nein beantworten.«

»Es ist doch ganz einfach.« Er sah sie verärgert an. »Ja oder nein: Begrüßen die meisten Leute eine Hausdurchsuchung durch acht Beamte um halb acht Uhr morgens oder nicht?«

Atholl machte einen Fehler, wenn er diese Technik bei einer Polizeibeamtin mit ihrer Erfahrung anwandte. Das war mehr ein Mittel für unerfahrene Bürger.

»Ja«, sagte sie und beließ es dabei.

»*Ja?*« Er gab sich für sein Publikum überrascht und empört.

»Mir fallen Durchsuchungen ein, bei denen die Leute entgegenkommend waren, wenn wir mit Durchsuchungsbeschlüssen kamen. Also manchmal ja. Manchmal aber auch nein, aber Sie sagten ja, ich müsste mich entscheiden. Und das habe ich getan.«

Atholl sah sie an und hob anerkennend eine Augenbraue, weil sie ihn mit seinen eigenen Waffen geschlagen hatte. Sie gefiel ihm. Das spürte sie.

»DI Morrow, es fällt mir *sehr* schwer, das zu *glauben*«, sagte er abschließend.

Der Richter warf Atholl einen warnenden Blick zu und sagte ihm, er solle in seiner Freizeit flirten. Die Geschworenen hörten kaum zu: Man bemühte sich zwar, so diskret wie möglich vorzugehen, doch im Gerichtssaal machte eine Meldung die

Runde, die alle ablenkte. Der Protokollführer legte dem Richter einen Zettel hin.

Atholls Vorstellung war ohnehin nicht für die Geschworenen, sondern für Brown. Er wollte ihm zeigen, dass er kämpfte. Er war Teil des Feuerwerks, mit dem die Gefängnisinsassen abgelenkt werden sollten. Er wollte gerade weitersprechen …

»Nun«, unterbrach ihn der Richter und schob dabei den Zettel zwischen seine Unterlagen, »ich glaube, wir machen hier eine kurze Pause.«

Das kam sehr abrupt. Plötzlich stand die Gerichtsdienerin wieder an der Treppe und winkte Morrow, ihr schnell zu folgen. Morrow dachte sofort an eine Bombendrohung.

Sie eilte mit ihren lauten Absätzen die Stufen vom Zeugenstand hinunter, und die Gerichtsdienerin nahm sie am Ellbogen und lenkte sie die steile Treppe zum Zeugenraum hinauf. Kaum war sie oben und durch die Tür, als die Anwesenden im Gerichtssaal gebeten wurden, sich zu erheben. Während sich die Tür langsam schloss, sah Morrow noch, wie der Richter eilig den Saal verließ, die Geschworenen von einem Gerichtsdiener hinausgescheucht wurden und Brown hastig nach unten zu den Zellen verfrachtet wurde. Dann schwang sachte die Tür zu.

Morrow saß allein in dem fensterlosen Warteraum. Die Geräusche aus dem Gerichtssaal drangen nur gedämpft zu ihr herauf. Wenn es sich um eine Bombendrohung handelte, sollte sie das Gebäude verlassen. Normalerweise wurde sie gewarnt, aber vielleicht nahm man an, sie wüsste es bereits, weil sie bei der Polizei war. In dem Moment fiel ihr auf, dass sie ihre Tasche im Zeugenstand vergessen hatte.

Sie hatte wichtige Unterlagen darin, ihr Laptop und einen USB-Stick mit weiteren Dateien zu aktuellen Ermittlungen. Sie musste unbedingt die Tasche holen. Morrow stellte sich dicht an die Tür, als ob sie lauschen wollte, und klopfte leise, aber es kam niemand. Sie hörte Geräusche im Saal und Atholls sonore Stimme, die ruhig und unbeschwert klang.

Das konnte keine Bombendrohung sein, sonst hätte man das Gebäude geräumt.

Sie klopfte noch einmal etwas lauter und hörte, wie jemand die Treppe heraufkam. Die Gerichtsdienerin öffnete die Tür und sah zu ihr herein.

»Tut mir leid, ich habe meine Tasche stehen lassen«, sagte Morrow.

»Oh, natürlich.« Die Gerichtsdienerin trat einen Schritt zurück und ließ sie vorbei. Morrow schlich, so gut es mit ihren klappernden Absätzen ging, die Treppe hinunter und weiter zum Zeugenstand.

Die Anwälte und Gerichtsbediensteten waren nun unter sich und plauderten entspannt miteinander; Atholls Mandantenanwältin redete mit dem Protokollführer und die Gerichtsdienerin grinste zu Atholl hinüber, der gerade eine Geschichte zum Besten gab.

»›RAUS!‹«, rief Atholl, wedelte mit dem Arm und ging dabei völlig in seiner Rolle auf. »›Raus aus meinen Haaren!‹«

Die Gerichtsdienerin lachte über die Pointe und schüttelte dann traurig den Kopf.

»So schade. Ein toller Mann«, sagte sie. »Ein witziger Mann.«

»Ja.« Atholl hatte Morrow entdeckt, die gerade zurück in den Zeugenstand stieg, sich vorbeugte und nach ihrer Tasche griff, die in der dunklen Ecke lehnte. »Traurig. Und vierundsechzig ist eigentlich kein Alter.«

»Ein Lungenkollaps, oder?«

»Nach einem Sturz. Er war ein starker Raucher, wenn es einfach so passiert wäre, hätte mich das auch nicht überrascht«, sagte Atholl und rief Morrow zu: »Haben Sie Ihre Unterlagen vergessen, junge Dame?«

Morrow richtete sich auf und sah ihn an. Sein Akzent war um mehrere soziale Stufen nach unten gerutscht.

»Also, das war herablassend …«

Im Saal wurde es still. Das hätte sie nicht sagen sollen. Es war üblich, dass Anwälte und Polizeibeamte so taten, als ob sie gut miteinander auskämen, als ob sie nicht auf verschiedenen Seiten stünden oder unterschiedlicher sozialer Herkunft wären. Die Fiktion besagte, dass sie alle Teil desselben Prozesses waren.

Sie hielt die Tasche hoch. »Meine Aktentasche …« Niemand würdigte sie eines Blickes. »Es war also keine Bombendrohung?«

Alle sahen sich an, unsicher, wer ihr antworten sollte.

Der Protokollführer übernahm die Verantwortung: »Jemand ist erkrankt«, sagte er vorsichtig. »Möglicherweise wird die Verhandlung vertagt, wenn sich dessen Zustand nicht bessert.«

Der Jemand musste Brown sein. Sie hatte gesehen, wie grau er im Gesicht war und wie er mit dem Sicherheitsbeamten geflüstert hatte. Man wollte es ihr nicht sagen, und ebenso wenig wollte man, dass er sich vor den Geschworenen übergeben musste oder ohnmächtig wurde, weil sie sonst vielleicht Mitleid mit ihm hatten. Aber es könnte auch ein Trick sein.

»Wenn er das Gebäude verlässt«, sagte Morrow, der ihr Fauxpas nun leid tat, »müssen Sie die diensthabenden Polizeibeamten informieren.«

Der Protokollführer wirkte gekränkt. »Das haben wir bereits.«

Morrow hatte es wieder einmal geschafft und alle beleidigt. Sie war auf dem Revier nicht beliebt, ihr Team war neu und kannte sie nicht gut genug, um hinter ihrer kurzangebundenen Art und den negativen Geschichten, die man mit ihr in Verbindung brachte, mehr zu sehen. Ihr altes Team war nach einem Bestechungsskandal aufgelöst worden, ihr Halbbruder war ein berühmter lokaler Krimineller, und sie sagte fast immer das Falsche. Und selbst hier gelang es ihr mühelos, alle vor den Kopf zu stoßen. Sie murmelte eine allgemeine Entschuldigung. Der Protokollführer nahm sie mit einem Schulterzucken an und wandte sich ab, schloss sie aus dem Gespräch aus. »Also Atholl, wenn wir uns vertagen, können wir ja gehen, oder?«

»Ja. Soll ich Sie mitnehmen?«

»Nur wenn wir ein Taxi nehmen. Ich setze mich nicht zu Ihnen ins Auto, wenn Sie fahren.«

»Theoretisch könnten wir auch zu Fuß gehen.«

»Den Berg hoch?«

Morrow stieg die Stufen vom Zeugenstand hinunter.

»DI Morrow, kannten Sie Julius McMillan?« Atholl machte einen Schritt auf sie zu.

Sie nickte, immer noch auf der Hut. »Sicher. Warum?«

»Er ist tot.«

Atholls Augen waren braun mit faszinierenden gelben Pünktchen um die Iris. Die Augäpfel hatten einen Stich ins Gelbliche. Wahrscheinlich trank er zu viel. Plötzlich merkte sie, dass sie einander anstarrten.

Sie zögerte, fragte sich, warum sie den Blick nicht abwenden konnte. »Woran starb er?«

»Lungenkollaps«, sagte er mit einem unpassenden Lächeln. »Der arme Mann hat sechzig Zigaretten am Tag geraucht.«

Sie sahen sich immer noch in die Augen, jeder kurz davor zu grinsen. Die anderen im Saal schauten woanders hin, peinlich berührt, dass sich zwei eher reizlose Personen mittleren Alters so unverhohlen anflirteten, und schienen plötzlich alle in eine Unterhaltung vertieft.

»Tut mir leid, wenn ich herablassend klang.« Er sah mit einem Hundeblick zu ihr hoch. »War nicht so gemeint.«

Morrow umklammerte ihre Aktentasche und hielt sie sich wie

ein Schild vor die Brust. »Aye, Sie haben mich öffentlich beleidigt und entschuldigen sich jetzt privat. Ich finde das ziemlich mau.«

Sie war nicht mehr und auch nicht weniger aufmüpfig als sonst. Beide mussten breit grinsen.

Atholl war entzückt über diese Vorlage. Er rief allen Anwesenden zu: »DI Morrow: ICH ENTSCHULDIGE MICH!« Er trat noch einen Schritt näher. »Da wir uns ohnehin vertagen müssen, kommen Sie dann mit mir zur Trauerfeier? Sie findet im Art Club statt. Einfach hier die Straße hoch.«

»Heute Nachmittag?«

»Ja.« Er machte einen weiteren Schritt auf sie zu. »Sie können in meinem Taxi mitfahren. Wir könnten etwas trinken.«

»Ich kann nicht. Ich muss arbeiten.« Sie merkte, dass sie nicht wie sonst »ich bin im Dienst« gesagt hatte, und fragte sich, ob sie damit versuchte, weniger wie jemand zu klingen, der seine Einkäufe im Zeugenstand stehen lassen würde.

»Verstehe.« Atholl kontrollierte mit einem schnellen Seitenblick, ob die anderen ihnen zuhörten. Das taten sie, überspielten es aber gut. »Tja, wirklich schade.«

Alex schob sich ihre Aktentasche unter den Arm und erwiderte sein Lächeln. Es war nett, sich so zu unterhalten, angenehm und amüsant und alles andere als bedrohlich. Sie hatte schon lange nicht mehr mit jemandem geflirtet. »Dann warte ich, bis ich erfahre, ob Sie die Verhandlung tatsächlich vertagen.«

Er machte einen weiteren Schritt auf sie zu, dieses Mal etwas zögernd, und murmelte: »Und *nach* Ihrer Schicht …?«

Er schaute auf, schien überrascht über sich selbst, dass er sie bat, mit ihm auszugehen. Beide lachten über die Situation und Atholl legte die Hand über die Augen.

»Mein Gott«, sagte er zur Decke, »nach so vielen Jahren hat man vergessen, wie peinlich … ich brauche einen Drink …«

Morrow lachte. »Sie sind seit kurzem Single?«

Er nickte leicht. »Seit drei Monaten. Meine Frau und ich haben uns getrennt. Ich habe drei Jungs im Teenageralter.«

»Ich habe einen wunderbaren Ehemann und ein Jahr alte Zwillinge.«

Atholl neigte neugierig den Kopf. Er nahm seine Perücke ab und hielt sie sich vor die Brust wie ein Gentleman. »Nun, DI Alex Morrow, mit verblüffender Reife meinerseits muss ich feststellen: Das freut mich zu hören.«

Sie hätte ihn am liebsten geküsst. Leise vor sich hin lachend drehte sie sich um und ging die Treppe hinauf zum Zeugenraum. Erst als sie oben war, fiel ihr auf, dass sie ihn damit dazu gebracht hatte, auf ihren Hintern zu schauen.

Sie schloss die Tür hinter sich, lehnte sich dagegen und lachte lautlos. Lächerlich. Er war Anwalt und ein Earl. Wahrscheinlich probierte er die Masche bei jeder Polizeibeamtin. Trotzdem musste sie lächeln und genoss die Nachwirkung, während sie in ihrer Tasche nach ihrem Telefon kramte. Es war auf jeden Fall nett.

Als sie das Handy einschaltete, stellte sie fest, dass sie zahlreiche Anrufe vom Büro erhalten hatte. Eine Nachricht von DC Fyfe. Bitte sobald wie möglich zurückrufen. So tief im Gebäude war das Signal sehr schwach, aber sie versuchte es trotzdem. Die Verbindung war so schlecht, dass jedes dritte oder vierte Wort abgeschnitten wurde.

»Ma'am ... es ... Problem: Browns Fingerabdrücke ... *letzte Woche* ...«

»Was?«

Fyfe wiederholte langsam: »Browns Fingerabdrücke ... bei einem Mord ... der vor drei Tagen ... wurde.«

Morrow stand reglos und versuchte, die Worte in den richtigen Zusammenhang zu bringen. Schließlich fragte sie: »*Der* Michael Brown?«

Fyfe war sich sicher: »Ja, Ma'am.«

Morrow konnte es trotzdem nicht begreifen. »Der Michael Brown, mit dem ich gerade hier bin?«

»Ja.« Fyfes Stimme verschwand im Rauschen »… abdrücke bei einem Mord … North Division …etzte Woche.«

Das ergab keinen Sinn. Brown saß hinter Gittern, und das seit Monaten. Einen Moment lang war sie wütend auf Fyfe, weil sie ihr etwas sagte, was einfach nicht stimmen konnte. Verärgert bellte sie ins Telefon: »Bleiben Sie dran.« Sie steckte das Handy in die Tasche und marschierte zur Tür.

Auf dem Flur war ein bewaffneter Beamter postiert für den Fall, dass Michael Brown einen Fluchtversuch unternehmen und plötzlich aus dem Zeugenraum stürmen würde. Als Morrow die Tür aufriss, drehte der Beamte den Oberkörper zu ihr und seine Finger schlossen sich fester um seine Waffe. Hastig klappte sie ihre Brieftasche auf und präsentierte ihm ihren Dienstausweis, um sich dann ins Foyer zurückzuziehen.

Morrow musste sich eingestehen, dass sie sich täuschte: Fyfe war zuverlässig und hätte sie nicht angerufen, wenn es keinen guten Grund gegeben hätte. Es war nicht ihr Fehler. Morrow wollte es einfach nicht hören. Sie hatte damit gerechnet, dass Brown über eine Absperrung springen oder ein Fenster einschlagen würde, um zu entkommen, aber nicht damit, dass er ein kompliziertes Spiel anzetteln würde, bei dem die Aussagekraft von Beweismitteln infrage gestellt wurde.

Sie stand im Foyer und holte tief Luft. Dann hob sie das Telefon erneut ans Ohr: »Ich bin hier an einem öffentlichen Ort: Seien Sie also vorsichtig mit dem, was Sie sagen. Und jetzt sagen Sie es mir bitte noch einmal ganz langsam.«

»Okay«, sagte Fyfe. »Michael Browns Fingerabdrücke wurden bei einer Leiche am Tatort gefunden, in den Sozialwohnungen in der Red Road.«

»Die gerade abgerissen werden?«

»Genau. Und der Mord geschah vor drei Tagen.«

»Vor drei Tagen, ist das sicher?«, fragte sie.

»Definitiv. Die Wohnungen werden abgerissen, deshalb wird dort jeden Tag kontrolliert, dass sich keine Obdachlosen eingenistet haben.«

»Wer ist das Opfer?«

»Ein Typ namens Aziz Balfour.«

Morrow schloss die Augen. »Aber er ist im Gefängnis, Fyfe, da muss es einen Fehler bei den Fingerabdrücken gegeben haben, lassen sie die noch einmal überprüfen …«

»Das wurden sie bereits, Ma'am. Geprüft und noch einmal geprüft. Die Übereinstimmung war jedes Mal hoch.«

»*Hoch?*« Morrow kniff die Augen zusammen, sie wollte die Antwort nicht hören.

»Hoch.«

Sie öffnete die Augen wieder und erblickte einen bewaffneten Beamten, der beide Hände am Sturmgewehr hatte und sie irritiert anstarrte. Sie wusste nicht, ob er überlegte, sie zu erschießen, oder ob er auf Befehle wartete. Sie sah schnell weg.

Das Foyer des Gerichtsgebäudes war neu, Teil eines Erweiterungsbaus des alten High Court. Es war drei Stockwerke hoch, eine Wand war aus Glas, an den anderen zog sich eine Galerie entlang, geschmückt mit einem Fries aus gelbem Kalkstein. In das Fries war ein Durcheinander aus Wörtern und Buchstaben gemeißelt, groß, klein, rau und glatt. Gedankenverloren las Morrow einen Nonsens-Satz, der tief in das Fries gehauen war:

WORTE SCHÖN ZU FORMEN
RÄTSELHAFTES

»Ist der Tote jemand, den wir kennen?«

»Nein. Balfour hat für eine Wohltätigkeitsorganisation gearbeitet.« Morrow hörte, wie Fyfe von einem Zettel ablas. »Erdbebenhilfe. Braver Bürger, keine Akte, keine Vorstrafen. Zu seinem Begräbnis sind 3000 Leute gekommen.«

»Er ist also schon bestattet?«

»Hier steht Tod durch Erstechen. Wurde wohl schnell zur Bestattung freigegeben … damit …«

Sie wollte Morrow sagen, dass der Mann Muslim gewesen war, wusste aber nicht, ob das in Ordnung war.

Morrow schnalzte mit der Zunge. »Er war also Muslim?«

»Äh, ja, wahrscheinlich. Hier steht, er ist aus Pakistan.«

Das weckte Morrows Aufmerksamkeit. Pakistan deutete auf eine mögliche Hundi-Verbindung zu Brown hin.

Aber die Fingerabdrücke konnten einfach nicht stimmen. Sie überlegte, ob sie auf einem Gegenstand gewesen sein konnten, den man dort platziert hatte, etwas Unauffälligem, einem Becher oder einem Zettel? Ein Komplize hätte die Fingerabdrücke dorthin schmuggeln können. Das wäre eine Erklärung. Sie würde es herausfinden.

»Legen Sie alles auf meinen Schreibtisch.« Sie legte auf und ließ das Telefon in die Tasche gleiten.

Brown war nicht über eine Absperrung gesprungen, aber es war trotzdem ein schwacher erster Schachzug. Morrow hatte mehr erwartet. Vielleicht hatte sich der Anwalt, der ihm schlaue Ratschläge zu rechtlichen Grauzonen erteilt hatte, ausgeklinkt, und nun folgte Brown dem Rat eines jungen Anwalts. Es war auf jeden Fall ein anderer Stil.

Sie zog ihren Regenmantel an und ging verschiedene Möglichkeiten durch: Besucher mit Bechern, Besucher mit Folie am Handgelenk, bestechliche Beamte.

Sie musste den Bericht des Fingerabdruckanalysten einsehen. Die Übereinstimmung war vielleicht hoch, aber es konnte immer noch einen Fehler bei der Erfassung gegeben haben. Sie mussten ihre Vorgehensweise noch einmal überprüfen, die Analysemethode, die Vergleiche, die Verifizierung der übereinstimmenden Merkmale.

Morrow schaute auf und sah Anton Atholl. Er kam durch das Foyer auf sie zu und hielt dabei ein Aktenbündel umklammert, das mit einer rosa Kordel zusammengebunden war. Jetzt irritierte er sie; sie wollte nicht mehr mit ihm flirten, ihre Stimmung hatte sich geändert, ihre Gedanken waren woanders.

Außerdem musste Browns Verteidigung irgendwann über die neuen Erkenntnisse informiert werden. Sie kannte den zeitlichen Rahmen oder die Vorgaben nicht, die regelten, wann und wie sie Atholl von den Fingerabdrücken berichten sollte. Wenn es hier einen Manipulationsverdacht gab, war Atholl der Letzte, dem sie davon erzählen wollte. Die Staatsanwaltschaft war ohnehin schon wenig begeistert über die enormen Kosten des Verfahrens, zumal die wichtigen Hintermänner wieder einmal nicht zu fassen waren. Brown war auf jeden Fall wieder zurück im Gefängnis, und der Prozess kostete ein Vermögen. Der Zwang zu Einsparungen war heutzutage überall zu spüren.

»Wir vertagen«, sagte Atholl. »Aber wir sehen uns morgen wieder?«

Plötzlich fragte sie sich, ob er nicht schon von den Fingerabdrücken wusste. Atholl selbst hätte sie dort platzieren können.

»Ja.« Wartete Atholl darauf, dass sie es ihm erzählte?

»Und Sie ziehen alle los und betrinken sich heute Nachmittag?«

»Allerdings«, sagte er und nickte ernst zu seinen Schuhen hinunter. »Das scheint angebracht, wenn man bedenkt, dass ein großer Säufer von uns gegangen ist. Ich war als junger Anwalt bei McMillan.«

Sie war überrascht, dass er so jung war. »Sie haben unter ihm gearbeitet? Ich dachte, sie wären im gleichen Alter, irgendwie ...«

Er schnalzte mit der Zunge. »Ich bin nicht so alt, wie ich aussehe«, sagte er. »Ich hatte einfach viele Abenteuer. Nein« – er klang plötzlich ernst – »wir müssen alle hin. Der armen Margery ein bisschen Beistand leisten. Margery ist seine Frau. Ich bin sozusagen auf der Suche nach jemandem, mit dem ich dort rüberlaufen kann ...«

Morrow wollte gehen, möglichst schnell zurück ins Büro, befürchtete aber, dass sie schroff wirken und sein Misstrauen wecken könnte. »Hatten sie Kinder?«

»Eins.« Er blickte weg, zu der Wand aus Glas. Wenn sich nicht das Tageslicht darin verfangen hätte, wäre ihr die kleine Träne in seinem Auge nicht aufgefallen. »Einen Sohn.«

Er hatte ein schönes Profil, eine kräftige, stark ausgeprägte Nase.

»Ich muss los.«

Atholl neigte den Kopf und machte einen Schritt zurück. »Bis morgen.«

Sie ging weg und klapperte auf ihren Absätzen langsam durch den Metalldetektor. Sie nahm die Drehtür und wandte sich zum Parkplatz. Aus dem Augenwinkel sah sie Atholl hinter der großen Glasscheibe, doch dann fuhr ein weißer Lieferwagen vor und versperrte die Sicht. Sie ging weiter zum Auto und warf noch einmal einen Blick zurück, um zu sehen, ob Atholl immer noch da stand und sie beobachtete.

Er war weg.

3

1997

Um halb zehn am Sonntagmorgen sah sich Julius McMillan die Nachrichten im Fernsehen an. Prinzessin Diana war tot. Qualvolle Schluchzer schüttelten ihn wie ein Schluckauf, Tränen liefen ihm aus den Augen und tropften in seinen offenen Mund; er wusste gar nicht, dass er zu so tiefen Emotionen fähig war. Er weinte so heftig, dass er sich nicht einmal eine Zigarette anzünden konnte. Sein achtzehnjähriger Sohn Robert und seine Frau Margery waren noch im Bett, schliefen entweder oder gingen ihm aus dem Weg. Sie durften ihn nicht weinen sehen. Er könnte ihnen nicht erklären, warum er so erschüttert war. Er fürchtete, wenn sie ihn so fanden und fragten, warum er weinte, könnte ihm etwas über die fehlenden Gelder seiner Klienten herausrutschen: sein eigener Untergang, der sich bereits am Horizont abzeichnete.

Diana, betrogen und allein; sie wurde immer allein gezeigt. Betrogen, aber immer noch voller Hoffnung suchte sie nach Liebe. Sie kümmerte sich um ihre Mitmenschen, engagierte sich gegen Landminen und setzte sich für Aidspatienten ein. Sie liebte alle Menschen. Sie hatte Geliebte, suchte nach Liebe. Aber niemand dachte darüber nach, was sie empfand. Niemand interessierte sich dafür, wie allein und verzagt sie sich fühlen musste. Niemand wusste, wie viel Angst sie manchmal hatte. Diana hatte bestimmt Mitarbeiter gehabt, die sie liebten – es war unmöglich, sie zu kennen und nicht zu lieben –, aber Julius hatte niemanden. Er steckte in der Klemme, brauchte Geld und

Dawood McMann umkreiste ihn bereits wie ein Geier, deutete an, dass er seine Situation kannte, bot einen Ausweg. *Helfen Sie mir, dann helfe ich Ihnen.*

Was Dawood wollte, war illegal. Er war ein seltsamer Mensch – Julius hatte keine Ahnung, was ihn antrieb. Mal mischte er hier mit, mal da – bei Anwälten, Stadträten, Gewerkschaftsführern –, aber er kam nie zur Ruhe, gehörte nirgends dazu. Er war halb Schotte, halb Pakistani, vielleicht war er den Spagat gewohnt und machte einfach weiter.

Eins wusste Julius allerdings ganz genau: Dawood hatte ihn ausgesucht, weil er in einer verzweifelten Situation war. Ein Mitarbeiter der Investmentfirma, die ihr Geld von ihm zurückhaben wollte, musste Dawood erzählt haben, dass sie vorhatten, in einer Woche rechtlich gegen ihn vorzugehen. *Ich möchte Sie, weil Sie die Leute kennen.* Julius kannte jeden. *Ich brauche dafür die richtigen Leute.* Er sagte es immer wieder – engagierte, loyale Leute. *Das ist etwas Langfristiges, etwas Gutes. Helfen Sie mir, dann helfe ich Ihnen, Julius.*

Aber Julius konnte nicht. Anton Atholl arbeitete für Julius und wusste, dass McMann mit Julius ins Geschäft kommen wollte. Wenn es auch nur die Andeutung einer Abmachung zwischen ihnen gab, würde Atholl die Polizei informieren. Atholl konnte Dawood McMann nicht ausstehen. Er riet Julius, nicht einmal mit dem Mann zu reden. Er habe Sachen über ihn *gehört*, wolle aber nicht ins Detail gehen. Atholl hasste den Mann so sehr, dass Julius dachte, er würde sogar ins Gefängnis gehen, wenn er ihn dadurch mit in den Abgrund reißen könnte. Julius hatte es Dawood erklärt: Atholl macht da nicht mit, er macht das einfach nicht. Da kann ich helfen, hatte Dawood gesagt. Eine Woche später gab er Julius ein Foto. Ein Polaroid. Von einem betrunkenen Atholl. Sternhagelvoll. Das war abstoßend, aber nicht illegal. Es half Julius überhaupt nicht.

Das Telefon klingelte schrill und laut. Julius sprang auf und nahm eilig ab, er fürchtete, sein Sohn und seine Frau könnten es oben hören, würden herunterkommen und ihn weinen sehen.

Ein Mord im Revier Stewart Street. Eine Jugendliche, ein Mädchen aus dem Heim, war in einem Auto mit einem toten Mann gefunden worden und sagte, sie sei es gewesen. Ob er kommen könnte?

Ich bin in fünfundzwanzig Minuten da, sagte er und legte auf, froh, an etwas anderes zu denken als an Diana und ihren einsamen Tod in Paris.

Er ging in sein Badezimmer im Erdgeschoss. Niemand benutzte es außer ihm, er bewahrte dort sein Rasierzeug und seine Zahnbürste auf, um seinen Sohn und seine Frau nicht zu stören. Sie gingen sich alle so gut wie möglich aus dem Weg. Das Bad lag ungünstig, man musste dazu durch den Hauswirtschaftsraum mit seinem kalten Fliesenboden. Schwarzer Schimmel wucherte auf den Silikonabdichtungen der nie benutzten Wanne. Eine Glühbirne über dem Spiegel war seit Ewigkeiten kaputt. Er musste quasi seine Silhouette rasieren.

Er ließ das Wasser laufen, bis es warm war, und steckte den Stöpsel ins Becken, erst dann sah er sich im Spiegel an. Rote Augen, ein schwacher, zuckender Mund und das Gesicht, das Diana an jenem Abend gesehen hatte, als er sie kennengelernt hatte.

Es war Jahre her, bei einem Wohltätigkeitsball, einer öden Veranstaltung in der Royal Academy in Edinburgh. Sie saß an einem weit entfernten Tisch, ein blonder unscharfer Fleck neben anderen verwischten Gestalten. Julius war das egal. Nach dem Essen erhoben sie sich zum Toast auf das Königshaus. Er kreuzte beim Trinken die Finger und zündete sich dann eine heiß ersehnte Zigarette an. Diana las stockend ihre Rede herunter, während Julius rauchte und im Kopf überschlug, wie lange er für die Rückfahrt nach Glasgow brauchen würde.

Als sie den Saal verließ, erhoben sich alle von ihren Stühlen. Sie kam am Tisch von Julius vorbei und blieb stehen.

»Ich habe gesehen, dass Sie geraucht haben«, sagte sie.

»Ich konnte nicht anders, ich brauchte einen Glimmstängel«, sagte er, gedanklich immer noch bei der Heimfahrt.

Sie lächelte ihn direkt an. Sie war größer als er, eine strahlende Erscheinung. »*Glimmstängel*«, sagte sie. »Furchtbar schlecht für Sie.« Furchtbar schlecht für Sie. Nicht tadelnd, nein, fast liebevoll, als ob er ihr wirklich am Herzen läge.

Und plötzlich war Julius wieder mit Diana in Edinburgh. Sie war wunderschön. Ihr langer Hals mit einer enganliegenden Kette aus kleinen Perlen, sechs oder acht Reihen, an diesem graziösen Hals. Sie trug ein ärmelloses violettes Kleid, ihre Arme waren gebräunt und makellos.

Sie ging, glitt zwischen den aufgestellten Tischen dahin, und Julius folgte ihr in Gedanken durch den Saal. Er hatte nie jemandem erzählt, wie er sich damals gefühlt hatte. Er hätte sich geschämt. Republikaner aus Instinkt und Tradition, war er ein Gegner der Monarchie. Aber vor sich selbst konnte er es nicht verleugnen: Dieses Gefühl, dass er jemanden getroffen hatte, der ein viel, viel besserer Mensch war als er, und dann sorgte sich diese Frau auch noch darum, ob er rauchte oder nicht.

Und jetzt war sie tot.

Julius sah die Berichte, wie sich die Menschen schluchzend vor den Toren des Kensington Palastes versammelten, Wildfremde, die sich aneinander klammerten und das Glück hatten, nicht im zynischen Glasgow zu leben, wo jedes Gefühl von Trauer bereits aufgebraucht war.

Er gab Rasierschaum auf die Wangen und fuhr mit dem Rasierer darüber, spürte, dass mit der Klinge etwas nicht stimmte, dass eine Scharte winzige Wunden in seine Haut ritzte, war aber zu traurig, um aufzuhören. Er spritzte sich Wasser auf die Wangen, wusch den Schaum von seinem wunden Gesicht und tupfte es trocken. Das Handtuch roch leicht säuerlich.

Niedergeschlagen zündete er sich eine Zigarette an und musterte sein bekümmertes Gesicht im Spiegel. Man konnte es an seiner Miene ablesen, man brauchte ihn nur anzusehen.

Er würde den Polizeibeamten sagen, dass er verkatert war. Julius nahm die Zigarette aus dem Mund und zog die Schultern hoch, als ob er Kopfschmerzen hätte, und ließ die Augenlider ein bisschen hängen. Ein Kater. Das würde er sagen. Wenn Dianas Tod zur Sprache käme, würde er sagen, er habe davon gehört, und dann das Thema wechseln. Er konnte nicht mit ihnen über sie reden. Er konnte es einfach nicht.

Julius stand auf dem Gang vor dem Verhörzimmer der Arrestzellen, rauchte und betrachtete Rose Wilson durch das vergitterte Glas des Sichtfensters.

Von innen war das Glas zerkratzt und matt, aber er konnte trotzdem erkennen, wie zierlich sie war. Sie saß an einem Metalltisch. Als man sie gefunden hatte, war sie völlig blutverschmiert, ihre Kleider waren als Beweismittel sichergestellt worden. Die Gefängniskleidung schlotterte um sie herum, als ob sie darin geschrumpft wäre.

Julius ließ die Zigarette fallen, trat sie aus und nickte dem diensthabenden Beamten zu. Der trat zu ihm, holte einen großen Messingschlüssel hervor, steckte ihn ins Schloss und öffnete die Tür.

Sie schaute zu ihm hoch.

Man hatte ihr Wasser gegeben, damit sie sich das Blut abwaschen konnte, aber keinen Spiegel. Ihr Gesicht war mit verwässertem Blut verschmiert. Jede zukünftige Falte, jede Runzel, die sich eines Tages bilden würde, zeichnete sich in getrocknetem, bräunlichem Rot ab. In den Furchen auf ihrer Stirn, den Lachfältchen um den Mund, den prophetischen Sorgenfalten unter den Augen. Diese neugeborene alte Frau sah zu Julius auf mit den Augen einer enttäuschten Mutter.

Er bemerkte, dass er immer noch in der Tür stand, straffte das Kinn und zwang sich hineinzugehen und sich der Situation zu stellen. Sie trug ein sackartiges graues T-Shirt und graue Jogginghosen, die an den Knöcheln zu einem dicken Wulst hochgerollt waren. Ihre Haare waren braun und ziemlich kurz. Sie sahen aus, als ob sie sie selbst geschnitten hätte, denn auf der einen Seite waren sie kürzer als auf der anderen. Sie war so zart, dass man über diese Zierlichkeit nur staunen konnte, ähnlich wie über die Fingernägel eines Neugeborenen, aber ihre Fingernägel waren schwarz von getrocknetem Blut.

Die Tür schliff über den Boden und das Schloss rastete knarrend ein, als er sich ihr gegenüber setzte. Er wollte sie nicht ansehen. Er tat beschäftigt, kramte ein Notizbuch und einen Stift aus der Tasche, legte beides auf den Tisch, ordnete es sorgfältig.

Sie sah ihn direkt an. »Scheiße, wer sind Sie?«

»Ich bin Julius McMillan. Mr. McMillan. Ihr Anwalt.«

Er hatte eine Tafel Schokolade mitgebracht. Das machte er immer bei jugendlichen Straftätern. Den älteren brachte er Zigaretten mit. Das reichte schon. Ein billiges Geschenk machte sie zu lebenslangen treuen Klienten. Deshalb mochte er jugendliche Straftäter, sie hoben seine Telefonnummer auf und holten sie später wieder hervor, und es gab fast immer ein später. Manche Klienten vertrat er seit zwanzig Jahren. Aber Rose Wilson sah nicht so aus, als ob man sie mit Schokolade kaufen könnte.

»Also Rose, was ist passiert?«

Sie schaute zur Wand. Hob die Hand und kratzte sich an der Wange. Getrocknetes Blut rieselte wie Rost von der Haut. Jetzt sah er, dass sie nicht alt war und nicht alt aussah. Sie war nichts Besonderes, nur ein Teenager. Er griff nach seinem Stift.

»Wie alt bist du?«

Sie lächelte zur Wand hin, aber ihr Lächeln wirkte durch die Furchen in ihrem Gesicht bitter. »Vierzehn«, sagte sie. »Aber ich sehe aus wie sechzehn.«

Heute sah sie aus wie hundert.

Julius machte sich Notizen. »Und wo lebst du?«

»*Leben?*«

»Wo *wohnst* du?«, fragte er und nutzte den gängigeren Begriff. »Wo wohnst du?«

»Turnberry.« Sie schaute auf sein Notizbuch, wartete, dass er es aufschrieb.

»Im Kinderheim?«

»Im Kinderheim, ja.«

Er schrieb es für sie auf. »Und wie lange bist du da schon?«

»Zwei Jahre.«

Die Fragen hätte er auch mit einem Blick in ihre Akte beantworten können, aber er wollte sie zum Reden bringen, als eine Art Aufwärmübung für die schwierigeren Teile der Geschichte. Wenn sie erst einmal angefangen hatte zu reden, konnte er alles notieren und ein Schuldeingeständnis formulieren, und danach konnte er hier wieder raus und über die Sache mit Dawood nachdenken.

»Gefällt es dir dort?«

Sie zog eine Schulter hoch. Wieder sah sie zur Wand.

»Ist es dort okay?«

»Mmh.«

»Magst du die Betreuer?«

Sie neigte den Kopf um einen Bruchteil. »Mmh.«

»Schokolade?« Julius legte eine Tafel Vollmilch auf den Tisch und schob sie mit den Fingerspitzen zu ihr hinüber.

Er beobachte, wie sie die Schokolade musterte. Sie wollte sie, nahm sie aber nicht. Stattdessen blickte sie misstrauisch zur Tür. Er folgte ihrem Blick.

Sie vergewisserte sich, dass die Beobachtungsklappe an der Tür offen war. Wieder schaute sie zur Schokolade, sie wollte sie wirklich, schüttelte jedoch den Kopf und wich davor zurück.

»Ich lasse sie liegen, falls du deine Meinung noch änderst«, sagte Julius beiläufig. »Rauchst du?«

Sie schüttelte den Kopf. »Muss ich kotzen.« Jetzt war sie sehr misstrauisch und wich auf ihrem Stuhl weiter zurück. »Sie rauchen. Das rieche ich. Zünden Sie sich eine an, wenn Sie wollen.«

»Also, was ist letzte Nacht passiert?«

»Ich war unterwegs …«

McMillan sagte nichts.

»War unterwegs …«, sagte sie noch einmal, wartete auf eine Unterbrechung, die nicht kam.

»Okay.« Er legte den Stift weg. »Fangen wir mit dem an, was du der Polizei über gestern Nacht erzählt hast.«

Zutiefst hoffnungslos, mit offenem Mund, starrte sie wieder auf die Wand hinter ihm. »Nichts …«

»Du hast nichts gesagt? Aber sie haben dich doch verhört, oder? Dich in ein Verhörzimmer gesetzt und aufgenommen, was du gesagt hast?«

»Haben mich in seinem Auto gefunden.« Sie stand unter Schock, sprach mit schleppender Stimme. »Wurde nicht aufgenommen.«

Wenn sie nicht einmal ein Geständnis gebraucht hatten, mussten die Beweise überwältigend gewesen sein. »Hast du ihnen gesagt, dass du es warst?«

»Ja.«

»Warst du's?«

»Ja.«

»Was hast du gemacht?«

»Ihn erstochen.«

»Woher hattest du das Messer?«

Der Schock kehrte zurück. Langsam runzelte sie die Stirn und zeigte dabei eine Landkarte aus blutigen Fältchen.

Julius legte die Fingerspitzen auf die Schokoladentafel und schob sie näher zu ihr. »Iss das.«

Sie nahm die Tafel, fummelte mit dem Papier herum, ihre Finger glitten ziellos über die Verpackung. Er nahm ihr die Tafel aus der Hand, packte sie komplett aus und gab sie ihr. »Iss wenigstens die Hälfte.«

Er sah zu, während sie die Schokolade aß. Sie schluckte nicht, ihr Mund war zu trocken, aber sie kaute weiter, wartete darauf, dass die Speicheldrüsen anfingen zu arbeiten. Gewohnt zu gehorchen. Sie war schon viel herumkommandiert worden.

»Du bist schon seit einigen Jahren im Heim, seit deine Mutter gestorben ist, richtig?«

Sie schaute auf und kaute dabei pflichtbewusst auf dem trockenen Schlamm in ihrem Mund herum. »*Julius* McMillan«, sagte sie und rollte den fremden Namen in ihrem schokoladeverklebten Mund. Sie zeigte mit dem Finger zuerst auf ihn, dann auf sich.

»Was soll das?«

»Was?«

»Das.« Wieder schnippte sie mit dem Finger in seine Richtung, dieses Mal schneller. »Das hier, was soll das?«

»Ich bin hier, um dir zu helfen.«

Ein scharfes Grinsen, so kurz wie ein Zwinkern. »Mir *helfen*? Wie soll das gehen? Mein Leben ist doch sowieso versaut.«

Er schaute auf. Sie sagte das ohne Selbstmitleid, ohne echten

Kummer. Rose Wilson hatte resigniert, sich der Hoffnungslosigkeit ergeben. Ohne Verbitterung hatte sie das Schlechte im Leben akzeptiert. Er sah sie neben dem Autowrack im Tunnel in Paris stehen und die Schultern zucken. Er stellte sich vor, wie sie neben dem Eingangstor des Konzentrationslagers von Buchenwald stand, die Hände in den Taschen ihrer Jogginghose. Sie hatte Mitleid mit den Frauen und Kindern, die dem Tod entgegengingen, aber sie akzeptierte ihr Schicksal. Er sah sie bei jeder Katastrophe der Geschichte am Rand stehen, eine teilnahmslose Zeugin.

Er fragte: »Hast du das von Prinzessin Diana gehört?«

Sie ließ sich auf ihrem Stuhl zurückfallen, zog sich in die Tiefen ihres Jogginganzugs zurück und flüsterte mit einer Stimme, die aus weiter Ferne kam: »Sie war zu jung zum Sterben …« Tränen standen ihr in den Augen, und sie fügte hinzu: »Und die beiden Jungs …«

Sie saßen am Tisch, die Köpfe wie zum Gebet gesenkt. So blieben sie eine Zeitlang. Als Julius aufblickte, sah er Tränenspuren auf ihren Wangen.

Plötzlich erkannte er sie, vielleicht wegen der Tränen. Er hatte sie schon einmal gesehen. Sie war *das* Mädchen. Natürlich, Samuel McCaig, der Ermordete, war der perverse Sammy. Natürlich war sie es. Er hätte nie gedacht, dass er sie einmal persönlich kennenlernen würde, aber jetzt saß sie ihm direkt gegenüber. Sie konnte für ihn alles wieder in Ordnung bringen.

»Wie alt bist du noch mal?«

»Vierzehn.«

Vierzehn. Illegal. Es war perfekt. Und er hatte sie hier, zu seiner alleinigen Verfügung, und er hatte die Macht, sie in seiner Nähe zu halten.

»Ich kann dir helfen«, sagte er, nicht sicher, ob er es konnte, aber sicher, dass er es wollte. Verwirrt von seiner eigenen Zielstrebigkeit wiederholte er: »Ich kann dir helfen.«

Wieder blitzte das Grinsen auf, jetzt weicher, weil sie geweint hatte. »Geben Sie dem Richter Schokolade?«

»Das hier«, Julius hob einen Finger und zeigte damit in den Raum, »ich weiß, wie man *das* hier handhabt.« Seine Stimme war zu einem Flüstern geworden. Er sagte es so, als ob sie zwei Kinder wären, die eine Verschwörung aussheckten.

Fasziniert nickte sie zum Zeichen, dass er weiterreden sollte.

»Ich kannte Samuel. Ich weiß, was für ein Typ er war.«

»Er war pervers.«

»So hat man ihn ja auch genannt, oder? Er war der perverse Sammy.«

Sie nickte.

»Er wurde schon mehrfach wegen Sexualverbrechen an jungen Mädchen verurteilt. Hast du das gewusst?«

»Ja. Deshalb nannte man ihn doch den perversen Sammy.«

»Okay, Rose.« Er legte den Stift weg. »Rose, das kann mit einer langen oder einer kurzen Haftstrafe für dich enden. Aber du kommst auf jeden Fall ins Gefängnis, ist dir das klar?«

Sie nickte, hörte aufmerksam zu.

»Entscheidend ist, *wie* wir die Geschichte erzählen, denn davon hängt ab, ob du eine lange oder kurze Haftstrafe bekommst.«

Sie biss an. »Machen Sie eine kurze Haftstrafe draus.«

»Ja, wir wollen eine kurze Haftstrafe. Und dazu müssen wir folgende Geschichte erzählen: Du hast nicht gewusst, dass Sammy der perverse Sammy war. Du hast nicht gewusst, dass er schon mehrfach verurteilt wurde. Du dachtest, er wäre ein freundlicher Mann, du bist ein einsames Kind, du musst als Kind auftreten im Zeugenstand, in den Interviews, okay? Kein Fluchen. Das wollen die Leute nicht. Kein ›Mein Leben ist sowieso versaut‹, so etwas will niemand von einem Kind hören.«

»Was wollen die Leute?«

»Sie wollen, dass du Hoffnung hast.«

»Was für Hoffnung?«

»Hoffnung, dass du eines Tages als Popstar Erfolg hast, Tierärztin wirst, die wahre Liebe findest, solche Sachen.«

Sie sah ihn einen Moment lang an, wollte ihm kaum glauben und lachte dann rau und verdutzt auf. »Mr. McMillan …«

»Das wollen die Leute von Kindern hören. Du musst dich entsprechend verhalten. Wenn du nicht weißt, was du sagen sollst, sag nichts. Und versuch zu weinen.«

»Ich weine nicht.«

Er liebte sie dafür, denn sie hatte wegen Diana geweint.

»Denk einfach an etwas, das dich zum Weinen bringt, und tu es.«

Sie schaute in eine ferne Ecke und dachte darüber nach. »Wie lange muss ich denen etwas vormachen?«

»Solange du kannst. Auf jeden Fall auch noch nach dem Prozess. Kannst du das?«

Sie hob die Arme, als ob sie sich ergeben würde. Ihre Handflächen waren zerkratzt von tausend Jahren harter Arbeit. »Ich versuch's.«

»Wir erzählen folgende Geschichte: Du warst einsam, hast Sammy kennengelernt und er war sehr freundlich. Du bist in sein Auto gestiegen und er ging auf dich los, okay?«

»Okay …«

»Ich frage dich nicht nach deiner Beziehung zu ihm. Wenn jemand anderes fragt, hast du ihn erst in dieser Nacht zum ersten Mal getroffen.«

Julius sah sie an, wartete auf Fragen. Nichts. Er sah sie weiter an und erkannte auf einmal, wie lang ihr Hals war und dass sich ein Rand aus Blut wie ein Seil darum gelegt hatte. Er holte seine Zigaretten aus der Tasche und zündete sich mit seinen knorrigen alten Händen eine an. Er schaute auf die zweite Hälfte der Schokoladentafel und nickte auffordernd mit dem Kopf.

Sie nahm die Schokolade und steckte sie sich komplett in den Mund, lächelte durch schlammverschmierte Zähne. Er erwiderte ihr Lächeln. So saßen sie einander gegenüber, er rauchte, sie kaute heftig auf der restlichen Schokolade herum. Sie würde ihn retten, durch sie würde alles wieder gut werden.

»Ich sorge dafür, dass für dich alles gut wird, Rose Wilson«, sagte er schließlich. »Ich gebe dir eine zweite Chance.«

Sie warf den Kopf zurück, kniff die Augen zusammen und sah ihn an, wachsam, finster. »Was wollen Sie dafür?«

»Ich möchte, dass wir lange Zeit befreundet sind. Ich werde dich im Gefängnis besuchen, in deiner Nähe bleiben, Interesse an deinem Leben zeigen.«

»Gut, aber ich schlafe nicht mit Ihnen oder sonst jemandem, damit bin ich durch.«

»Ich werde nur dein Freund sein.«

Sie schluckte die Schokolade hinunter und wog sein Angebot ab. »Okay.«

4

Robert McMillan hatte ein Schloss auf der Isle of Mull gemietet, weil er nicht daheim sterben wollte.

Er saß allein in seinem Auto. Heftiger Regen trommelte auf das Dach. Enttäuscht schaute er durch die Scheibe. Das sah eher aus wie ein Herrenhaus. Um als Schloss durchzugehen, war es einfach nicht groß genug.

Sein Handy lag auf dem Beifahrersitz. Er hatte es ausgeschaltet, als er Glasgow verlassen hatte. Er konnte sich nicht überwinden, die Nachrichten von Onkel Dawood abzuhören. *Komm nach Hause*, würde er sagen. *Komm nach Hause, du fehlst uns, wir machen uns Sorgen, deine Mutter macht sich Sorgen.*

Onkel Dawood hatte sechsmal angerufen, bevor Robert in Glasgow aufgebrochen war. Er wusste nicht, dass Robert in den hinteren Safe geschaut hatte, wusste nicht, dass Robert wusste, was sie getan hatten. Wenn die Polizei Roberts Leiche finden würde, wären die Sprachnachrichten immer noch auf seiner Mailbox. Robert wollte, dass die Polizei zu Dawood ging, wenn sie seine Leiche gefunden hatten.

Wieder überfiel ihn der Gedanke an seinen Tod, entsetzlich, absolut. Robert umklammerte das Steuer, die Finger steif, die Handflächen prickelnd vom Schweiß.

Er sah auf die digitale Uhr am Armaturenbrett. Die Beisetzung hatte begonnen, jetzt würden sie im Krematorium singen. Onkel Dawood würde die Trauerrede halten. Wohltätigkeitsarbeit. All die Reisen nach Pakistan. Ein guter Mensch. Überzuckerte Lügen. Robert fragte sich, ob es mit Dawood angefangen hatte, ob es seine Idee gewesen war, aber eigentlich spielte es keine Rolle. Es hatte angefangen. Das war alles.

Die Scheibenwischer führten einen vergeblichen Kampf gegen die dicken Regentropfen. Wischen und Sturmflut, Wischen und Sturmflut. Robert stellte fest, dass er diesen hoffnungslosen Kampf um Ordnung beobachtete, anstatt durch die Scheibe in die Ferne zu schauen. Er sah nur das Naheliegende. Er war wütend auf sich selbst. Wenn er das schon vor langer Zeit getan hätte, wenn er genauer hingesehen hätte, auf Kleinigkeiten geachtet hätte, wäre er jetzt nicht hier. Sein Vater hatte ihm erst im Delirium von dem Safe erzählt, aber es hatte sicher andere Hinweise gegeben. Er hätte aufmerksamer sein sollen.

Er stellte den Motor ab, blieb aber weiter sitzen, mit schlaffem Mund und brennenden, geschwollenen Augen. Er spürte, wie sich die Wärme des Motors verflüchtigte. Die Trauerfeier war vielleicht auch schon vorbei, er wusste nicht, wie lange so etwas dauerte.

Danach würden alle nach draußen strömen und dann in ein Hotel oder so gehen; seine Mutter wollte bestimmt niemanden in ihrem Haus haben. Sie würden trinken und darüber reden, was für ein toller Mann er gewesen war, wie lustig, wie charmant, stets um das Wohl seiner Mitmenschen bemüht. Robert oder sein Fehlen würde man nicht erwähnen. Margery würde sich betrinken, und die versammelten Fremden würden so tun, als täte sie das, weil sie ihren Ehemann verloren hatte. Dabei wussten alle von ihrer langen unglücklichen Beziehung zum Alkohol.

Rose würde die Kinder den Gang hinunterscheuchen, Francine würde ihr mit zwei Schritten Abstand folgen. Manchmal hatte er das Gefühl, dass Rose und Francine das eigentliche

Paar waren, als ob er arbeiten würde, um den beiden ein gemeinsames Leben zu finanzieren.

Im Auto wurde es kalt. Sein Hintern war feucht, weil er auf der langen Fahrt von der Fähre zum Herrenhaus die Sitzheizung voll aufgedreht hatte. Plötzlich wurde der Regen heftiger, verdrängte das Tageslicht und tauchte das Innere des Wagens in Blau und Grün. Leichenblässe, dachte er, ein fahrender Sarg.

Die Frauen hatten den Kindern bestimmt die passende Kleidung angezogen: Anzüge für die Jungen und ein Kleid für Jessica, schwarz, aber hochwertig. Das konnten sie dann auch gleich bei seiner Beerdigung tragen.

Ein lautes Klopfen am Seitenfenster ließ ihn zusammenzucken. Auf Augenhöhe sah er die abgewetzte Schrittpartie einer rosafarbenen Jeans. Er zuckte zurück. Anstatt sich vorzubeugen und durchs Fenster in den Wagen zu schauen, trat der Träger der Jeans einen Schritt zurück, als ob er Rückenprobleme hätte und sich nicht bücken wollte.

Ein alter Hippie, die langen grauen Haare zum Pferdeschwanz gebunden. Der weiße Damenschirm in seiner Hand war an den Rändern, wo er schon oft nass geworden und wieder getrocknet war, wellig und vergilbt.

»McMillan?« Die leise Stimme drang nur gedämpft durch die Scheibe.

Robert blieb einen Moment sitzen und betrachtete den Mann. Der Regen lief an der Scheibe herunter und ließ das Gesicht des Hippies wieder und wieder verschwimmen. Das könnte das Antlitz des Todes sein. Dieser Hippie könnte derjenige sein, den man geschickt hatte, um ihn zu töten. Aber er hätte Robert wahrscheinlich einfach durch die Scheibe erschossen. Das Gesicht des Mannes wurde vom Schirm überschattet, aber Robert sah seinen Mund durch den Regen hindurch zittern, sah, wie er sich zu einem herzlichen Willkommenslächeln zu verziehen versuchte. Doch anstelle eines Lächelns sah er nur gebleckte Zähne. Der Mann war es nicht gewohnt zu lächeln; seine Augen verengten sich und er blickte Robert misstrauisch an. »Sind Sie McMillan? Haben Sie das Schloss gemietet?«

»Ja, entschuldigen Sie«, sagte Robert durch das Fenster und wartete. Der Hippie hatte ihn nicht erschossen. Es war Zeit auszusteigen.

Er klappte das Handschuhfach auf, zog den Umschlag mit Geld heraus und öffnete die Fahrertür. Sobald er sein Bein in den peitschenden Regen hinausschwang, wurden seine Anzughose und die Innenseite der Autotür nass. Er schwang das andere Bein nach draußen. Der Regen prasselte ihm in den Nacken, kalt und frisch.

Er stemmte sich hoch, schloss die Tür und gab dem Hippie den Umschlag. »Das ist das Geld«, sagte er.

Der Hippie nahm den Umschlag, drückte ihn, als ob er das Geld durch Abtasten zählen könnte, und steckte ihn in seine hintere Hosentasche.

Robert mied den Blick zum Haus und schaute stattdessen auf einen Weg daneben, der in einen dichten Kiefernwald führte. In den Farnen am Waldboden glitzerten silbrige Tränen. Selbst für ihn sah das sehr schön aus.

»Also gut.« Der Hippie war zufrieden. Er machte eine ausholende Handbewegung zum Haus. »Schirm?«

Er war deutlich größer als Robert. Robert stand im Regen, rollte eine Schulter, simulierte mental den holprigen Schritt, wenn sich eine große und eine kleine Person einen Schirm teilten.

»Nein«, sagte er, »gehen wir einfach rein.«

»Ja gut.« Der schlaksige Mann ging die Stufen zu den großen Eingangstüren hinauf.

Die Türen öffneten sich zu einem steinernen Vorbau, von dem eine Glastür in die Eingangshalle führte.

Im Schutz des Vorbaus nahm der Hippie den Schirm herunter, drehte sich wieder zur Treppe und öffnete und schloss den Schirm, um das Wasser abzuschütteln. Der Schirm roch muffig, beim Auf- und Zuklappen schlug ihnen Schimmeldunst entgegen.

Robert betrachtete das Panorama. Eine wütende See schlug gegen den weißen Strand am Fuß der Klippen. Hohe nackte Felswände auf jeder Seite, gekrönt von hohen Hügeln, grün wie Billardfilz. Der Regen war so stark, dass er den Rasen vor dem Haus niederdrückte, die Tropfen prallten zentimeterhoch von einer Bank ab, von der man die Aussicht auf das Meer genießen konnte. Und doch sah man jenseits der Bucht eine breite, schräge Säule aus Sonnenlicht über dem Meer.

»Ja, also, kommen Sie mit rein?«, fragte der Hippie und öffnete die Tür.

Robert tat wie geheißen, und der Hippie schloss die Tür hinter ihm.

Innen wirkte das Schloss ausgesprochen einladend. Die Halle war in einem freundlichen Gelb gestrichen, und an den Wänden hingen heitere Bilder in gedämpften Tönen ohne großen Wert. Am Ende der kurzen Halle schraubte sich eine Treppe nach oben, das Geländer ein sinnlicher Bogen aus warmem Kirschbaumholz. Der Hippie hatte seine Ankunft vorbereitet und die Heizung eingeschaltet, es war angenehm warm. In einem rosafarbenen Salon rechts von ihnen brannte ein kleines Kaminfeuer.

»Warm«, murmelte Robert.

»Oh ja.« Der Mann deutete mit der Hand zu einem Flur, der von der Halle wegführte. »Küche.«

Robert ging in die angegebene Richtung. Der Hippie folgte ihm und ratterte die Fakten herunter: Da ist der Kühlschrank. Das ist der Thermostat. Hier ist der Herd.

Robert betrachtete ihn. Der Mann trug einen grünen, knielangen Damenmantel aus Samt über einem orangefarbenen Anzughemd. Samt erschien ihm bei diesem schlechten Wetter eine merkwürdige Wahl. Außerdem war es ein Damenmantel: Robert konnte die Abnäher an der Brust sehen. Ein schöner, üppiger Samt. Der Mantelsaum war ganz durchnässt, weil der Regen tief in den Stoff eingedrungen war, auch ein Ärmel war nass. Als der Hippie den Arm ausstreckte und auf etwas zeigte, sah Robert, dass der Mantel innen mit rosa Seide gefüttert war, auf die winzige Kolibris gedruckt waren, als ob sich der Mann einen kleinen exotischen Garten übergeworfen hätte.

»Das ist unser Schrank, bitte nehmen Sie da nichts raus. Das hier ist Ihrer.« Er öffnete den Schrank daneben. Im Regal standen angebrochene Lebensmittel, die frühere Feriengäste zurückgelassen hatten: Ketchupflaschen, Teebeutel von Waitrose, Salz von Morrisons, erlesene Gewürze für spezielle Gerichte: Zitronenpfeffer, Piment.

»Sie leben hier?«, fragte Robert.

»Im Souterrain. Bitte kommen Sie nur nach unten, wenn etwas nicht in Ordnung ist. Ich möchte nicht gestört werden. Ich … ähm … meditiere.«

Robert konnte das nicht auf sich beruhen lassen. »Ich dachte, ich hätte das Haus exklusiv für mich.«

»Sie werden mich nicht sehen.«

»Aber Sie sind da?«

»Ich bin der Haushälter.« Er ging weiter. »Das Fernsehzimmer ist hier entlang.«

Alarmiert folgte ihm Robert durch den Flur. Sie landeten in einem kleinen Raum mit einem billigen Fernseher in der Ecke.

Der Hippie deutete vage zum Tisch. »Die Fernbedienung ist in der Schublade.«

»Hören Sie«, sagte Robert fest, »ich möchte, dass das Haus leer ist. Dafür bezahle ich, für die ausschließliche Nutzung.«

Der Mann sah ihn einen Moment lang mit offenem Mund an. Robert klang viel zu aufgebracht, das war ihm klar. Er konnte sehen, wie der Hippie die Möglichkeiten durchging: Sie wollen sich hier in meiner Küche erhängen. Sie wollen das Haus anzünden. Robert sah, wie er sich entschloss, hart zu bleiben und sich wappnete.

»Nein, ich wohne unten«, sagte er klipp und klar. »Ich bin für das Haus verantwortlich.«

»Sie leben hier?« Robert deutete auf den Boden. »Ständig? Aus dem Mietvertrag ging für mich hervor, dass ich das Schloss für die Dauer meines Aufenthalts ganz für mich allein hätte.«

Der Hippie starrte auf Roberts Mund, versuchte zu verarbeiten, was er gesagt hatte. »Ich wohne unten«, wiederholte er. »Ich bin nur da, wenn es Probleme gibt.«

»Was für Probleme?«

»Der Boiler kann zickig sein. Das Holz könnte ausgehen.«

»Ich möchte das Schloss zu meiner alleinigen Verfügung.«

Das musste er erst einmal verarbeiten. »Möchten Sie Ihr Geld zurück?«

»Nein. Ich möchte, dass *Sie* gehen.«

Das Licht war noch nicht an, sie standen im Dunkel einer Nacht, die noch nicht angebrochen war, und mieden den Blick des anderen.

Nach einer Weile schlängelte sich der Hippie an Robert vorbei zurück in den Flur, wobei er darauf achtete, ihn nicht zu berühren, und setzte seine Erklärungen fort. »Dort ist die Toilette. Die Spülung ist etwas schwergängig, aber Sie müssen einfach nur kräftig ziehen. Und hier ist die Bibliothek.«

Er ging durch eine hohe Tür. Robert folgte mit klopfendem Herzen. Der Hippie konnte nicht hier bleiben. Männer würden kommen und Robert umbringen und sie würden ohne mit der Wimper zu zucken auch den Haushälter oder Gärtner töten.

Die Bibliothek befand sich in einem neueren Anbau. Ein großer rechteckiger Raum mit hoher Decke und Fenstern, die seitlich am Haus entlang aufs Meer hinausblickten. Hohe Bücherregale aus Redwood dominierten den Raum, grob gezimmert und nicht sonderlich schön. In einer Ecke stand ein Klavier, daneben ein großer Mahagonischreibtisch. Der Kamin war riesig und wurde von abgewetzten Sofas flankiert, dazwischen stand ein großer quadratischer Tisch mit Schubladen, in denen sicher Spiele aufbewahrt wurden.

Der Hippie zeigte auf den Brennholzkorb beim Kamin, die Streichhölzer und die Zeitungen zum Anzünden.

»Draußen gibt es noch mehr Holz.«

»Könnten Sie nicht wegfahren?«, fragte Robert verzweifelt.

»Wenn ich Ihnen etwas extra zahle?«

»Nein.«

»Warum nicht?«

»Ich will nicht.«

»Ich habe Bargeld dabei.«

Jetzt wirkte der Hippie sehr misstrauisch. Er richtete sich zu seiner vollen Größe auf und blickte auf Robert herab. »Wann kommen die anderen?«

Er dachte eindeutig, dass Robert krank war, und hoffte, jemand würde kommen und sich um ihn kümmern.

»Wahrscheinlich morgen«, log Robert.

Der Hippie grunzte und sah aus dem Fenster, als hoffte er, sie dort zu sehen, früher als erwartet. »Wahrscheinlich wird der Fährbetrieb wegen des Sturms eingestellt.«

Dann wandte er sich um und ging zurück in den Flur. Robert folgte ihm. Er sah, wie der Hippie beim Gehen die Hand ausstreckte und ohne hinzusehen mit den Fingern über einen Gegenstand auf dem Fenstersims fuhr. Robert eilte hinterher und entdeckte dort eine kleine Messingstatue von Pan. Der Hirtengott in seinen Fellhosen blies auf zwei Flötenrohren und tanzte auf einem Sockel aus grauem Marmor. Die Statue hatte eine schwarze Patina, nur ein Huf war blankgerieben und zeigte einen schimmernden Bronzeton, in dem sich das Licht aus der Küche fing. Der Hippie musste schon sehr lange hier wohnen. Robert kam der Gedanke, dass er wahrscheinlich hier aufgewachsen war.

Er wartete am Fuß der Treppe auf Robert. »Die Schlafzimmer sind oben«, sagte er und marschierte hinauf.

Oben zeigte er auf zwei Türen »Das Hauptschlafzimmer mit angrenzendem Bad.«

Er öffnete eine Tür, und Robert folgte ihm. Ein Himmelbett mit einem Baldachin aus blauem Leinen und passendem Überwurf. Die Fenster gingen auf das mit Türmchen versehene burgartige Eingangsportal und die Bucht hinaus. Die sonnige Stelle auf dem Meer war verschwunden, man sah nur noch grauen Regen. Der weiße Sand am Strand hatte einen schmutzigen schwarzen Saum.

»Sind Sie der Besitzer des Anwesens?«

Dem Hippie schien die Frage unangenehm zu sein. Er zeigte auf eine Tür. »Das Bad.« Dann zögerte er, wandte sich um und ging aus dem Zimmer.

Robert sah ihm nach und registrierte die leichte Rötung im Nacken des Mannes.

Draußen vor dem Fenster lauerten die dunklen Hügel. Wen auch immer sie geschickt hatten, um ihn zu töten, seine Mörder waren vielleicht schon hier und hatten die ganze Zeit gewusst, wo er war. Womöglich hatten sie vor ihm die Fähre genommen und waren jetzt dort draußen, in den Hügeln, und beobachteten, wie in den Zimmern das Licht anging, verfolgten die Bewegungen im Haus. Robert wollte den Hippie rufen, ihm sagen, dass er sterben würde, wenn er hier blieb. Er sollte rennen, sich davonmachen, Freunde oder Verwandte besuchen, Hauptsache weg von hier. Aber wenn Robert ihm das sagte, würde er die Polizei rufen. Robert wollte keine Polizei. Oder schlimmer noch, er würde einen Arzt rufen – Robert wirkte seltsam, das wusste er. Er trug seit zwei Tagen denselben Anzug und er hatte getrunken. Wahrscheinlich roch er komisch. Man würde ihn ins örtliche Krankenhaus bringen und erfahren, dass sein Vater gestorben war. Seine Angst würde man für Trauer halten. Man würde ihn ruhigstellen, und dann könnte er in den letzten Stunden seines Lebens nicht einmal mehr klar denken. Und der Mörder würde alle töten, die ihm in den Weg kamen.

Während er diese Gedanken wälzte, wurde er vom Flur aus vom Hippie beobachtet. Im Haus war es furchtbar still.

»Warum wollen Sie allein sein?«, fragte er.

Robert wusste nicht, was er sagen sollte. »Mein Vater …« Er wusste nicht weiter. »… ist gerade gestorben.«

»Oh.« Der Hippie sah zu Boden und zeigte dann auf die nächste Tür. »Doppelzimmer.«

Robert sah zum Fenster hinaus. Der Hippie tappte durchs Haus, er hörte ihn, zuerst im Flur, dann auf der Treppe. Robert rührte sich nicht. Das Meer brandete gegen den Strand. Der Himmel kämpfte mit dem Land. Die gegenüberliegenden Klippen erhoben sich grimmig gegeneinander. Er hatte versucht, sich zurückzuziehen, um andere Menschen nicht in Gefahr zu bringen. Aber er hätte auch gleich in ein Motel an der Autobahn gehen und mit der Kreditkarte bezahlen können.

Im Zimmer standen Familienfotos. Auf Robert wirkte das Haus wie das Heim einer netten Familie mit altem Geld. Im Haus seiner Eltern kündete nichts von geerbtem oder angenehm verdienten Geld. Das Heim seiner Familie war ein riesiges Statussymbol im wohlhabenden Vorort Bearsden, doch in seinem Innern herrschten Chaos und Schmutz, das Elend klebte an den Wänden und tropfte aus den Vorhängen, alles war klebrig schmutzig, weil Margery die Putzfrau zweimal die Woche an der Tür abfing und sie dafür bezahlte, dass sie wieder ging.

In ruhigen Momenten wie diesem wusste Robert, dass er einen kritischen Punkt in seinem Leben erreicht hatte. Er trank zu viel, wie seine Mutter, und traf schlechte Entscheidungen wie sein Vater. Viele Männer machten in ihrem Leben eine vorübergehende nihilistische Phase durch, in der sie nicht mehr weiterleben wollten, da war er sich sicher. Aber mittendrin, im Auge des Sturms, war er überzeugt, dass er wirklich sterben wollte und dass die Phasen in seinem Leben, in denen er Hoffnung gehabt und Liebe empfunden und eine Verbindung zu anderen Menschen gespürt hatte, die Phasen waren, in denen er sich kläglich getäuscht hatte.

Er konnte sich beim besten Willen nicht erinnern, wie alt seine Kinder waren. Neun, acht und sieben, oder nicht? War Jessica schon sieben? Er hoffte es. Gebt mir ein Kind, bis es sieben ist, hatte Nietzsche angeblich gesagt.

Er sah seine Kinder nicht oft. Wenn er von der Arbeit nach Hause kam, waren sie schon im Bett, wenn er morgens aus dem Haus ging, schliefen sie noch. Und an den Wochenenden arbeitete er meistens. Er kannte sie nicht.

Jedes Jahr machten sie Urlaub in der Villa seines Vaters in Nizza. Für ihn waren es Ferien mit streitsüchtigen Fremden. Robert erinnerte sich an den Urlaub dieses Jahr, wie er im Liegestuhl am Swimmingpool eines Hotels gesessen hatte. Er sonnte sich und tat so, als ob er dasselbe dämliche Buch lesen würde, das alle in dem Jahr lasen, und hütete die Kinder im Pool, während Rose und Francine einen Einkaufsbummel machten. Die Kinder schrien, schubsten sich gegenseitig, und die Siebenjährige (war sie schon sieben?) brüllte ihren Bruder an: »Du bist *hässlich*!« Robert wusste, dass er etwas tun, eingreifen, in den Pool steigen und sie zur Räson bringen sollte, aber er sah zu ihnen hinüber und kannte diese kleinen Menschen nicht. Ein Kellner, ein Fremder, hätte mehr Einfluss auf seine Kinder als er. Er kannte sie nicht. Er saß da, hörte sie schreien und fragte sich, ob er sich etwas vormachte, ob er sich einfach nicht aufraffen konnte, aufzustehen und sie zur Ordnung zu rufen, und deshalb Ausreden erfand. Nein. Er kannte sie wirklich nicht. Er fing an zu weinen, ganz still, und merkte auf einmal, dass die Kinder nicht mehr herumschrien. Er schaute auf. Sie starrten ihn an, warteten darauf, dass er ihnen sagte, sie sollten still sein. Und alle am Pool wussten, dass er der Verantwortliche war und nichts unternommen hatte, und jetzt weinte er auch noch.

Es war besser so. Sein Vater und er, beide binnen weniger Tage gestorben. Eine traurige Geschichte später in ihrem Leben, doch der Makel beschränkte sich auf einen kurzen, brutalen Schicksalsschlag. Er hoffte sogar ein bisschen, dass man es wie Selbstmord aussehen lassen würde, damit die Geschichte mit seiner Beerdigung endete, anstatt sich noch durch eine Mordermittlung und womöglich einen Prozess hinzuziehen. Er hatte erlebt, wie Familien durch einen langen, sich qualvoll dahinschleppenden Mordprozess zerrüttet wurden, wie sie gewartet und gehofft und geträumt hatten, dass es ihnen bald besser gehen würde. Er hatte auch die niederschmetternde Wut am Ende miterlebt: Das Urteil war nie hart genug, der Beschuldigte nie reuevoll genug. Sie alle machten den Fehler, zu denken, dass der Prozess für sie wäre und ihnen Linderung bringen sollte. In gewisser Weise war es arrogant, sie glaubten tatsächlich, dass alle staatlichen Organe nur in Aktion treten würden, um ihren Verlust zu mildern.

Morgen wahrscheinlich. Der Sturm wurde immer stärker. Selbst wenn sie ein privates Boot chartern würden, hätten sie wohl Probleme, heute Nacht überzusetzen.

Das wäre dann also seine letzte Nacht. Er dachte an eine letzte Mahlzeit, an Fernsehen, ein Feuer im Kamin, an erholsamen Schlaf. Eigentlich wollte er das alles gar nicht. Er wollte nur, dass es vorbei war. Er war bereit zu sterben.

Er schaute aus dem Fenster auf die heftigen Wellen, die wieder und wieder versuchten, sich an den nackten Klippen festzukrallen und emporzuziehen. Ein tröstlicher Gedanke, dass er sterben würde. Er würde die richtigen Leute mit sich in den Abgrund reißen. Der Hippie war ohnehin eine Nervensäge. Er meditierte bestimmt nicht, Robert war sicher, dass er da unten kiffte. Wahrscheinlich baute er das Zeug selbst an. Er redete auch ein bisschen wie ein Kiffer: schleppende Sprechweise, dazu noch die komischen Kleider, außerdem wollte er einfach nicht weggehen. Also besser er als die Kinder oder Rose und Francine oder seine Mutter oder die Mitarbeiter in einem örtlichen Krankenhaus.

Er war nass. Sein Anzug klebte an ihm. Er hatte im Auto eine Plastiktüte mit einer anderen Hose. Er ging nach unten, tastete in der Hosentasche nach dem Autoschlüssel.

»Hey.« Es war der Hippie. Er war im Salon, stand vor dem kleinen Feuer im Kamin, stand dort wohl schon ziemlich lange, hatte auf ihn gewartet.

Robert griff an sein feuchtes Jackett. »Ich muss …«

Der Hippie deutete auf ein Tischchen neben der bequemen Couch. Auf dem Tischchen standen zwei große Kristallgläser, die einladend schimmerten. In jedem war ein Fingerbreit einer bernsteinfarbenen Flüssigkeit.

»Whisky?«

»Aberlour. Fünfundzwanzig Jahre alt. Nehmen Sie einen. Trinken Sie.«

Robert vergaß seinen feuchten Anzug, der an ihm klebte; den Blick auf den Whisky gerichtet trat er in das warme, rosafarbene Zimmer.

5

Wie üblich im Winter setzte die Dämmerung früh ein. Ein starker Regen nahm mit sich fort, was vom Tag übrigblieb. Der Verkehr in der Bath Street schlängelte sich respektvoll um die beiden schwarzen Mercedeslimousinen herum, die vor dem Glasgow Art Club parkten. Die Fahrer reckten den Hals, um einen Blick auf die Gäste der Trauerfeier zu erhaschen, die elegante Feierlichkeit der großen Wagen, die schwarze Kleidung der Trauernden. Sie fuhren langsamer beim Blick auf dieses Memento mori, wurden kurz daran erinnert, wie traurig es war, dass der Tod immer Fremde traf, und fuhren dann weiter zu einem langweiligen Sandwich in der Mittagspause und einem sinnlos vergeudeten Nachmittag, als ob ihr Leben ewig währen würde.

Rose stand mit einem großen Schirm neben dem Auto. Die Kinder kletterten heraus, kicherten darüber, wie der Regen herunterprasselte, vom Gehweg abprallte und in ihre Knöchel kniff.

Der Art Club befand sich in einem eleganten georgianischen Stadthaus im Zentrum. Eine breite Treppe mit gusseisernen Stiefelkratzern führte von der Straße zum Eingang hinauf. Die Doppeltür war aus Eiche mit kunstvollen Schnitzereien, die das schwere Bleiglasfenster einrahmten, das den Blick ins Foyer freigab. Margery hatte den Club für einen Umtrunk nach der Beerdigung gebucht. Rose verstand nicht warum. So mussten sie vom Krematorium wieder zurück in die Stadt fahren, mit drei frustrierten Kindern, zu einem Raum voll betrunkener Anwälte.

Rose wollte ihre Kinder nicht dort haben, nicht in so einem Raum. Sie fühlte sich nicht wohl dabei; kleine Leute neben großen betrunkenen Menschen. Die Gesellschaft gefiel ihr auch nicht, ihr verlogener Zynismus, das bellende Gelächter, das sich allein am Status des Redenden orientierte. Es war anstrengend, ständig daran zu denken, welche Rolle sie in dieser Gesellschaft zu spielen hatte.

Sie schnalzte mit der Zunge und scheuchte ihre Schar die Treppe hinauf zur Tür. Die Kinder sollten sich später an die Trauerfeier erinnern können, deshalb waren sie hier. Sie mussten sich nicht an der Gesellschaft beteiligen. Rose schätzte, dreißig oder vierzig Minuten würden reichen. Fünfzig Minuten, wenn Reden gehalten wurden. Hoffentlich keine Reden. Sie wollte keine Minute länger bleiben als unbedingt nötig.

Im Schutz des Eingangsportals wandte sie sich um und sah Dawood, Francine und Margery aus dem vorderen Wagen steigen. Dawood blieb etwas zurück und beobachtete, wie Margery langsam zur Treppe ging, nach dem Handlauf griff, seufzte und sich an den Aufstieg machte. Sie war erst dreiundsechzig. Francine hielt sich am Handlauf auf der anderen Seite fest. Fast parallel erklommen die beiden Frauen die Stufen, die Geländer wie eine Klammer, die sie trotz der Kluft zwischen ihnen zusammenhielt.

Durch den Schleier aus grauem Regen sah Rose, wie sich die Trauerlimousinen in den Verkehr einreihten, wie Panther, die sich wieder auf die Jagd machten.

Margery erreichte das Eingangsportal. Als Clubmitglied war sie die einzige, die den Türsummer drücken konnte und eingelassen wurde, aber sie ließ alle warten. Sie stand vor der Eichentür und musterte kritisch die Kinder, dann Francine. Francine stand mit passiv hängenden Armen da, bis Margery fertig war, zu müde, um sich zu wehren. Nur Dawood entkam der Inspektion.

»Du«, Margery deutete auf Rose, »du wartest hier. Wir gehen zuerst rein. Warte einen Moment, dann kannst du nachkommen.«

Rose machte einen Schritt zurück. Sie senkte den Blick. Jessica grinste zu ihr hoch und zeigte ihre Zahnlücken, zu jung, um peinlich berührt zu sein, dass ihre Großmutter das Personal in die Schranken wies. Hamish, zehn Jahre alt und jung genug, um an Gerechtigkeit zu glauben, starrte seine Großmutter böse und mit zusammengekniffenen Lippen an.

Margery kümmerte das nicht; sie wandte sich um, drückte den Türsummer und wartete mit der flachen Hand auf der geschnitzten Tür. Als sich die Tür öffnete, schlugen ihnen Gelächter und das Fauchen einer Katze entgegen.

Als Matriarchin des Clans betrat Margery als Erste den Club. Francine folgte ihr und warf Rose dabei einen verzweifelt entschuldigenden Blick zu. Rose zwinkerte beruhigend und legte die Hand schützend auf Hamishs Hinterkopf, als er an ihr vorbeiging.

Die Tür schloss sich. Rose ließ sich der Kinder zuliebe nichts anmerken und beobachtete sie durch das mit Fingerabdrücken versehene Glas. Die Familie von Julius McMillan versammelte sich, wappnete sich kurz und mischte sich dann unter die Trauergäste.

Der Hieb saß. Es war nicht richtig, sie so zu behandeln. Andererseits, sagte sie sich, hatten sie einen großen Verlust erlitten. Julius' Tod war schrecklich und ein Schock, und Robert war womöglich auch tot. Außerdem war Margery eben Margery. In ihren Glanzzeiten war sie ein richtiges Püppchen gewesen, wie Mr. McMillan immer gesagt hatte. Ihr Charme und ihre Schönheit waren zwar schon längst dahin, doch die Gewohnheiten einer Diva und ihren Standesdünkel hatte sie behalten. Sie behandelte alle Frauen, selbst die siebenjährige Jessica, als potenzielle Rivalinnen.

Rose war verletzt, verärgert und auch ein bisschen verängstigt, wusste aber, dass sie das schon früher durchgestanden hatte. Erst vor kurzem, und sie wusste, dass sie daran nicht sterben würde. Sie konnte die Gedanken in ihrem Kopf frei wählen. Also beschloss sie, die Zeit allein zu nutzen und sich ins Gedächtnis zu rufen, welche Rolle sie hier zu spielen hatte. Die Woche war hart gewesen, verwirrend, traurig und geschäftig. Ich bin eine Nanny, dachte sie. Sie korrigierte sich und lächelte – ich bin *die* Nanny. Ich gehe nicht aus. Ich treffe keine Leute. Ich bin die Nanny. Die schüchterne, fast dreißigjährige Nanny. Ich habe keine Hobbys. Ich habe keine Vergangenheit. Ich bin die Nanny. Die Rolle umhüllte sie wie ein Talar. Ihre Schultern fielen nach vorn, sie schlug die Augen nieder, ihr Kiefer reckte sich nicht mehr energisch nach vorn.

Jetzt wusste sie also, wer sie war, musste aber immer noch warten und die Zeit totschlagen. Sie blickte sich um. Sie war allein, kaum zu sehen für die Passanten, die mit eingezogenem Kopf im starken Regen vorbeieilten. Sie könnte an Mr. McMillan denken. Rose machte einen Schritt nach vorn in Richtung der dunklen Straße, schloss die Augen und hob das Gesicht zum Himmel.

Kleine Regentropfen sprenkelten ihre Wangen und Stirn. Sie sah Mr. McMillan, sein Gesicht, die alten Augen mit den Tränensäcken, die nikotingelben Zähne und Finger. Sie sah ihn und sagte ihm ein Gebet, in ihrem eigenen Akzent, dem Akzent aus ihrem früheren Leben: Vielen Dank, Mr. McMillan. Vielen Dank für Ihre Freundlichkeit in dieser verdammten Scheiß-Müllkippe von Welt.

Mr. Julius McMillan, Bachelor of Laws with Honours, sprengte weichen Regen auf sie herab und lächelte. Sie sah, wie er eine Schokoladentafel auspackte. Sie sah, wie er eine Zigarette rauchte. Sie sah, wie er über Dianas Tod weinte. Dank Mr. McMillan betrachtete sie Schuldgefühle nicht mehr als Schwäche. Aber auch nicht als Chance. Sie waren ein Zustand der Gnade, ein Fenster zur Erlösung. Er war nicht der beste Mensch, der je gelebt hatte, aber er war ihr Erlöser.

Hinter ihr öffnete sich die Tür des Art Club und schlug gegen ihre Fersen. Zwei Männer, die nicht zur Trauerfeier gehörten, kamen heraus, ein wenig angetrunken, lächelnd. Rose griff nach der Tür, bevor sie wieder zuschwang.

Innen hielt sie den Blick auf den Boden gerichtet und folgte dem Murmeln der Trauergäste. Durch ein prächtiges Foyer und eine hohe Tür, durch eine Bar, durch eine kleine Tür. Sie war noch nie hier gewesen und blieb an der Schwelle stehen, um alles in sich aufzunehmen.

Ein Ausstellungsraum, zwei Stockwerke hoch, der sich über die gesamte Breite des Stadthauses zog. Ein Oberlicht, so lang wie der Raum selbst, sorgte bei einer Gemäldeausstellung für natürliche Beleuchtung. In der Mitte des Saals stand ein schwarzer Flügel mit geschlossenem Deckel, elegant und glänzend wie die Mercedeslimousinen für die trauernden Angehörigen.

An beiden Enden des Saals befanden sich einander genau gegenüber zwei hohe, dunkle offene Kamine mit Holzvertäfelung. Ein Schild an der Wand wies darauf hin, dass sie von Rennie Mackintosh gestaltet waren, aber aus der Frühzeit seines Schaffens stammten und daher noch nicht seinen späteren kühnen Stil zeigten. In einem Paneel der Vertäfelung befand sich eine kaputte Uhr, ein anderes Paneel bestand aus einer gehämmerten Metallplatte mit dem Profil einer Frau, mit nach oben gerecktem Kinn und prächtigem wallenden Haar.

Es waren nicht viele Trauergäste da. Überwiegend Männer, und selbst die zwei oder drei anwesenden Frauen waren wie Männer gekleidet und trugen Hosenanzüge, allerdings mit Pumps. Anwälte. Julius und Margery hatten kaum Freunde; aufgrund von Margerys Depressionen pflegten sie als Paar keine sozialen Kontakte.

Rose blieb weiter an der Tür stehen, zögerte, hineinzugehen und sich unter die Gäste zu mischen. Sie hielt Ausschau nach den Kindern, konnte aber keine kleinen Gestalten sehen, die über den Parkettboden tollten. Sie hob den Blick und suchte Francine, sie stand am Kamin auf der Türseite und nickte, während ein Mann über ihren Kopf hinweg einen Monolog hielt.

Francine streckte den Arm aus und griff nach dem Ellbogen von Rose. Der Mann redete immer weiter; mit glasigem Blick erzählte er eine Geschichte vom Angeln oder was auch immer. Die Erzählung war voller offensichtlicher Schlüsselbegriffe, die Rose jedoch nichts sagten. *Deeside ...*, sagte er, *drei Angelruten ... Schläge.* Und Namen, als ob sie sie kennen müssten, Johnny Blabla, Gunther Bla von Bla, als ob sie alle dieselben Leute kannten und ihnen dieselben Dinge wichtig wären. Völlig in seinem eigenen Bezugsrahmen verloren, registrierte er immerhin, dass Francine ihm nicht mehr folgen konnte und Rose darauf wartete, mit ihr zu sprechen. Er brach ab und ging weiter.

Rose berührte Francine am Ellbogen. »Viele Türen. War das beim Reingehen okay?«

»Kein Problem. Tut mir leid wegen Margery«, sagte Francine und schaute ans andere Ende des Saals. »Die Kinder sind durch die Tür dahinten.«

Rose stellte sich auf die Zehenspitzen und küsste sie sanft auf die Wange. Dann machte sie sich auf die Suche nach den Kindern.

Die nahmen gerade die Toilette auseinander. Rose konnte sie schon vor der verschlossenen Tür hören. Sie klopfte einmal, hörte Jessica kreischen und spürte ein Rumpeln am Holz.

»Aufmachen«, befahl sie. Der Riegel wurde zurückgeschoben, die Tür ging auf. Der ganze Boden war überschwemmt. Hamish hatte Angus die Haare im Waschbecken gewaschen und stand jetzt beschämt, aber auch grinsend an der Wand. Angus' Hemdsärmel war klatschnass.

Rose seufzte, zog ein Handtuch vom Regal und rubbelte damit unsanft über seinen Arm.

»Albern«, murmelte sie. Sie wollte keine große Sache daraus machen, nicht heute.

Sie wickelte das Handtuch fest um Angus' Arm, damit es möglichst viel Feuchtigkeit aufnahm. Jessica stand am Waschbecken und wusch sich nach Aufmerksamkeit heischend die Hände. Sie wollte die Brave sein, denn Rose ermahnte die Kinder ständig, sich die Hände zu waschen.

Hamish stand nun neben Rose und presste sich an sie. In der Annahme, dass er ein wenig Zuspruch brauchte, sagte sie: »Ich bin überhaupt nicht zufrieden mit dir.«

»Grandma war gemein zu dir«, sagte er, um von sich abzulenken.

Sie richtete sich auf, faltete das Handtuch zusammen und suchte nach einer trockenen Stelle. »Das war heute für alle ein schlimmer Tag, Hamish.« Aber sie freute sich trotzdem über seine Bemerkung.

Sie rubbelte wieder an Angus' Arm herum, tupfte mit dem Handtuch den Kragen ab. Das Hemd war praktisch durchsichtig, aber wenn er sein Jackett nicht überzog, würde es bald trocknen.

Sie musterte die drei. »Gut. Wir gehen jetzt zusammen da raus. Wir werden uns anständig benehmen. Wir reden, wenn wir angesprochen werden, wir sagen, wie alt wir sind, und in zwanzig Minuten fahren wir heim, und dann gibt es heiße Schokolade und eine DVD. Einverstanden?«

Alle nickten.

»Aber nur, wenn ihr brav seid«, warnte Rose.

Sie gingen raus. Die Kinder entdeckten auf einem weiter entfernten Tisch Tabletts mit Sandwiches und Mini-Brownies und hüpften davon. Margery saß Weißwein nippend auf einem Sofa unter der kaputten Uhr, umringt von einer Gruppe Männer, die sich für sie in Pose warfen und zu laut über sie hinweg redeten, während sie zuhörte. Ein Mann, der links neben ihr saß, achtete allerdings nicht auf Margery. Er starrte zu Rose, auf ihr Gesicht.

Sie kannte ihn: 45 000 Pfund nach Quetta, 7,5 Prozent Gebühr, vierteljährlich. Sie spürte seinen bohrenden Blick. Sie kannte diesen Blick, wollte aber nicht hinsehen. Im Geiste nahm sie sich vor, in den Büchern nachzuschauen, ob er Geld bekam oder schuldete. Beim Gedanken an den hinteren Safe fielen ihr die vielen Dinge ein, die sie noch erledigen musste. Aber hier war sie die Nanny, sie war schüchtern und kannte niemanden.

Mit energischen Schritten ging sie zu den Kindern. Die standen, bewaffnet mit einem Teller und einer Stoffserviette, brav hinter einem stämmigen Mann an, um das Tablett mit den Brownies zu plündern.

»Zwei für jeden«, sagte sie. Die Brownies waren klein und trocken und würden wahrscheinlich sowieso nicht schmecken.

Jessica protestierte mit einem Stöhnen. Der stämmige Mann drehte sich zu Rose um.

»Hallo.«

Sie nickte einen Gruß, ohne ihn richtig anzusehen, aber er blieb hartnäckig. »Erinnern Sie sich an mich?«

Das Herz rutschte ihr in die Magengrube: Aber sie war hier

die Nanny. Sie sah auf. Es war Monkton, dieser Scheißkerl. Er war fetter geworden, fand sich aber immer noch toll.

Rose lächelte ihn nichtssagend an, senkte den Blick. »Nein, ich ähm …«

Er streckte die Hand aus. »Ich bin David Monkton.«

»Oh, hallo.« Sie steckte zwischen den Trauergästen fest, die sich um das Büfett drängten, daher blieb ihr nichts anderes übrig, als ihm die Hand zu geben. Plötzlich stand Dawood neben ihnen.

»Das war sehr schön, was Sie über ihn gesagt haben«, sprach sie ihn an in der Hoffnung, dass er Monkton von ihr weglotsen würde. Doch die beiden rührten sich nicht. Dawood und Monkton standen im Büfettgedränge so dicht bei ihr, dass sie ihr die Sicht versperrten. Sie machte sich Sorgen, dass sich die Kinder erneut absetzen könnten.

»Rose, wir haben uns vor Jahren getroffen.« Monkton gab nicht auf. »Erinnern Sie sich? Mit Julius.«

Sie gab keine Antwort. Er sollte nicht mit ihr reden. Dass er es doch tat, hieß, dass er etwas wollte. Oder etwas wusste. Und wenn er etwas wusste, würde er das auch verwenden, denn das machte Monkton immer: Er fand Dinge heraus und nutzte sie zu seinem Vorteil.

»Also David«, sagte Dawood und nahm sein Hündchen damit wieder fester an die Leine, »wie sind Sie hierher gekommen?«

Sie hätte wissen müssen, dass das passieren würde. Julius war tot, Robert war verschwunden, und schon benahmen sich alle daneben. Sie musste herausfinden, was sie vorhatten. Aber nicht jetzt.

»Entschuldigung«, flüsterte sie und quetschte sich mit der Schulter voraus durch den Wald aus Anzügen. Sie kam gerade noch rechtzeitig, um zu sehen, wie sich Jessica zwei Brownies auf einmal in den Mund stopfte. Zwei weitere lagen noch auf ihrem Teller.

Rose nahm ihr den Teller aus der Hand und stellte ihn auf dem Tisch ab. Sie legte Jessica die Hand auf den Nacken und steuerte sie zwischen den Anzugträgern hindurch. Als sie das Gedränge hinter sich gelassen hatten, merkte Rose, dass ihre Hand zitterte. Aber nicht wegen Jessica.

Das Mädchen war ganz und gar unbekümmert, sie lachte, Browniekrümel purzelten über ihr schwarzes Kleid. »Komm schon, Jessica, ich sagte *zwei*.«

Hinter Rose schoben sich die hungrigen Gäste ans Büffet, eine dunkle Masse aus Anzügen, doch vor ihr stand Jessica, die Augen vor Lachen zusammengekniffen, so dass die schwarzen Wimpern miteinander verflochten schienen. Aus ihrem Mund krümelte Schokoladenkuchen. Rose beugte sich vor, bis sie nur noch Jessicas schimmernde rosa Haut sah. Jessica gluckste, Kuchenbrösel hüpften von ihrer Brust, und Rose spürte eine überwältigende Liebe zu ihr. Vor ihr stand all das Gute, das Niedliche, aber auch brutal Ehrliche. Nicht zum ersten Mal überkam Rose das Gefühl, dass sie am liebsten den Unterkiefer aushaken und Jessica mit Haut und Haar verschlingen würde.

Sie richtete sich auf und schob ihr Mündel weiter vom Büffet weg. »Und jetzt marsch.«

Nun, da Jessica auf dem richtigen Weg war, stürzte sie sich zurück ins Gedränge und suchte nach den Jungs. Sie fand sie unter dem Büfetttisch. Angus hatte seinen Teller fallen lassen und suchte auf dem Boden nach seinen Brownies. Hamish hatte irgendetwas angestellt, sie wusste nicht was, aber er stand steif mit seinen zwei Brownies auf dem Teller da und wich ihrem Blick aus.

»Okay«, sagte sie. »Das war's.« Mit den Jungs an der Hand schob sie sich erneut durch die Menge. Als sie aufschaute, sah sie Onkel Dawood und David Monkton. Die beiden standen immer noch zusammen, obwohl sie das nicht sollten, und starrten sie an, was sie erst recht nicht sollten. Rose starrte trotzig zurück, mit klopfendem Herzen und zusammengekrampftem Magen.

Früher hatten sie Angst vor ihr gehabt. Jetzt nicht mehr. Sie wussten, was sie getan hatte, wussten, dass sie ausgedient hatte.

Rose starrte sie ausdruckslos an, bis sie den Blick abwandten. Sie war noch nicht am Ende. Zwischen ihr und Aziz Balfour bestand keinerlei Verbindung. Sie hatte immer noch das Buch und die Kontakte, sie war Julius' Erbin und sie würde dafür sorgen, dass sie für diesen unverschämten Blick bezahlen mussten. Allerdings konnte sie es nicht noch einmal tun, sie konnte es nie wieder tun. Aber das musste sie auch nicht, sie konnte jemanden dafür bezahlen.

Jemand streifte versehentlich ihre Schulter, und sie wirbelte kampfbereit herum. Die Jungs ließen sofort ihre Hand los, nutzten die Gelegenheit und machten sich davon.

»Verzeihung!« Ein unsicheres Lächeln, in den Händen ein doppelter Whisky und ein Teller, auf dem sich Sandwiches türmten, bedeckt mit einer Serviette als Leichentuch. »Entschuldigen Sie. Die Gier hat mir wohl die Sicht vernebelt.«

Vor ihr stand Anton Atholl. Er lachte über sich selbst, und sie stimmte in sein Gelächter ein, ein etwas irres, trunkenes Sichgehen-Lassen. Atholl lachte noch lauter, als ob er Angst hätte und das Lachen ebenfalls brauchte. Er war der Beste. Das hatte Julius immer gesagt. Der einzig Anständige unter ihnen. Sie war froh, ihn zu sehen.

Atholl hob entschuldigend den Teller mit Sandwiches. »Eier und Kresse?«

Rose schüttelte den Kopf und wich zurück.

»Sie müssen Rose sein«, sagte er unschuldig. »Ich erinnere

mich, dass Julius mir von Ihnen erzählt hat.« Er riskierte einiges, wenn er mit ihr sprach. Vielleicht wusste er, was Dawood und Monkton vorhatten.

Atholl machte sich einen Spaß daraus, tat so, als ob sie sich nicht kannten, blickte auf seine Hände, stellte fest, dass er keine Hand frei hatte, und bot ihr stattdessen den Ellbogen an. »Ich bin Anton Atholl«, grinste er.

»Freut mich, Sie kennenzulernen.« Sie fasste seinen Ellbogen und schüttelte ihn leicht, mit einem Lächeln, das gerade so ausreichte. Sie sah wieder weg.

»*Rose, Sie haben ihm so viel bedeutet.*«

Wenn Sie Anton jetzt in die Augen sah, würde sie in Tränen ausbrechen. Sie hielt den Blick gesenkt. »Vielen Dank.«

Sie schob sich aus dem Gedränge heraus, wollte die Trauerfeier verlassen, nur noch die Kinder einsammeln und weg.

»Haben Sie Robert gesehen?«

Atholl war immer noch hinter ihr, war ihr gefolgt. Sie zuckte mit den Schultern, war wieder in ihrer Rolle. »Ich fürchte, Robert wird nicht kommen. Es geht ihm nicht gut.«

»Oh. Die Leute fragen nach ihm …«

Jetzt wirkte er gar nicht mehr chaotisch, und auch nicht mehr hungrig oder komisch. Er blickte sehr ernst, als er sich zu ihr beugte.

Rose murmelte: »Ich werde es ihm ausrichten.«

»Ganz im Ernst, Julius hat Sie *geliebt*«, hob Atholl wieder an.

Jetzt schon betrunken, dachte sie, und kräuselte die Lippen.

»Er *liebte* es, Sie bei sich zu haben.«

Sie lächelte zu ihren Füßen hinunter und flüsterte: »Okay.«

Atholl wurde im Gedränge weitergeschoben, aber sie sah immer noch nicht auf.

Sie musste hier weg, bevor noch mehr getrunken wurde. Sie

suchte den Raum ab und entdeckte die Kinder vor dem hinteren Kamin. Hamish saß auf dem Sofa und aß demonstrativ seinen letzten Brownie. Angus und Jessica standen vor ihm und beobachteten ihn neidisch. Rose eilte zu ihnen, die Augen starr auf sie gerichtet, um jeglichen Blickkontakt mit den anderen Anwesenden zu vermeiden.

Sie lächelte vor sich hin: Das Herzstück des Kamins war ein gehämmertes Metallrelief von einer Frau in heroischem Profil, das Kinn vorgereckt, die Augen geschlossen, die Haare nach hinten wallend. Sie presste den Finger auf die Lippen.

Rose beugte sich über die Kinder. Sie konnte es kaum erwarten, nach Hause zu kommen und die Tür hinter sich zuzumachen.

6

Alex Morrow saß im Büro ihres Chefs und starrte auf die Ausdrucke auf seinem Schreibtisch. Beide waren sie wie vor den Kopf geschlagen. Riddell, ein schmaler, blasser Mann mit leicht gräulichen Zähnen und Aknenarben auf den Wangen, machte den Mund auf und schloss ihn dann wieder. Stirnrunzelnd betrachtete er die Papiere, sein Blick wanderte von dem Fingerabdruck, der am Tatort in der Red Road gefunden worden war, zu der ordentlichen Reihe mit den zehn Fingerabdrücken von Michael Brown, die aus seiner Akte stammten.

Brown war in einer Zelle eingesperrt gewesen und hatte gleichzeitig in einem leerstehenden Wohnblock auf der anderen Seite der Stadt Dinge angefasst und einen Mann ermordet. Ein allzu großer Zufall, dass die Fingerabdrücke ausgerechnet jetzt gefunden worden waren, kurz bevor er zu einer langen Haftstrafe verurteilt werden sollte. Aber noch seltsamer an dieser Fähigkeit zur Teleportation war, dass sie ihm nicht die Haftstrafe ersparte. Brown hatte zusammen mit anderen diesen verblüffenden, komplizierten Trick inszeniert, aber weder Morrow noch Riddell verstanden, was er sich davon versprach.

Sie waren die verschiedenen Möglichkeiten durchgegangen, vorgeschlagen von Morrow, verworfen von Riddell:

Ein Manöver, um vom wahren Täter abzulenken? Zu kompliziert. Dann hätte man Fingerabdrücke von jemandem verwendet, der auch tatsächlich dort gewesen sein könnte.

Die Aufmerksamkeit auf die Verbindung zwischen dem Toten und Brown lenken? Aber es gab keine Verbindung zwischen dem Toten und Brown.

Eine Botschaft? Aber niemand würde je erfahren, dass Browns Fingerabdrücke dort gefunden wurden, es sei denn, die Polizei machte das publik, doch daran hatte sie kein Interesse.

Riddell erklärte, in der Chefetage wolle man, dass die Sache mit den Fingerabdrücken gründlich und schnell aufgeklärt werde. Höchste Priorität. Andere Fälle sollten erst einmal ruhen.

Morrow war sich sicher, dass die Dringlichkeit darauf basierte, der Staatsanwaltschaft Kosten zu ersparen. Niemand wollte wie ein Idiot dastehen, wenn nächstes Jahr im Rahmen der Polizeireform die Posten neu verteilt wurden.

Riddell räusperte sich. »Also, was denken Sie, DI Morrow?«

Er lehnte sich zurück, die Hand auf dem Mund, und wartete. Er war faul. Er fragte sie, wie sie das für ihn in Ordnung bringen würde. Er war kein schlechter Mensch und auch kein schlechter Polizist, er war einfach nur faul.

»Tja, Sir, ich komme immer wieder darauf zurück, dass Brown die Fingerabdrücke manipuliert hat, um die Beweiskraft der Indizien in seinem Prozess infrage zu stellen. Wenn nicht jetzt, dann in der Berufung. Ich denke, dass er entweder seine eigenen Fingerabdrücke dort platziert hat oder dass er jemanden bezahlt hat, die Datenbank zu hacken und seine Fingerabdrücke zu verändern.«

»Ja, ich verstehe«, sagte Riddell, als ob er selbst darauf gekommen wäre. »Sie werden also …?«

»Ich habe einen EDV-Spezialisten angefordert, der das System mit mir durchgeht und mir die Schwachstellen erklärt.«

»Ja, gut, ja, tun Sie das. Kostet uns das was?«

»Nein.«

»Ja, gut, dann machen Sie das.«

Morrow war klar, warum man ihn befördert hatte und nicht sie. Er machte nie Probleme. Sie dagegen schon: Ihre Herkunft, ihre Einstellung, ihr Bruder.

Sie sammelte die Papiere von seinem Schreibtisch auf, dankte ihm für seine Hilfe und ging in ihr eigenes Büro. Sie hasste Riddell nicht.

Er war nichtssagend genug, um sie nicht zu kränken, außerdem war er ein guter Puffer zwischen ihr und den oberen Etagen mit ihrem politischen Taktieren. Wenn sie ihn fragte, wie es ihm ging, sagte er ihr immer, über wen er sich gerade ärgerte. Er war zu faul, um all die neuen, manchmal widersprüchlichen Reformen energisch umzusetzen, weil er damit rechnete, dass es innerhalb eines Jahres ohnehin eine neue, geeinte schottische Polizei geben würde. Es ging um den eigenen Status und die Verteilung der Posten, alle hielten den Atem an und hofften, dass jemand anderes zuerst über Bord gehen würde.

Sie setzte sich an ihren Schreibtisch und sah die Papiere durch, die darauf verstreut waren, alle dringend, alle kompliziert. Ihre Aussage in Browns Gerichtsverhandlung hatte sie erschöpft. Der Adrenalinschub hatte zu früh am Tag eingesetzt. Den Rest ihrer Schicht benötigte sie zur Erholung.

Sie wollte nach dem Telefon greifen, bremste sich aber. Brian war zunehmend genervt, dass sie jedes Mal anrief, wenn ihr die Zwillinge fehlten. Ihre Sehnsucht nach Kontakt ließ sich auf einen Zwanzig-Minuten-Takt timen, egal, was bei ihr im Büro los war, es sei denn, sie war mitten in einem Meeting mit Vorgesetzten oder jagte einen Verbrecher quer durch die Stadt. Doch abgesehen davon wanderten ihre Gedanken alle zwanzig Minuten zu ihren beiden kleinen Jungs, zu ihrem Geruch, den erstaunlichen Bewegungen ihrer winzigen Hände, Zehen, Gesichter. Ihr erster Sohn Gerald war unerwartet gestorben, und sie fragte sich, ob ihre Sehnsucht nach Kontakt auf dieser Unsicherheit gründete. Aber der Kontakt hatte nichts mit der Trauer um ihren ersten Sohn zu tun. Er war die reine Freude. Sie schloss die Augen und gönnte sich zwei Sekunden lang die Erinnerung, wie die Zwillinge zum ersten Mal ein Feuerwerk sahen. Sie und Brian hielten jeweils ein Kind im Arm und standen am Küchenfenster, das Licht war aus, und sie schauten auf die Gesichter der Jungs, die die explodierenden weißen Chrysanthemen am Himmel bestaunten.

Sogar zu Hause vermisste sie stets den Zwilling, den sie gerade nicht sah. Sie war so zerrissen, dass sie spürte, wie ihr die mühsam aufgebaute Karriere durch die erschöpften Finger rann.

Sie zwang sich, die Augen zu öffnen. Papierkram. Vielleicht sollte sie etwas essen, aber sie hatte keinen Hunger. Ein KitKat oder eine andere Kleinigkeit, nur um die Langeweile zu durchbrechen.

Morrow verfluchte sich selbst und schloss erneut die Augen. Alles fühlte sich an wie blutleere, öde Verwaltungsarbeit. Sie hatte das auch schon zu Riddell gesagt, und er hatte gelacht und gesagt, vielleicht sei sie bereit für eine Beförderung. Es habe schon seine Richtigkeit, hatte er gesagt, dass man erst Macht erhalte, wenn man jemandem vertrauen und sicher sein könne, dass er nichts Dummes damit anstellen würde. Sie hätte ihn dafür am liebsten geohrfeigt. Sie konnte den Gedanken nicht ertragen, dass ihre restliche Karriere aus vorsichtigem Taktieren bestehen sollte, bei dem man immer ein Hintertürchen im Blick und die richtigen Lügen für die richtigen Leuten parat hatte.

Bei den Lügen musste sie an ihren Bruder Danny denken. Er hatte angeboten, ihr Geld zu leihen. Darüber musste sie lächeln. Ihr Bruder war ein Verbrecher, er bot ihr Geld an, das er mit kriminellen Unternehmungen verdient hatte, und sie konnte ihm keinen Vorwurf deswegen machen. Danny machte sich ständig etwas vor: Er sorgte sich um seine Mitmenschen, er liebte seine Kinder, er war im Grunde ein guter Mensch, der eben ein paar Probleme hatte. Aber Danny war alles andere als ein guter Mensch. Danny war ein schlechter, gewalttätiger und gieriger Mensch. Das konnte sie ihm nicht sagen – früher hatte sie das gekonnt, aber jetzt stand diese Lüge zwischen ihnen, wie ein uneheliches Kind, das sie aus Lehm und Flusswasser geformt hatten.

Sie ging noch einmal die Entstehung dieser Lüge durch, allein in ihrem Büro hinter verschlossener Tür. Anfangs konnte sie seine »Arbeit« noch erwähnen, ihn um Tipps bitten, die er ihr auch gab, und er bat sie um Tipps, die sie ihm nicht gab. Sie konnten darüber scherzen. Eine kurze, goldene Zeit lang waren sie ehrlich, was ihre eigene Identität betraf. Das hielt ein paar Monate lang an. Dann zuckte sie vor seinem verletzten Blick zurück und erwähnte sein dickes Auto nicht mehr, seine billige Kleidung, sein Imperium. Aus Rücksicht auf ihn redete sie nicht mehr darüber, und allmählich wurden diese Tatsachen unaussprechlich und langsam, ganz langsam, wurde Morrow in sein Lügengespinst hineingezogen, dass er ein Anbieter von Dienstleistungen sei, der sich trotz der schlechten Wirtschaftslage abmühte. Natürlich wusste sie, dass er das nicht war, aber sie sagte es um des lieben Friedens willen, und so wurde daraus die Lügengeschichte, die sie sich gegenseitig erzählten. Und jetzt waren sie schon so tief darin verstrickt, dass Danny ihr Geld anbieten konnte, ohne das Gesicht zu verziehen, und sie konnte nicht aussprechen, um was für Geld es sich handelte. Kleine Lügen aus Rücksichtnahme hatten sich Schicht für Schicht aufgetürmt und ihre Welt verändert.

Ihr altes Team fehlte ihr. Das Personal wurde ständig von einer Abteilung in die nächste verschoben, doch weiter oben war man besonders darauf bedacht gewesen, alle, die Morrow unterstanden, aufgrund eines hässlichen Bestechungsskandals zu versetzen. Sie hatte nichts damit zu tun gehabt, sondern ihr Bestes gegeben, aber trotzdem war ihr von ihrem altem Team nur McCarthy geblieben. Jeder Polizist hatte ein Lieblingsteam, mit dem er gerne arbeitete, und sie befürchtete, dass Harris, Leonhard, Gobby und Wilder ihr bestes Team gewesen waren. Schlimmer noch, sie hatte es nicht erkannt, solange sie das Team noch hatte. Sie hatte schon viele nostalgische Polizisten in ihrem Leben getroffen, die von ihren ruhmreichen alten Zeiten schwafelten, und sie wusste, dass sie danach nie wieder glücklich waren.

Zu viele Veränderungen. Beim Personal, in der Bürokratie, alles wurde auf Computer umgestellt, und jetzt wurde auch noch die Polizei reformiert und zu einer einheitlichen Truppe für ganz Schottland umgebaut. Sie alle könnten jederzeit irgendwohin versetzt werden, warnte die Gewerkschaft. Vermutlich reine Einschüchterungstaktik, aber Morrow hatte das Gefühl, dass jede Veränderung sie weiter in Richtung Kündigung schob. Ihr Team kannte sie nicht gut genug, um sie zu mögen. Sie verströmte nicht gerade eitel Sonnenschein.

Brian sagte, es sei egal, ob ihr der Job gefiel oder nicht. Die Zwillinge kosteten ein Vermögen, sie brauchten jeden Monat irgendetwas Neues in doppelter Ausführung, mussten sogar einen Notkredit unter dem Vorwand aufnehmen, das Dach zu reparieren, um die Heizkosten zu zahlen. Im Gegensatz zu vielen anderen hatte sie einen Job, also sollte sie besser die Klappe halten. Er hatte ja recht.

Sie setzte sich aufrecht hin und schaute sich in ihrem tristen Büro um. Der EDV-Spezialist würde erst in einer Stunde kommen. Sie griff nach der Akte über Aziz Balfour.

DI Paul Wainwright aus dem Norden hatte sie gefaxt. Es war sein Fall, aber er hatte ihr seine Ermittlungsakten geschickt. Ein guter Mann, dieser Wainwright. Sie kannten sich aus der Zeit, als sie noch Streife gingen, hatten sich zwar nie sonderlich nahegestanden, aber sie mochte ihn, weil er ein Genie darin war, die negativen Begleitumstände des Polizeidienstes zu umgehen. Wenn alle anderen den neuesten Klatsch erzählten oder anfingen zu jammern, wechselte er das Thema oder ging einfach weg. Wenn sie Wainwright fragte, wie es ihm ging, erzählte er ihr, wer sein Favorit bei *X Factor* war.

Die Fotos vom Tatort zeigten einen Mann, der auf der linken Seite lag. Neben seinem Kopf ragte ein verblasster roter Stahlträger aus dem Beton, bedeckt mit schwarzem Fingerabdruckpulver. Auf diesem Träger hatte man die Fingerabdrücke von Michael Brown gefunden, weiter oben und etwas tiefer, feste Abdrücke, als ob er den Träger umklammert hätte, und verwischte, als ob er daran abgerutscht wäre, Teilabdrücke und ganze Abdrücke. Besonders ärgerlich war, dass sich jemand, und zwar nicht der Tote, in der Nähe heftig erbrochen hatte, aber man das Erbrochene nicht für eine DNA-Analyse verwenden konnte, weil es durch Staub und Blut kontaminiert war. Außerdem war ein Arbeiter hineingetreten.

Sie betrachtete ein Foto der kläglichen eingetrockneten Pfütze, geziert von einem perfekten Fußabdruck.

Auf das Opfer war mehrfach eingestochen worden, sein Blut war überall auf dem Boden. Darauf klebten Staub und Federn der vielen Vögel, die sich in dem leerstehenden Gebäude eingenistet hatten. Morrow sah sich eine Nahaufnahme seiner Hände genauer an. An der rechten Hand, auf dem Handrücken, sonst hätte sie es wahrscheinlich gar nicht bemerkt, war eine tiefe, ältere Verletzung an den Knöcheln zu sehen, gelb und geschwollen.

Der Tote, Aziz Balfour, war fünfundzwanzig. Er stammte aus

Pakistan und arbeitete in Schottland für eine Hilfsorganisation, die Spenden für die Opfer des Erdbebens von 2008 sammelte, die dadurch obdachlos geworden waren. Ein Junge aus gutem Haus, mit einem Universitätsabschluss in Pakistan, eindeutig aus einer reichen Familie. In Glasgow war er im Masterstudiengang Overseas Development eingeschrieben und hatte letztes Jahr eine junge Schottin geheiratet. Seine Papiere waren einwandfrei.

Seine schottische Familie war befragt worden. Die Angehörigen konnten nicht glauben, dass er ermordet worden war. Sie sagten, er sei ein »super Typ« gewesen. Er trank nicht und nahm auch keine Drogen, er spielte nicht und hatte immer nur gearbeitet. Ein Fünfzehntel seines Einkommens hatte er für wohltätige Zwecke gespendet, obwohl in zwei Monaten das erste Kind kommen sollte. Ein Foto zeigte einen gutaussehenden jungen Mann bei einer Party mit einem kleinen Mädchen in einem lächerlichen roten Kleid, das über und über mit Rüschen verziert war. Er grinste, hatte eine James-Dean-Tolle und Koteletten, aber so übertrieben, dass sie cool und ironisch wirkten.

Sie betrachtete die Fotos des Toten, das glatte Gesicht mit halboffenen Augen im kalten Blitzlicht des Fotografen. Aziz war korpulent, der Hintern und die Oberschenkel rundlich. Er trug einen grauen Mantel in Dreiviertellänge. Der Mantel war nach oben gerutscht und gab den Blick auf pummelige Hüften frei, die gegen den Gürtel drückten. In der Gesäßtasche seiner Hose zeichnete sich der Umriss eines Portemonnaies ab, was hieß, dass er nicht ausgeraubt worden war. Er trug Lackslipper mit Ledersohlen.

Die Fotos sagten ihr nichts. Morrow steckte sie zurück in den Umschlag, stand auf und öffnete die Tür zum Flur, zwang sich, ihr Büro zu verlassen. Sie schaute bei ihrem Team herein. Sie überprüften Handys, arbeiteten am Computer oder füllten Formulare für die Überwachung eines Autohändlers aus, ein aktueller Fall, an dem sie gerade arbeiteten. Sie wirkten jung und energiegeladen. Morrow konnte sich kaum ihre Namen merken. DC Brigid Daniel sah zu ihr herüber. An ihren Namen erinnerte sich Morrow. Er war so offensichtlich katholisch, und dennoch hatte ihr niemand einen katholikenfeindlichen Spitznamen verpasst. Ein gutes Zeichen, hatte Morrow gedacht, ein Zeichen für einen positiven Wandel.

»Daniel.« Sie winkte sie mit dem Finger zu sich.

Daniel kam zur Tür. »Ja Ma'am?« Sie stand entspannt neben ihr, die Hände hinter dem Rücken, die Augen auf sie gerichtet. Ihr Rollkragenpulli und ihre Hose waren tiefschwarz und fusselfrei, ohne eine Spur herausgewaschener Babykotze.

Sie joggte, erinnerte sich Morrow; sie wirkte fit, doch ihre Oberschenkel waren fett und rieben beim Gehen geräuschvoll aneinander.

»Haben Sie etwas gefunden?«

»Nein, Ma'am.«

Morrow sah zu ihrem Schreibtisch hinüber. Sie hatte Daniel gebeten, das Vorstrafenregister von jedem zu prüfen, der mit diesem Autohändler etwas zu tun hatte. Ihr Schreibtisch wirkte sehr ordentlich. »Haben Sie die Finanzen überprüft?«

»Ja, Ma'am. Auffallend sind zwei hohe Überweisungen, aber für sie gibt es Belege. Ich habe die Bankbelege und alles gefunden.«

»Okay, kommen Sie kurz mit in mein Büro.«

Daniel eilte mit unangebrachtem Eifer in Morrows Büro. Morrow blickte zurück auf DS McCarthy, der an seinem Schreibtisch saß. Sie ging zu ihm.

»Irgendwas Neues?«

»Nein.«

»Was denken Sie?«

»Dass der Alte die Wahrheit sagt und wir am Arsch sind.«

Das befürchtete sie auch.

Der Autohändler war seit dreiundzwanzig Jahren im Geschäft. Er verkaufte Luxuswagen. Er war ihnen nur aufgefallen, weil der fette, verzogene Sohn eines Verbrechers einen Lotus aus seinem Laden fuhr. Die Kriminalpolizei hatte nach Beweisen gesucht, dass der dicke Sohn mit dem Autokauf Geld gewaschen hatte, doch sie waren nur auf einen kleinen alten Mann gestoßen, der behauptete, der Junge sei hereinmarschiert, habe gesagt, er würde den Wagen nehmen und zurückbringen, wenn er Lust dazu hätte. Dann sei er einfach davongefahren. Der Autohändler kannte den Jungen. Er hatte viel zu viel Angst, um zu widersprechen. Für die Polizei klang das plausibel, dennoch musste sie eine gründliche Suche nach dem Geld durchführen: Wenn sie den Laden nicht auf den Kopf stellten, würden sich Autohändler aus der ganzen Stadt melden und dieselbe Geschichte erzählen. Also hatten sie all seine Unterlagen durchforstet, sämtliche Bankkonten eingefroren, die Konten aller Familienmitglieder und Freunde unter die Lupe genommen und nach Hinweisen auf Geldwäsche gesucht, nach ungewöhnlichen Käufen, Kredittilgungen, Taschen voller Banknoten im Schrank. Sie hatten nichts gefunden, was bedeutete, dass der alte Mann wahrscheinlich die Wahrheit sagte, was wiederum bedeutete, dass er zweimal zum Opfer geworden war: Einmal war er vom dicken Verbrechersohn betrogen worden, das andere Mal war sein Ruf durch die hektische Suche nach dem Tathergang ruiniert worden. Wie immer ging es um die Frage: Wo zum Teufel ist das ganze Geld hin?

»Die EDV kommt und unterstützt uns«, versuchte Morrow ein Gespräch anzuknüpfen. »Um die Fingerabdrücke durchzugehen.«

McCarthy nickte.

Sie wies mit dem Kinn zu seinem Schreibtisch. »Machen Sie weiter. Vielleicht sind wir ja gar nicht so schlimm dran.«

Daniel saß bereits gegenüber von Morrows Platz und wartete auf sie.

»Nein«, sagte Morrow und winkte sie neben sich, damit sie beide auf den Computerbildschirm schauen konnten. »Ich brauche mal ein zweites Paar Augen.«

Sie manövrierten unbeholfen mit den Stühlen in dem kleinen Büro herum, bis sie beide nebeneinander vor dem Bildschirm saßen. Morrow rief die Fingerabdruck-Datenbank IDENT1 auf.

»Okay«, sagte sie. »Wir gehen jetzt gemeinsam die Datenbank durch, und Sie erklären mir, wie eine Übereinstimmung gefunden wird.«

Daniel nickte, holte tief Luft und legte los. Es klang, als ob sie ein Arbeitsblatt aus der Ausbildung vortragen würde: »Die an einem Tatort gefundenen Fingerabdrücke werden abgenommen, fotografiert und als nicht identifiziert in die Datenbank eingegeben. Die bei einer Festnahme genommenen Abdrücke aller zehn Finger werden in eine separate, aber angegliederte Datenbank hochgeladen, mit der Aktennummer, wenn vorhanden. Eine Suche kann lokal oder national durchgeführt werden. Dabei wird die Datenbank mit nicht identifizierten Abdrücken durchsucht. Eine Übereinstimmung ist mit dem Vermerk hohe oder mittlere Übereinstimmung versehen und nennt Geburtsdatum und Nachname, damit man überprüfen kann, ob es sich um dieselbe Person handelt.«

Morrow nickte. Das Geburtsdatum der passenden Fingerabdrücke stimmte mit dem von Brown überein. »Wir haben Fingerabdrücke am Tatort von einer unbekannten Person. Sie passen zu den Abdrücken von jemandem, von dem sie unmöglich sein können. Sagen wir, er ist tot. Was meinen Sie dazu?«

»Dann muss es sich um eine Fehlzuordnung handeln«, sagte Daniel. »Wenn die Zuordnung stimmt, sind drei Dinge möglich: Die Fingerabdrücke in der Datei sind falsch, die nicht identifizierten Fingerabdrücke sind falsch oder die Übereinstimmung ist falsch.«

»Nein, hier haben wir höchste Übereinstimmung. Das wurde mehrfach überprüft. Und das Geburtsdatum stimmt auch.«

Daniel nickte und dachte nach. »Tja, rein rational betrachtet muss man dann fragen: Könnte es sein, dass die Abdrücke in der Datenbank verändert wurden?«

»Das habe ich auch gedacht.«

Daniel unterdrückte ein Grinsen.

»Danke, Daniel. Sie können jetzt zurück an Ihren Schreibtisch.«

Daniel stand auf und versuchte, sich etwas Geistreiches einfallen zu lassen, gab dann aber auf und ging wortlos.

»Machen Sie beim Rausgehen die Tür hinter sich zu.«

Die EDV-Expertin, eine Clare McGregor, kam vierunddreißig Minuten zu spät. Wegen dieser Verspätung würde es Morrow nicht schaffen, den Zwillingen Abendbrot zu machen oder sie zu baden. Aber das wusste McGregor nicht, sagte sich Morrow, die Stirn an die Innenseite ihrer Bürotür gepresst. Das war keine Absicht. Wahrscheinlich gab es einen guten Grund. Sie holte dreimal tief Luft, öffnete die Tür und machte sich auf den Weg ins Foyer, um sie abzuholen.

Sie rief sich noch einmal die Fragen in Erinnerung, die sie ihr stellen wollte: Wie konnte man Fingerabdrücke an einem Tatort platzieren oder wie konnte eine Datenbank eine falsche Übereinstimmung bei den Fingerabdrücken herstellen?

Morrow trat ins Foyer. Sobald sie McGregor sah, wusste sie, dass es nicht gut laufen würde.

Clare McGregor war stinksauer. Sie lehnte an der Empfangstheke, die Beine überkreuzt, die Arme verschränkt, und malmte mit den Zähnen. Sie war Mitte zwanzig, schlank und hübsch und trug bequeme Hosen, eine graue Seidenbluse und hochhackige Stiefel. McGregor hatte nie eine Polizeiuniform getragen, sie war Zivilistin und nicht gekleidet wie jemand, der bei seiner zwanzigstündigen Schicht trocken bleiben, rennen und/oder vier Stunden lang im Auto sitzen musste.

»Ich bin DI Alex Morrow.« Sie streckte die Hand aus. »Alles in Ordnung?«

McGregor löste zwar die verschränkten Arme, weigerte sich aber, Morrow die Hand zu geben. Sie murmelte ein kurzes »Ja«, als ob sie schon mitten in einem Streit wären.

»Gibt es ein Problem?«, fragte Morrow.

»Nein«, sagte McGregor. »Ich bin die Informatikerin. *Sie* haben *mich* hergebeten.«

Morrow hielt hartnäckig die Hand ausgestreckt, und McGregor gab nach und drückte kurz Morrows Fingerspitzen.

Es war eindeutig, dass Clare McGregor irgendeinen Groll gegen Morrow hegte und das auch zeigen wollte. Sie war spät dran und wütend. Wahrscheinlich hatte sie bereits ein Streitgespräch im Kopf geführt und ihre Vorwürfe gegen Morrow auf dem Weg zu ihr eingeübt. Sie wollte angehört werden.

Als Entschädigung dafür, dass McGregor sie um das Baden der Zwillinge gebracht hatte, gönnte sich Morrow den Luxus und fragte nicht weiter nach. »Bitte kommen Sie.« Sie wandte sich um und führte McGregor zu ihrem Büro.

Dort deutete sie auf einen der beiden Stühle vor dem Bildschirm. Während Morrow gewartet hatte, hatte sie McGregors Besoldungsgruppe nachgeschaut und überlegt, wie empfänglich jemand in ihrer Position für Bestechung wäre. Sie verdiente dreizehntausend Pfund mehr als Morrow, und mit ihren Qualifikationen konnte sie auch für andere Unternehmen arbeiten.

»Okay.« Sie setzte sich neben McGregor. »Ich habe Sie hergebeten, um mir etwas zu erklären.« Morrow erweckte den Bildschirm mit einer Mausbewegung zum Leben, und die IDENT1-Datenbank tauchte vor ihnen auf.

»Wir haben ein Problem mit einem Fall: Wir haben Fingerabdrücke an einem Ort gefunden, wo sie nicht sein können. Ich möchte, dass Sie mir erklären, wie es bei der Datenbank zu einer falschen Übereinstimmung kommen kann …«

»Unmöglich«, sagte McGregor.

Morrow sah sie an. McGregor starrte auf den Bildschirm, die Lippen fest zusammengekniffen.

Das stimmte nicht. Sie wussten es beide. Fast eine Minute lang saßen sie schweigend nebeneinander. Morrow hatte noch nicht genug erfahren, sie konnte nicht einfach aufstehen und McGregor hinauswerfen.

Sie holte tief Luft. »Es gibt doch bestimmte Grauzonen, die wir betrachten sollten: Bei Fingerabdrücken kann es komplexe Abdrücke geben oder sie können fälschlicherweise als nicht-komplex identifiziert werden, stimmt das etwa nicht?«

»Komplexe Abdrücke« war der Fachbegriff für schlechte Abdrücke. Bei ihnen musste man sich an ein ganz bestimmtes Verfahren halten. Drei Experten mussten die Fingerabdrücke unabhängig voneinander untersuchen. Sie mussten Berichte mit ihren Schlussfolgerungen einreichen. Bei nicht-komplexen Fingerabdrücken genügte nach einer oberflächlichen Übereinstimmung in der Datenbank die Untersuchung durch einen Experten und entsprechend ein Standardbericht.

McGregor starrte trotzig auf den Bildschirm, als sähe sie sich eine langweilige Fernsehsendung an.

»Clare, gibt es bei der Identifizierung nicht auch Grauzonen? Das ist doch keine absolute Wissenschaft, oder?«

McGregor hatte Schwierigkeiten zuzugeben, dass sie unrecht hatte. Morrow dachte, dass sie ihre Arbeit wahrscheinlich ziemlich gut machte, sonst hätte man sie nicht geschickt.

Oder sie war eine Nervensäge und alle im Büro waren froh, sie für ein paar Stunden los zu sein. Sie nickte kurz und heftig zum Bildschirm hin, als ob sie ihm einen Kopfstoß verpassen wollte. »Grauzonen … Ja.«

»Könnte sich jemand Zugang zur Datenbank verschaffen und die Fingerabdrücke eines Angeklagten ändern?«

»Ja, wenn Fingerabdrücke verloren gegangen oder vernarbt sind, kann man sie ändern. Aber man benötigt eine höhere Sicherheitsstufe für die Freigabe, außerdem lässt sich das zurückverfolgen. Jeder Zugriff auf die Datenbank wird registriert. Hier …« Sie klickte sich durch verschiedene Fenster und öffnete den Verlauf, der zeigte, wer auf die Daten zugegriffen hatte, mit Dienstnummer und Zugriffsdatum.

Morrow betrachtete aufmerksam den Bildschirm. »Und was ist mit den Fingerabdrücken von Tatorten? Kann man auch in die Datenbank gehen und sie ändern?«

»Nein.«

Morrow wusste, dass man das konnte.

»Sind Sie sicher?«

McGregor blinzelte. Sie sagte nicht die Wahrheit und wusste es. »Nicht mehr«, räumte sie ein.

»*Nicht mehr?*«

»Das konnte man früher, wenn man beispielsweise an einem Teilabdruck arbeitete und einen besseren Abdruck fand, aber das wurde vor sieben Jahren geändert. Jetzt kann man alles nachverfolgen.«

Morrow lehnte sich zurück. »Aha. Man *kann* also etwas ändern, aber es lässt sich nachverfolgen?«

»Ja.« McGregor klickte sich durch drei Fenster. »Sehen Sie?«

In der rechten oberen Ecke blinkte leuchtend rot die Information, wann ein Eintrag geändert worden war und von wem.

»Okay.«

Man konnte die Einträge ändern. Michael Brown hatte vielleicht einen korrupten Mitarbeiter gefunden, der seine Fingerabdrücke verändert und die Übereinstimmung hergestellt hatte.

»Könnte man den Server hacken und die Abdrücke ändern?«

»Nein. Sie brauchen Zugang zum Gebäude und zu den Servern, über die auf die Datenbank zugegriffen werden kann …«

Sie glaubte McGregor nicht mehr, nachdem sie ihr vorhin etwas vorgelogen hatte. Morrow nahm sich vor, jemand anderen zu fragen, und schaltete ab, während McGregor über Zugangscodes und Passwörter sprach, wer sie änderte und wann.

Zum Abschluss stellte Morrow McGregor noch einmal mit einer Frage auf die Probe, die sich ganz einfach mit Ja beantworten ließ: »Hätte jemand von Anfang an die falschen Fingerabdrücke in die Datenbank eingeben können?«

»Nein«, sagte McGregor.

Morrow saß reglos und ließ das idiotische »Nein« im Raum verhallen. Schweigend saßen sie nebeneinander, bis der Bildschirm vor ihnen dunkel wurde, wie ein schläfriges Lid. Dann schaltete er sich aus.

Morrow stand auf. »Das war's, mehr brauche ich nicht.«

McGregor stand auf und schob geräuschvoll den Stuhl zurück.

»Mein Vetter hat früher in Ihrer Abteilung gearbeitet.«

Das war also der vorher eingeübte Streit. Morrow fragte: »Wie heißt er denn?«

»DC Harris. Er hat früher hier gearbeitet.«

Harris war der einzige bei der Polizei gewesen, der fast so etwas wie ein Freund für Morrow war. Aber er hatte sich bestechen lassen und saß jetzt dafür im Gefängnis. Morrow war von ihm so enttäuscht gewesen, dass sie ihm die Nase gebrochen hatte. Das tat ihr leid. Er fehlte ihr.

McGregor war jetzt so wütend, dass ihr fast die Luft wegblieb. »Und *Sie*«, sagte sie mit einem Gurgeln, »sind genau die Art von …«

Wieder hörte Morrow nicht zu. Sie war abgelenkt von der Erinnerung an Harris, der in einer dunklen Straße stand und ihren Schlag einsteckte und sie noch einmal zuschlagen ließ, weil er wusste, dass das, was er getan hatte, mies und beschämend war.

»Harris hat zugegeben, dass er schuldig war.«

»Danny McGrath ist Ihr Bruder.«

Morrow wurde laut. »Wenn Sie aufgrund Ihrer Familiengeschichten nicht ordentlich Ihre Arbeit im Polizeidienst machen können, sollten Sie gehen und sich einen anderen Job suchen.«

Sie riss die Tür auf und wartete. McGregor schlich hinaus. Sie hatte einen guten Job, einen angenehmen Job, das wussten sie beide. Jetzt befürchtete McGregor, dass Morrow sie anschwärzen und wegen irgendwas beschuldigen würde, womit sie ihren Job verlieren würde.

McGregor drehte sich zu ihr um. Sie sah Harris überhaupt nicht ähnlich, aber Glasgow war eine kleine Stadt und die Polizei war noch viel kleiner.

»Richten Sie Harris Grüße von mir aus.«

»Mach ich«, murmelte McGregor automatisch.

Morrow knallte die Tür zu. Alle wussten mittlerweile über Danny Bescheid. Ständig kam das zur Sprache, und selbst wenn nicht, hatte sie das Gefühl, dass man sie mit ihm in Verbindung brachte, dass ihre moralische Autorität dadurch gemindert wurde.

McGregor konnte heimgehen und sich ausheulen. Sie würde ein paar Monate lang um ihre Stelle fürchten, aber irgendwann würde sie den Zwischenfall vergessen. Morrow nicht. Ihr fehlte Harris jeden Tag.

Beim Gedanken an das, was sie sonst noch vermisste, schaute

sie auf die Uhr: Fürs Baden war sie zu spät dran, aber wenn sie sich beeilte, konnte sie die beiden ins Bett bringen.

Sie machte die Tür auf und rief DS McCarthy zu sich.

»McCarthy, können Sie mit dem mobilen Fingerabdruck-Scanner umgehen?«

»Ja.«

»Dann besorgen Sie sich ein Gerät und kommen Sie damit morgen um halb zehn zum Gericht.«

McCarthy war überrascht. »Wir nehmen *noch einmal* seine Fingerabdrücke?«

»Wenn er uns lässt.« Sie wandte sich ab und griff nach ihrem Mantel und ihrer Tasche. »Aber ich vermute, dass er ganz wild darauf sein wird.«

7

Als Rose Wilson die Klingel hörte, wusste sie sofort, dass es die Polizei war. Typisch für Margery, die Augen vor der Wirklichkeit zu verschließen und die Polizei zu rufen, weil Robert sich abgesetzt hatte. Francine würde das nicht tun. Aber Rose sagte sich auch, dass es ganz normal war, die Polizei zu rufen, wenn jemand verschwand. Sie würden vielleicht sogar herauskriegen, wo Robert war. Rose hatte im Internet seine Kreditkarte überprüft, aber er hatte in den letzten beiden Tagen nichts damit bezahlt. Sie hatte die Funktion für »Mein iPhone suchen« genutzt. Aber er hatte sein Handy ausgeschaltet. Wenigstens würde ihn so auch sonst niemand finden.

Sie schaute auf den Bildschirm der Türsprechanlage. Zwei Männer in billigen Anzügen, beide leicht dicklich, einer fast kahlköpfig, der andere mit spärlichen dünnen schwarzen Haaren. Der mit den dünnen Haaren sprach in die Kamera, sagte ihr, sie seien von der Strathclyde Police, ob sie einen Moment hereinkommen könnten? Der andere Polizist musterte leicht erstaunt das Haus. Sie wusste, was er dachte. Das Haus funktionierte nicht.

Sie drückte den Öffner fürs Gartentor und öffnete die Haustür.

Das Gartentor war niedrig und leicht zu überwinden. Die Auffahrt war viel zu kurz. Die Hausbewohner konnten auch einfach aus dem Fenster schauen und sahen dann viel besser, wer vor dem Tor stand. Tor und Kamera waren billige Imitate tatsächlicher Sicherheitsvorkehrungen. Die Baufirma wusste, dass jemand, der eine Million Pfund für ein Haus bezahlte, eine bestimmte Ausstattung erwartete: Gittertore, eine Sauna, Doppelgarage und so weiter, also wurde das Haus damit ausgestattet. Wenn Rose manchmal nachts aufstand oder sich dem Haus von der falschen Seite näherte, sah sie es mit neuen Augen, als eine chaotische Ansammlung sinnloser Totems.

Die Polizisten musterten weiter das Haus. Staunend und leicht verwirrt nahmen sie die kleinen, schlecht zueinander passenden Fenster in sich auf, die man nicht immer einer Etage zuordnen konnte, weil manche zu einer Art Musikantenempore gehörten. Die weiße Fassade wurde von einem grauen, überhängenden Dach erdrückt, und das Eingangsportal hatte zu viele Säulen.

Das Haus sah von außen so aus, wie sich das Leben der Familie im Innern anfühlte: zusammenhanglos, übertrieben verziert, nervös und hektisch.

»Hallo«, sagte Rose, als die beiden Männer zur Tür kamen. Der glatzköpfige Polizist lächelte sie an.

»Strathclyde Police«, sagte er und zeigte mit einem erneuten Lächeln seinen Ausweis. »Wir sind hier wegen Mr. McMillan.«

»Kommen Sie doch herein.« Sie hielt ihnen die Tür auf.

Sie traten in die Eingangshalle und sahen sich unbeholfen um, bemüht, nicht zu glotzen.

Die Eingangshalle war groß und breit, aber niedrig. Eine Treppe aus Kiefernholz zog sich an der Wand entlang nach oben und machte dann einen unproportionierten Schlenker zur Seite. Die Decke war zu niedrig für die achtzehn Deckenstrahler. Das Halogenlicht schmerzte im Auge, man fühlte sich wie von Suchscheinwerfern angestrahlt. Sie bot an, ihnen die Mäntel abzunehmen. Die Polizisten lehnten höflich ab, doch Rose wurde durch das Geflüster der Kinder auf dem oberen Treppenabsatz abgelenkt.

Sie durften da oben nicht spielen. Angus hatte bereits einen schlimmen Treppensturz hinter sich, und sie hatte ihnen gesagt, dass sie dort nicht spielen durften.

Sie schloss die Haustür und reckte den Hals zur Treppe. »Hamish! Angus! Nicht da oben!«

Zwei kleine Gesichter schauten vom Treppenabsatz hinunter, Angus grinste hinter seinem Bruder hervor, der sich zu sehr für die beiden Polizisten interessierte, um zu bemerken, dass er sich gerade Ärger einhandelte.

»Ich sagte nicht da oben, Hamish.«

Hamish zeigte mit dem Finger auf die Männer. »Wer ist das?«

»Man zeigt nicht auf Leute«, sagte sie.

Der glatzköpfige Polizist lächelte zu den Kindern hinauf und sagte: »Hallo«.

»Wer ist das?«, lächelte Angus zurück, immer noch hinter seinem Bruder Schutz suchend.

»Hamish, wie sagt man?«

Die beiden überlegten einen Moment und gingen im Kopf die Floskeln durch, die Rose ihnen immer wieder eintrichterte. Hamish traf mit »Hallo« ins Schwarze, während Angus es mit »Danke« versuchte.

»Das sind Polizisten.«

»Sind sie wegen Daddy hier?«, fragte Angus.

Sie wollte die beiden nicht ansehen. »Ja«, sagte sie und hörte ihre Stimme durch den kalten Eingangsbereich hallen. »Ihr beide geht jetzt hoch ins Spielzimmer. Ihr dürft zwanzig Minuten Wii spielen.«

Während die Jungs nach oben polterten, deutete Rose auf die Küchentür. »Kommen Sie bitte mit.«

Die Polizisten gingen durch die Tür in den hinteren Teil des Hauses, und sie folgte ihnen.

Die Küche war schmal, mit wackligen hohen Hockern an einer Frühstückstheke. Das Esszimmer hatte einen großen Tisch und Stühle, aber sie wollte nicht, dass die Polizisten es sich bequem machten und unnötig lange blieben. Sie bot ihnen die Hocker an und sah zu, wie sie hinaufkletterten und nicht gerade elegant die Schöße ihrer Jacketts unter dem Hintern hervorzerrten. Als sie einigermaßen saßen, sahen sie sie an, als ob sie ein Lob für ihre Leistung erwarteten.

»Kann ich Ihnen einen Tee oder Kaffee anbieten?«

»Nein«, sagte der Glatzköpfige, »nein danke.« Er legte eine hässliche Aktentasche aus Plastik auf die saubere Arbeitsfläche. Das Licht fing sich im fettigen Glanz des Griffes. Rose dachte, sie sähe Krümel, wahrscheinlich Kekskrümel, die sich im Reißverschluss verfangen hatten. Ekelhaft. Sie stellte sich vor, wie sie die Krümel wegleckte, ihr wurde übel bei dem Gedanken und sie zwang sich wegzuschauen.

»Ich hole Mrs. McMillan. Sie hat sich hingelegt.«

»Moment.« Der Dunkelhaarige war irritiert. »Sie sind nicht Mrs. McMillan?«

»Nein, ich bin die Nanny. Ich hole sie.«

Sie hatte sich bereits umgewandt, als er sagte: »Und wie heißen Sie?«

Rose kannte den Ton. Ein Ton, der von einem gewissen Interesse kündete, von vermuteten Komplikationen. Er stellte Überlegungen zu Robert an, zu Affären und unerwiderten Liebeleien, Fummeleien mitten in der Nacht. Sie kannte den Ton von Roberts Freunden, von Francines gelegentlichen Ausflügen in die Welt anderer Mütter, von Handwerkern, die etwas im Haus erledigten. Das Gerede kränkte sie nicht, nicht mehr. Die meisten Leute verstanden nicht einmal in Ansätzen die Nähe zwischen ihr und Robert. Er war ihr Bruder. Ihr naiver älterer Bruder.

Sie drehte sich zu den beiden um. »Rose Wilson.«

Die Polizisten wechselten einen Blick. »Vielleicht könnten wir Sie zuerst befragen, Rose?«

Rose wollte nicht, aber das würde seltsam wirken. Sie setzte sich ebenfalls auf einen Hocker, die Hände vor sich auf dem Tisch verschränkt, den Polizisten gegenüber.

»Tut mir leid. Es war ein schwerer Tag. Familienbegräbnis.«

Der Dunkelhaarige öffnete den Reißverschluss seiner Aktenmappe und zog ein Formular heraus. »Das Begräbnis von Julius McMillan? War das heute Vormittag?«

»Die Trauerfeier ist sicher noch in vollem Gang.«

»Ich habe Julius McMillan einmal getroffen«, sagte der Glatzköpfige. Er wartete mit offenem Mund auf die Aufforderung weiterzuerzählen.

Müde tat Rose ihm den Gefallen. »Wirklich?«

»Ja.« Er lächelte den Tisch an. »Als junger Cop habe ich ein paar Heimkinder verhaftet, und McMillan war ihr Verteidiger. Selbst damals, und das war vor zehn Jahren, konnte man erkennen, dass er ein brillanter Anwalt war, und dann vertrat er ausgerechnet diese …« Er schaute auf. Ihm fiel ein, wo er war. »Sie wissen schon, wie er diese Verteidigungssachen handhabte.«

Rose räusperte sich. »Also, ähm, ich kann Ihnen da sicher einige Arbeit ersparen. So habe ich ihn kennengelernt. Ich war einer dieser Fälle. Er hat mich verteidigt, als ich in Schwierigkeiten war.«

Sie brauchten einen Moment. Dann senkte der Dunkelhaarige die Stimme zu einem vertraulichen Flüstern. »Was für Schwierigkeiten?«

»Sie müssen nicht flüstern. Es war Totschlag.« Ihr fiel auf, dass sie ebenfalls leiser sprach. »Die Familie weiß es, also die Kinder natürlich nicht, und ich wäre Ihnen dankbar, wenn Sie es vor den Kindern nicht erwähnen würden …«

Den Polizisten war die Geschichte zu unangenehm, um sie zu notieren.

»Totschlag?«, wiederholte der Dunkelhaarige, um ein bisschen Zeit zu gewinnen, die Information zu verdauen.

Sobald sie wieder im Büro waren, würden sie sich sofort ihr Strafregister ansehen. Sie würden ihr Geständnis und die Details lesen. Waren in der Akte auch Fotos? Wenn sie die Bilder sahen, wären sie entsetzt. Julius McMillan hatte sie ihr gezeigt. Er wollte, dass sie sich die Bilder ansah, sie in sich aufnahm, die Geschichte hinter sich ließ. Sie hatte die Details genau vor Augen: Sammy wie eine Puppe über dem Lenkrad zusammengesunken, überall Blut. Schwarzweiß und Farbe. Die Polizeifotos von ihr, mit dem getrockneten Blut im Gesicht.

Der Glatzköpfige räusperte sich. »Und Sie blieben in Kontakt?«

»Er hielt den Kontakt. Er half mir, als ich wieder draußen war.«

»Eine gute Tat«, sagte er mit weit hochgezogenen Augenbrauen.

»Ja. Er war ein besserer Mensch, als viele glaubten. Ich kann verstehen, dass Robert allein sein will. Er braucht Zeit. Julius' Tod ist ein schrecklicher Verlust für uns alle.«

»Er war sehr krank, nicht wahr?« Der Glatzkopf wollte auf etwas Bestimmtes hinaus.

»Julius?«, fragte sie und versuchte, seine nächste Frage abzuschätzen. »Ja. Ja, leider. Die Lunge. Hätte jederzeit passieren können. Er hatte keine Schmerzen.«

»Dann war es also eine Erlösung?«

Sie zuckte mit den Schultern. Sie sahen sich an. Und obwohl Rose keine Miene verzog, dachte sie, dass der glatzköpfige Polizist noch nie dabei gewesen war, als jemand starb. Rose wusste, dass man den Tod nie erwartet und nie akzeptiert. Niemand entschlief sanft. Immer strampelte man vergeblich in der Luft. Sie senkte den Blick, schaute auf den Küchentisch und wiederholte die beschönigende Lüge für ihn. »Ja, es war wohl eine Erlösung.«

Er lächelte ihr zu, weil sie das gesagt hatte. »Aber Robert sieht das anders?«

»Er hat es nicht gezeigt, aber ich bin sicher, dass er völlig durcheinander ist.«

Der dunkelhaarige Polizist musterte sie aufmerksam. Sie sah nicht aus wie eine Nanny, das wusste sie. Sie zog sich an wie eine Uniabsolventin aus der Mittelschicht: teure Jeans, breiter Gürtel, weiter Kaschmirpullover. Das alles hatte Francine ihr gekauft, oder Rose hatte die Sachen nachgekauft, wenn die Kleidungsstücke, die Francine ihr gekauft hatte, abgetragen waren. Außerdem hatte Rose eine gewisse Ruhe und Arroganz, die die Leute verwirrte, den gelassenen Blick eines Menschen, der genau wusste, wer er war; aber sie sprach mit dem Akzent der Unterschicht.

»Wir müssen diese Formulare ausfüllen.«

Er nahm ihren Namen auf, notierte ihr Alter: neunundzwanzig Jahre, ihre Adresse: hier, und ihre Beschäftigung. Sie war ausgebildete Nanny, hatte Erziehung und Kinderpflege am Langside College studiert und ihr Diplom gemacht.

Er heuchelte Anerkennung. »Haben Sie Ihr Diplom im Gefängnis gemacht?«

»Danach. Francine und Robert erwarteten ihr erstes Kind, Hamish. Sie haben mir die Stelle angeboten, noch bevor er auf der Welt war.«

»Das ist aber sehr sozial.« Er sah zu seinem Partner, prüfte, ob der sich seiner Lüge anschließen würde. »Solche Geschichten hören wir eher selten, wissen Sie?«

Rose lächelte höflich. »Ich weiß. Das sind gute Menschen, wahre Christen.«

»Oh!«, sagte er. »Sie sind *gläubig.*«

Sie lächelte ohne die Aussage zu bestätigen oder zu widerlegen. Beiden schien das als Erklärung zu genügen, warum ein berufstätiges Ehepaar ihr Erstgeborenes einer verurteilten Mörderin anvertraute. Tatsächlich war Francine diejenige gewesen, die sie unbedingt haben wollte. Rose und Robert mochten sich, standen sich in vielerlei Hinsicht sehr nahe, doch Francine hatte darauf bestanden, dass Rose den Job bekam. Sie vertraute ihr. Du weißt, wie man sich um andere kümmert, hatte sie zu Rose gesagt, heimlich, weil Robert es noch nicht wusste. Ich werde dich brauchen. Kannst du ein Geheimnis für dich behalten? Sie waren alle voll und ganz damit beschäftigt, Robert zu schützen.

Konnte sie ihnen sagen, wann sie Robert McMillan das letzte Mal gesehen hatte?

Rose sagte ihnen, dass das vorgestern Abend gewesen sei. Sie sagte, er habe ganz normal gewirkt.

Und, fragten sie, wie hatte Robert allgemein in letzter Zeit auf sie gewirkt?

Sie sagte ihnen, dass Robert ruhig gewirkt habe, als sein Vater im Sterben lag. Er hatte ihn oft in dem Privatkrankenhaus besucht und war auch bei ihm, als er nach der Operation zur Wiederentfaltung der Lunge gestorben war.

Wie kam sie mit Robert aus?

Sie sah ihn nicht oft. Er arbeitete für eine große Anwaltskanzlei und war meistens im Büro. Er schaffte es selten, rechtzeitig zum Abendessen mit der Familie daheim zu sein, und sie war dann immer mit den Kindern beschäftigt. Und wenn er da war, war es ihr Job, sich um die Kinder zu kümmern, damit Robert und Francine ein bisschen Zeit für sich hatten.

Das stimmte in gewisser Weise. Sie wusste nicht, welche Filme er mochte, was er sich ansah und ob er Spaß dabei hatte.

Sie sah ihn auch nicht oft beim Essen. Aber sie und Robert kannten sich seit ihrer Kindheit, sie war nur vier Jahre jünger als er. Zwei Seiten einer Münze, hatte Julius immer gesagt. Sie hatte das damals sehr gemocht.

Plötzlich sah sie sich wieder in U-Haft, im Dunkeln, die Haut trocken vom angetrockneten Blut. Sie kratzte sich immer wieder am Kopf, und jedes Mal fand sie roten Staub unter ihren Fingernägeln.

Ihr Schädel war wundgekratzt, als Mr. McMillan kam. Obwohl sie vierzehn war und aussah wie sechzehn, war sie klein, viel zu klein für die Kleider, die man ihr gegeben hatte. Sie saß ihm am Tisch gegenüber, ein kleines, hoffnungsloses Ding am Ende seines Lebens.

Nicht hier. Die Erinnerung gehörte nicht in dieses Haus, aber sie konnte sie nicht abschütteln. Wie erstarrt saß sie am Tisch und stierte vor sich hin, weckte das Interesse der Polizisten.

Mit grimmiger Entschlossenheit schaffte sie es, die Erinnerung von sich zu schieben. Sie sah zu den beiden Polizisten auf.

»Tut mir leid«, flüsterte sie heiser. »Es war wirklich ein Schock, die ganze Geschichte. Alle sind ganz durcheinander. Wir wussten, dass er nicht gesund war, aber es war trotzdem ein furchtbarer Schock. Furchtbar.«

Die Polizisten nickten, als ob sie alles wüssten. »Sie sagten, Sie standen sich sehr nahe?«

»Mr. McMillan hat mich im Gefängnis besucht. Ich hatte nicht vor, Berufung einzulegen. Ich bekam fünf Jahre für Totschlag, er machte seine Sache wirklich gut, der Richter meinte es gut mit mir. Trotzdem hat er mich besucht und mich ermuntert, im Gefängnis zu lernen – er wollte, dass ich es schaffe.«

»Und als Sie rauskamen, gab er Ihnen den Job?«

»Nein, als ich rauskam, machte ich die Ausbildung am Langside College. Ich lebte in einer betreuten Wohngemeinschaft.

Francine war schwanger und er besorgte mir das Vorstellungs-
gespräch. Drei Kinder später bin ich immer noch hier.«

Und wie kam sie mit Francine aus?

Sie putzte sich die Nase, lauschte auf Geräusche aus der
Halle, notierte im Geist die Position der Kinder im Haus. »Ich
liebe Francine. Sie ist wie eine Schwester für mich. Ich liebe sie
einfach.«

Hatte sie einen Freund?

»Nein.«

Das sei aber ungewöhnlich, für eine so hübsche Frau in ihrem Alter. Sie lächelten ihr zu. Sie lächelte nicht zurück. Sie blieben hartnäckig.

Hatte es in letzter Zeit einen Freund gegeben?

Nein.

Sie konnte den Polizisten nichts vorspielen. Sie konnte nicht
über das Kompliment kichern oder irgendeine Geschichte erfin-
den. Es gab niemanden. Es hatte noch nie jemanden gegeben.
Sie wollte nie jemanden haben. Wenn sie ins Bett ging, dachte
sie jeden Abend, bevor sie einschlief, dass kein Mann sie heute
angefasst hatte, und lächelte.

Sie schrieben etwas auf das Formular. Sie wusste, dass sie
dachten, sie hätte eine Affäre mit Robert oder mit Francine.
Oder mit beiden. Aber als sie in die beiden teigigen Polizistenge-
sichter sah, korrigierte sie sich. Die Fantasie der beiden Männer
reichte nicht so weit, an beide zu denken. Es sei denn, sie schauten viele Pornos. Man konnte sehen, wenn ein Mann das tat.
Sowas brachte ihn auf seltsame Ideen.

Die Polizisten füllten den unteren Teil des Formulars aus und
baten Rose, Francine zu holen.

Rose stand auf und ging in Gedanken noch einmal ihren Auf-
tritt durch. Er war ganz okay gewesen. »Kann ich Ihnen nicht
doch einen Tee bringen?«, fragte sie.

Sie klang fast beschwörend, was vor allem daran lag, dass sie so aufgewühlt war. Aber die beiden reagierten auf diese Andeutung von Respekt und Fürsorge wie ein Kind, das auf Liebe reagiert. Sie sahen sie an, die Gesichter ganz warm und weich. Die und wir. Wir und wir.

»Nein danke, Miss Wilson, wenn Sie einfach nur Mrs. McMillan holen könnten.«

Sie wandte sich zur Halle, mit gesenktem Kopf, damit die Kinder nicht sahen, wie durcheinander sie war.

Francine saß im Bett und las. Sie hatte eine Decke über den Beinen und eine Folio-Ausgabe von *Die Mühle am Fluss* auf dem Schoß. Sie hatte geweint.

Rose trat neben das Bett und schaute auf das Buch.

Sie war auf Seite vier. Rose setzte sich.

»Ist die Polizei unten?«

»Ja.«

»Wollen sie mit mir reden?«

»Ja.«

»Haben sie dich ausgefragt?«

»Ja.«

»Was hast du ihnen erzählt?«

»Alles.«

Francine streckte den Arm nach Rose aus und hielt einen Moment ihre Hand.

»Sobald die Polizei weg ist, muss ich noch mal los«, sagte Rose.

Francine drückte ihre Hand.

8

Julius McMillan saß in seinem kleinen Büro, klopfte mit dem Stift auf den Schreibtisch und überdachte die Situation. Ziemlich übel. Sie hatte in einer Nacht zwei Männer umgebracht. Für Samuel McCaig hatte er sich schon eine Geschichte zurechtgelegt. Eine richtig gute Geschichte. Rose hatte ihn gerade erst kennengelernt, er hatte sie begrabscht, sie war in Panik geraten. Simple Sache. Totschlag, Notwehr. Das war also geregelt. Aber der Mord an Pinkie Brown, das war etwas ganz anderes.

Er zündete sich eine Rothmans an und lehnte sich zurück, ging die Geschichte noch einmal durch, suchte nach einem Lichtblick. Die Waffe gehörte Pinkie. Pinkie hatte schon einige Gewalttaten begangen. Sie könnten behaupten, er hätte versucht, Rose zu vergewaltigen, aber das würde ihre Verteidigung im Fall des perversen Sammy untergraben. Pinkie und Rose gingen auf dieselbe Schule. Schwierig. Julius sah keine Möglichkeit, wo er einhaken konnte. Es gab kein Schlupfloch. Das Wichtigste war, dass sie bis jetzt noch nicht wegen Pinkie angeklagt, ja noch nicht einmal verhört worden war. Aber das würde man schon noch tun, wenn er nichts unternahm.

Sie war ein erstaunliches kleines Wesen. McMillan hatte Kinder, Frauen und Personen in Extremsituationen verteidigt, aber jemanden wie sie hatte er noch nie getroffen. Sie hatte niemanden: keine Familie, keine Freunde, sogar ihre Sozialarbeiter wechselten alle sechs Monate. Sie war nie in einer Pflegefamilie gewesen und hatte keine Freunde in der Schule. Anscheinend lief es bei ihr nach dem Muster, dass es in ihrem Leben immer nur eine Person gab, und diese Person war ihr Ein und Alles. Zuerst ihre Mutter, eine alles zerstörende wandelnde Katastrophe. Dann gab es ein Jahr niemanden, dann Sammy. Absolute Loyalität. Das hatte McMillan sofort bei ihr erkannt.

Als sie diese Loyalität auf ihn übertrug, sah er, wie die übrige Welt in ihren Augen unterging. Aber es war nicht so, dass sie einen naiven Glauben an ihn hegte, sie war nicht dumm. Sie sah etwas in ihm, das wusste er.

Er griff zum Telefon und rief Dawood McMann an. Sie vereinbarten ein Treffen auf einem Parkplatz, was Julius ein wenig melodramatisch vorkam.

Er sagte seiner Sekretärin Mrs. Tait nicht, wohin er ging. Er war sicher, dass sie Informationen an Anton Atholl weiterleitete.

DC David Monkton hängte T-Shirt und Jeans ordentlich auf einen Bügel. Er lächelte leicht, während er mit halbem Ohr der Unterhaltung der anderen Polizisten im Umkleideraum zuhörte. Er spürte dieses Lächeln auf seinem Gesicht, weil es nicht echt war; er wusste, dass es nicht echt war. Es sollte zeigen, dass er dazugehörte, aber nicht so ganz, dass er irgendwie über den anderen stand, aber keine große Sache daraus machen wollte. Aber das Lächeln rutschte ihm immer wieder weg. Der Witz machte nun schon eine Weile die Runde und war wirklich nicht so komisch.

»Hey, Monkton.« Der Polizist, der ihn ansprach, stand in zerknitterten Unterhosen und blauem Hemd vor ihm. Er war dick und hasste Monkton.

»Was?«

Einen Augenblick lang sahen sich die beiden über die Köpfe der anderen mit unverhülltem Hass an, dann machte der Dicke ein Lächeln daraus. »Hast du deinen Schwanz gebügelt?«

Alle lachten über ihn. Monkton wusste, welchen Gesichtsausdruck er zeigen sollte: gleichgültig und leicht amüsiert, aber dazu konnte er seine Gesichtsmuskeln heute einfach nicht bewegen. Er sah aus, als wäre ihm übel, dachte er, deshalb setzte er eine andere Miene auf, befürchtete dann aber, er könnte gekränkt wirken. Er drehte sich zu seinem Schrank, hängte seine Uniform auf und sagte sich: Eines Tages bin ich hier der Chef.

»Ich frag ja nur«, redete der Dicke weiter, »weil du da vorne ne Falte hast.«

Er hatte Davids Schwanz nicht gesehen. Das Gelächter war dieses Mal nicht so fröhlich, eher wachsam. Jemand sagte: »Oh Mann.« Monkton drehte sich vom Schrank wieder zu den anderen. Der Dicke glotzte ihn immer noch an.

Monkton erwiderte seinen Blick und zog dabei die Augenbrauen hoch. Alle schauten weg.

»Was?«, fragte der Dicke und dachte, er wolle ihn zum Kampf herausfordern.

Monkton sagte nichts. Er prägte sich das Gesicht des Mannes für später ein, wenn er erst einmal Karriere gemacht hatte. Er wandte sich ab und ging aus dem Umkleideraum. Kaum war er durch die Tür, hörte er den Typen sagen: »Für wen hält er sich eigentlich?«

Monkton wäre am liebsten zurückgerannt und hätte ihm eine verpasst. Aber er tat es nicht, er beherrschte sich, weil er wusste, was er tat, und ihn dieser Abschaum nicht aufhalten konnte. Er würde es bis ganz nach oben schaffen. Das packten sie nicht; sein Ehrgeiz war zu viel für sie.

Eines Tages würde er Teams führen und Abteilungen mit Luschen wie ihnen leiten. Dann musste er sich nicht mehr mit ihrem Scheiß, ihrem demütigenden, erniedrigenden Scheiß abgeben.

Er ging die Treppe hinauf zu seinem Büro, das er mit seinem

DS teilte. Er hatte ein Büro zusammen mit dem verdammten DS, obwohl der eine Stufe über ihm stand, weil er ehrgeizig war. Er war den anderen bereits voraus, deshalb hassten sie ihn. Sie waren neidisch. Das Handy in seiner Tasche klingelte, als er den Treppenabsatz erreichte. Er holte es heraus. Ein winziges Telefon, wie klein man die inzwischen bauen konnte.

Der Anrufer war Dawood McMann. Monktons Laune besserte sich sofort. Ein Anruf von McMann bedeutete Geld. Geld zum Ausgeben, Geld, das er ausgeben *musste*, weil er es nicht zur Bank bringen konnte.

»Was kann ich für Sie tun?«

»Dieses Mal ist es ein bisschen komplizierter als sonst. Können wir uns treffen?«

Monkton sah sich um. Es war niemand Wichtiges in der Nähe. »Klar. Wann?«

»Jetzt? Draußen?«

Dawood wartete in einem Range Rover, der Innenraum war warm und die Sitze waren aus Leder. Monkton setzte sich bequem hin. Selbst das Lenkrad war mit Leder überzogen, hellem Leder. Seine Hand strich über das Sitzleder, spürte es, genoss es.

»Das wäre also eine Stufe nach oben«, sagte McMann. »Sind Sie denn so weit?«

»Wie viel?«

Dawood antwortete nicht, also sah Monkton ihn an. Ein seltsam aussehender Mann. Er war zur Hälfte Pakistani und hatte einen Schnauzbart, obwohl in Schottland kein Mensch mehr einen Schnauzer trug. Noch dazu einen dicken mit irgendeinem Zeug darin, damit er nass aussah, man erkannte noch die Striche des Kamms. Außerdem trug er Schmuck, dicke Goldringe und am linken Handgelenk billige, schmutzig wirkende Kettchen.

»Fünfzigtausend.«

Dawood genoss Monktons Reaktion, beobachtete das breite Grinsen in dessen Gesicht, betrachtete seine Zähne, als ob er sie zählen wollte, und erwiderte das Lächeln.

»Das ist verdammt viel Geld.«

Dawood lächelte noch breiter. »Ich verlange auch viel. Dieses Mal geht es nicht nur um ein paar Informationen. Sie müssen jemanden finden, ihm etwas anhängen. Das ist alles.«

Sie lächelten sich weiter an, mit einem breiten, offenen Grinsen. Die schmutzigen Armkettchen oder die Pomade störten Monkton nicht. Ebenso wenig störten ihn Dawoods goldener Schneidezahn oder seine seltsame Art, mit dem Kopf zu nicken, was aussah, wie wenn er gleichzeitig Ja und Nein sagen würde.

9

Morrows Blick fiel auf das Haus, das warme Licht im vorderen Fenster, das spärliche Gras auf dem Hang hinunter zur Straße, die struppige Hecke. Besorgt sah sie zum Dach hoch. Es musste repariert werden, aber sie hatten das Geld bereits ausgegeben und mussten hoffen, dass das Dach den Winter überstand. Doch trotz ihrer Sorgen lächelte sie, weil sie fast zu Hause war. Sie schürzte die Lippen, als sie in die Sackgasse einbog, stellte sich schon vor, wie sie die Jungs mit Küsschen überhäufte, fühlte bereits das Kitzeln der weichen Babyhaare an den Lippen. Dann sah sie ihn. Ihr Bruder Danny parkte vor dem Haus und wartete auf sie.

Sie bremste scharf, so dass sie nun Schnauze an Schnauze standen, eine Autolänge Abstand zwischen ihnen. Sie stellte den Motor ab. Im Dunkeln sahen sie sich an. Wie in Zeitlupe sah sie, wie er erkannte, dass sie genervt über seinen Besuch war. Er schaute nach unten, beschloss, ihre Stimmung zu ignorieren, und schaute wieder auf. Zwang sich zu einem oberflächlichen Lächeln.

Sie blieb, wo sie war, und behielt ihn weiter im Auge. Danny McGrath nahm eine Beleidigung hin. Die Polizistin in ihr sagte ihr, dass das nichts Gutes verhieß. Danny war ein Raubtier, und er wollte etwas von ihr.

Die Motorhaube seines Wagens ragte vor ihr auf, aber sie blieb sitzen, sah ihn an und erwiderte sein Lächeln nicht. Er musste wissen, was sie über ihn wusste, die gebrochenen Beine und ausgebrannten Läden, die Geldflut und die Armee von Schlägern.

Danny war Herr über die Hälfte aller Taxis in Glasgow, seitdem er auf wunderbare Weise eine Taxilizenz bekommen hatte, trotz seines Rufs und seiner früheren Verurteilungen. Alex wusste, was im Taxigeschäft lief, wie viel Geld über Barzahlungen gewaschen wurde. Sie saß in ihrem Auto und dachte an den eleganten alten Autohändler, der in seinem Büro weinte, während sie die Unterlagen zu seinem Geschäft einpackten, das er seit Jahrzehnten betrieb. Sie gab ihrem Bruder die Schuld daran, obwohl die Familie, die dahinter steckte, mit Danny verfeindet war.

Morrow stieg aus, nahm ihre Tasche und ging zu seinem Wagen. Er ließ die Scheibe herunter und lächelte sie an.

»Wie geht's?«, fragte er.

Morrow knirschte mit den Zähnen. »Was machst du hier?«

Obwohl es ihn einige Überwindung kostete, verkündete er gelassen: »Ich wollte nur meine Neffen besuchen. Wie geht's dir?«

Er wartete auf eine höfliche Floskel ihrerseits. Sie hatte keine für ihn übrig. Sie blickte über das Dach des Wagens. »Hör mal, komm nicht zu meinem Haus, wenn ich nicht da bin.«

Danny war es nicht gewohnt, so abrupt oder scharf abgefertigt zu werden. Er war ein mächtiger Mann. Er hatte Messerstechereien überstanden, hatte Leuten ins Gesicht getreten. Jetzt lachte er ungehalten Richtung Windschutzscheibe, aber es war mehr ein Schnauben, und blickte sie amüsiert und verwirrt an.

Sie wiederholte: »Ich möchte dich nicht in meinem Haus haben.«

»… Meine Neffen«, sagte er immer noch lächelnd, doch seine Augen verrieten seine Wut.

Sie mieden den Blick des anderen.

Schließlich sagte Morrow: »Danny, das ist nicht ...«

»Das ist nicht *was?*«

Sie wollte mit ihm nicht diskutieren.

»Bin ich nicht gut genug?«

Sie sah ihm ins Gesicht, auf die Narbe an seinem Kinn, die Lügen in seinen Augen. Er war nicht gut genug, um bei ihren Kindern zu sein, aber zwischen ihnen standen so viele Scheißlügen, dass sie das nicht sagen konnte. »Dan, ich glaube, wir sollten uns eine Weile nicht mehr sehen. Ich ruf dich an.« Sie machte kehrt und ging den Weg zu ihrem Haus hinauf.

»Alex.« Er war ausgestiegen und kam ihr hinterher. Er hatte zugenommen, wahrscheinlich aß er jeden Abend im Imbiss, und sein Trainingsanzug war auch nicht gerade vorteilhaft. »Warte.«

Er hatte sie eingeholt, griff in die hintere Hosentasche und holte ein altes Foto heraus. »Ich bin deswegen gekommen. Ich wollte nur, dass du das hast.« Er gab es ihr. »1976.«

Das Foto war alt, zeigte die verblassten Farben der siebziger Jahre. Es war schon einmal fast durchgerissen und mit Tesafilm geklebt worden. Zwei Mädchen, die sich die Arme um die Schultern legten, mit kurzen Hosen und Leinenhängerchen. Alex erkannte die Frisur ihrer Mutter: eine Farrah-Fawcett-Mähne, die im Stil von Debbie Harry gefärbt war: braun mit blonden Spitzen. Das andere Mädchen war Dannys Mutter, die sie auch ohne gebrochene Nase erkannte. Sie hatte eine ähnliche Frisur, billiger, die Strähnchen weniger deutlich.

Morrow hatte nicht gewusst, dass ihre Mütter einmal befreundet gewesen waren. Beide Mädchen bekamen etwa ein Jahr, nachdem das Foto aufgenommen worden war, ein Kind, beide vom selben unmöglichen Mann. Danny und Alex. Sie gingen auf dieselbe Schule, ohne zu wissen, dass sie Halbgeschwister waren. Sie verliebten sich sogar ineinander, bis sich ihre Mütter am Schultor trafen und aufeinander losgingen. Damals war an der Beziehung zwischen Danny und Alex nichts Geheimnisvolles, nur Scham und Faszination.

Aber hier sahen ihre Mütter so jung und hoffnungsvoll aus. Sie lächelten. Der Boden unter ihren Füßen war hart und trocken. Es hatte in dem Jahr eine Hitzewelle gegeben, Morrow erinnerte sich, dass Mum davon erzählt hatte. Die Arme und Beine ihrer Mutter waren sonnenverbrannt und pink.

Danny hasste seine Mutter. Als er noch sehr jung war, dreizehn, vierzehn, sie wusste es nicht mehr genau, war er verhaftet worden, weil er sie verprügelt hatte. Damals erschien Morrow das ungerecht. Es erschien jedem ungerecht. Es war bei Weitem nicht die erste Prügelei für seine Mutter, und wenn Danny dabei nicht allzu schlecht wegkam, musste man ihm das wahrscheinlich hoch anrechnen. Er verabscheute die Frau. Und doch stand er jetzt hier, lächelte über Morrows Schulter auf das Bild hinunter, den Kopf so geneigt, dass sie das Lächeln sehen konnte. Danny tat alles aus einem bestimmten Grund.

»Ich möchte, dass du es aufhebst«, sagte er. »Für die Jungs, für später. Damit sie sehen können, wie nah sich die beiden standen. Es war nicht immer alles schlecht …«

Sie sah auf das Foto. Zwischen ihnen türmten sich die Lügen, starr und unbeweglich.

Sie schaute weiter auf das Foto und fragte sich, was sie da machten, ob sie sich gegenseitig etwas vorlogen oder sich selbst.

»Nett.« Sie trat einen Schritt zurück. »Hast du einen Abzug?«

»Ja.« Hoffnungsvoll machte er einen Schritt auf sie zu.

»Danke.« Sie wandte sich ab, steckte den Schlüssel ins Schloss und drückte die Tür fest hinter sich zu.

Sie war in einer anderen Welt, sah plötzlich wieder die Treppe vor sich, wo ihre Fruchtblase geplatzt war, die weihnachtlich dekorierte Treppe, die zum Geburtstag geschmückte Treppe, den Fleck, wo sich Baby Dan erbrochen hatte.

Der säuerliche Gestank von erbrochener Milch empfing sie zusammen mit der Wärme des Hauses. Sie zog den Mantel aus und nahm ihr Zuhause mit allen Sinnen in sich auf.

»Alex!«, rief Brian aus dem Esszimmer. »Alex, komm schnell!«

Sie schaute durch die Tür. Er hielt Danny auf dem Schoß, in der gewölbten Handfläche stinkende weiße Babykotze. »Ein Tuch! Schnell ein Tuch!«

Die Zwillinge würden jeden Augenblick einschlafen. Alex hatte sie noch einmal gebadet und ins Bett gebracht, während sich Brian eine Stunde für sich gönnte und im Wohnzimmer Fußball schaute. Die Jungs waren weder heiß noch fleckig und sahen auch nicht so aus, als ob sie noch einmal spucken müssten. Eine der schnell vorübergehenden Übelkeiten, die sie immer wieder aufschnappten. Kein Wunder bei dem, was sie sich alles in ihre zahnlosen kleinen Münder steckten.

Sie stand lächelnd an der Tür und sah zu, wie sie kämpften, um wach zu bleiben, sich aufrappelten und wieder zurückplumpsten, völlig erledigt vom Tag. Die Bettchen standen dicht beieinander, weil sie gerne die Hand durch die Gitterstäbe streckten und Händchen hielten.

Morrow blieb bei ihnen, bis sie eingeschlafen waren, lauschte auf ihr Schnauben, bis ihr die Füße wehtaten und sie nicht mehr länger stehen konnte. Sie stellte das Babyfon an und schlich hinunter ins Wohnzimmer.

Brian saß erschöpft auf dem Sofa. Um ihn herum war der Teppich voller ausgewaschener Flecken vergangener Heldentaten.

»Wir brauchen einen neuen Teppich«, sagte sie.

»Hm.« Brians Blick blieb auf den Bildschirm geheftet. »Das wäre noch zu früh.«

Sie setzte sich neben ihn und schubste sanft seine Füße weg, um Platz auf dem Fußteil zu haben. Brian leistete Widerstand, gewann an Boden, verlor aber einen Hausschuh. Sie nahm die Füße herunter, woraufhin er ihr ebenfalls Platz machte.

Ihre Füße waren nun ordentlich nebeneinander aufgereiht. Sie lächelten zum Bildschirm hin. Beim Fußballspiel traten zwei Mannschaften an, die ihnen nicht sonderlich wichtig waren. Nach fünfzig Minuten stand es immer noch null zu null.

Sie stupste mit ihrem Fuß den Fuß von Brian. »Was wollte Danny?«

»Er war nur kurz hier. Total freundlich, dauernd am Lächeln. Probleme bei der Arbeit.«

»Was für Probleme?«

Brian zuckte mit den Schultern. »Ich glaube, er hat einfach die Nase voll. Zur Zeit ist es ja für alle ziemlich hart. Er wollte dich sprechen.«

»Tja«, plötzlich fühlte sie sich sehr müde, »er hat mich gesprochen.«

Brian richtete sich abrupt auf. »Da fällt mir ein …« Er stand auf, ging hinaus und kam mit einem Präsentkarton mit drei Weinflaschen zurück. Er hielt ihn hoch und grinste. »Na?«

»Wo sind die her?«

»Von heute Mittag. Die Jungs haben zwanzig Minuten geschlafen, da klingelte es an der Tür. Eine Umfrage für ein Marktforschungsinstitut. Möchtest du ein Glas?«

Morrow lächelte zu ihm hoch und überlegte, ob sie aufstehen müsste, wenn sie ja sagte. »Gut, her damit.«

Lächelnd ging er noch einmal hinaus und kam mit zwei kleinen Gläsern wieder. Ein guter Wein, süß, aber spritzig.

»Der ist ziemlich gut«, sagte Morrow zum Fernseher.

»Ja, der ist wirklich in Ordnung. Obwohl ich eigentlich lieber Bier trinke.«

»Worum ging es bei der Umfrage?«

»Urlaub.«

Sie nahm einen weiteren Schluck.

»Müssen wir zu einem Vortrag oder so?«

»Nein.«

»Waren sie auch bei den anderen Nachbarn?«

»Keine Ahnung.«

»Ein Mann oder eine Frau?«

Brian schnalzte missbilligend mit der Zunge. »Alex, ich bitte dich.«

»Ich frag ja nur.«

»Du bist total misstrauisch.«

»Hm. Mann oder Frau?«

Er lächelte. »Eine Frau, okay?«

»Und sie hat dir für ein zwanzigminütiges Gespräch drei Flaschen Wein geschenkt?«

Brian grunzte, aber sie war sich nicht sicher, ob er den Fernseher meinte oder sie.

»Was hast du ihr gesagt?«

»Dass wir uns keinen Urlaub leisten können.«

Morrow sah zu, wie die Spielermillionäre im Mittelfeld herumtrabten, und überlegte, was man heutzutage alles für selbstverständlich nahm. Gratis-Wein. Genug zu essen. Ein Leben ohne Bürgerkrieg.

10

Rose hatte zwar einen Schlüssel, klingelte aber trotzdem. Sie wollte Atholl in Sicherheit wiegen und dann überraschen.

Der Wohnblock war aus orangefarbenen und gelben Backsteinen, die moderne Version einer Mietskaserne. Er war erst zehn Jahre alt, aber bereits in einem schlechten Zustand. Ein Klingelknopf saß fest, und die Sprechanlage gab ein ständiges Zischen von sich. Im Erdgeschoss waren stets dicke Vorhänge vorgezogen, als ob es die Bewohner satt hätten, andauernd von den Besuchern anderer Bewohner angestarrt zu werden.

Atholls Stimme knarrte in der rauschenden Sprechanlage.

»Ich bin's«, sagte sie nur. Die Tür ging auf.

Die Treppen waren steil und schmal, mit Teppich belegt, um den Schall zu dämpfen. Ein Haus ohne Geräusche.

Atholl nannte es die »Villa der einsamen Herzen« oder die »Station zum Wundenlecken«. Er sagte, alle, die im Haus wohnten, waren entweder geschieden oder lebten getrennt, manche wohnten hier mit ihren Kindern, viele mit der Flasche. Niemand wollte seine Nachbarn kennenlernen. Niemand hörte etwas von den anderen. Eine Art Aufwachraum nach der OP, meinte er. Die Wohnungen waren gerade groß genug, um den Vorschriften zu entsprechen, aber keinen Zentimeter größer: Ins Schlafzimmer passte ein Doppelbett, aber um das Bett herumgehen konnte man nicht. Die Decken waren so niedrig, dass man fast mit dem Kopf daran streifte – zum Glück hatte die Baufirma keinen Rauputz verwendet. Atholl beschrieb gern alles ausführlich. Einmal hatte er ihr erzählt, dass er gern Schriftsteller geworden wäre.

Sie eilte die Stufen hinauf, drei Stockwerke, sechs Treppen, und klopfte an seine Tür. Als er aufmachte, roch sie sofort, dass er betrunken war. Es war nicht der Geruch von Wodka, sondern sein Schweiß. Er verströmte einen seltsamen Dunst, der Rose an den melancholischen Geruch ihrer Mutter erinnerte. Sie holte tief Luft und trat ein.

»Das ist nicht der richtige Zeitpunkt«, sagte sie und meinte das Trinken, aber dafür war es zu spät. Anton Atholl torkelte auf dem Weg ins Wohnzimmer von einer Wand zur anderen. Sein Hemd war schweißnass.

Er hielt sich am Türrahmen fest und schaffte so die Kurve ins Wohnzimmer. Sie folgte ihm.

Atholl ließ sich in einen niedrigen Sessel fallen, und die halbleeren Flaschen Wodka auf dem Couchtisch klirrten. Daneben standen drei Gläser, unterschiedlich groß, alle mit Orangensaftresten. Hinter ihm sah man durch ein breites Panoramafenster den Clyde, ein schwarzes Band, das sich Richtung Meer zog, dahinter, am gegenüberliegenden Ufer, kleine Fenster mit Einblicken in andere einsame Leben.

Sie wollte das Zimmer nicht betreten. Sie lehnte am Türrahmen, die Hände tief in den Taschen ihres Kapuzenpullis vergraben. Selbstmitleid hing im Raum wie Zigarettenqualm.

Atholl versuchte ein Lächeln. »Bist du wegen Aziz Balfour hier?«

»Was ist mit ihm?«

Anton Atholl zuckte mit den Schultern. Rose wurde wieder übel, und sie sah sich im Zimmer um. Er hatte nicht viele Möbel mitgenommen, als er bei seiner Frau und den Kindern ausgezogen war. Er war nicht der Typ Mann, der in einen Laden ging und sich Bezüge für eine Couch aussuchte. Ein Ledersessel, ein Tischchen für Getränke und ein Radio für Cricketspiele, das war alles. Zum Glück war die Wohnung bereits mit einer Waschmaschine ausgestattet.

Und so saß Lord Anton Atholl also in seinem einzigen Ledersessel mit nichts als Elend zur Gesellschaft. Rose stellte sich seine Frau und seine Kinder vor, die sie nie getroffen hatte, auf der anderen Seite der Stadt, wie sie auf teuren Stühlen saßen, Geschirr und Servietten benutzten, Bücher lasen, die sie schon lange hatten, zwischen Kommoden, Betten und Sofas, und lachten, wenn sie an den alten aufgeschwemmten Mann in seiner leeren Wohnung dachten.

Die Villa der einsamen Herzen, wie wahr.

Sie war ehrlich überzeugt, dass Anton derjenige war, der eines Tages zur Polizei gehen würde. Als Julius starb, sorgte sie sich zuerst wegen Atholl. Er war die Schwachstelle, das hatten sie immer gedacht. Rose hatte immer geglaubt, dass er sie aus Loyalität zu Julius nicht bei der Polizei verpfiff. Aber jetzt war Julius tot, und Atholl unternahm trotzdem nichts. Sie betrachtete ihn, wie er da in seinem Elend saß; dass er nichts unternommen hatte, ließ ihn in ihrer Achtung weiter sinken.

Sie kam zur Sache. »Wo ist Robert?«

Atholl blickte in die Ferne, die Augenbrauen vor Panik und Verwirrung hochgezogen. Sie sah, wie ein Schluchzer in ihm aufstieg und geräuschvoll nach außen drang. Er schlug die Hände vors Gesicht und weinte. Er wusste nicht, wo Robert war.

Rose beobachtete ihn teilnahmslos von der Tür aus. Sie konnte erst gehen, wenn sie wusste, was hier gespielt wurde. »Was hat Dawood vor?«

»Ich weiß es nicht. Ich weiß es nicht …« Er brach mit einem Schluchzen ab. »… herausfinden, was vor sich geht … Julius war derjenige, der alles wusste.«

»Ich dachte, Dawood wüsste alles.«

»Julius hat in letzter Zeit eigene Kontakte geknüpft. Er …«
Atholl bekam keine Luft mehr und weinte einfach vor sich hin,
nicht so wie sie gerade vor den Polizisten, nicht unbeherrscht,
sondern mehr wie bei einer Beerdigung. Er wollte nur, dass sie
aufhörte zu fragen.

Sie sah ihm eine Weile zu. Es war nicht so, dass sie überhaupt
kein Mitleid mit ihm hatte, aber sie wusste, dass sein Weinen
durch den Alkohol zumindest verstärkt wurde. Julius hatte sie
immer davor gewarnt, mit Betrunkenen ihre Zeit zu verplem-
pern. Ebenso gut könne man versuchen, einen Wackelpudding
in eine feste Form zu bringen.

Sie beobachtete ihn weiter. Als sie gerade entschieden hatte,
dass er wahrscheinlich nicht so schnell aufhören würde, und
sich zum Flur drehte, hörte sie, wie sich sein Atmen veränderte.
Sie schaute zurück. Atholl sah sie mit nassem Gesicht und roten Augen an.

»Tut mir leid.«

Sie verstand ihn nicht. »Was denn?«

Er fing wieder an zu weinen, eine Hand über den Augen.
Rose schnalzte mit der Zunge. »Hast du etwas getan?«

»Ich nicht. Aber der Safe im Büro ist *abgeschlossen*. Die
Schlüssel sind *weg*.«

Sie erstarrte. Der Safe. Sie hätte danach sehen sollen, hatte
aber noch keine Zeit gehabt. »Was hast du gerade gesagt?«

»Die Schlüssel sind weg. Man kommt nicht dran.«

Atholl hatte nur Informationen aus zweiter Hand. Der Safe
hatte ein Zahlenschloss, man brauchte keinen Schlüssel.

Atholl gab die Informationen eines anderen weiter.

»Wer hat dir das gesagt?«

»Dawood.«

Dawood und Monkton. Sie suchten nach den Unterlagen mit

den Kontakten, nach den Büchern. Das war es also. Das hatten sie vor.

Atholl beugte sich vor, griff nach einer Halbliterflasche Wodka, in der noch ein Schluck war, und leerte sie. Rose spürte, wie ihr Gaumen brannte, vom bloßen Zusehen wurde ihr schon schlecht.

»Was hat Dawood im Safe gesucht?«

Am anderen Flussufer ging klagend ein Autoalarm los.

»Es ist nichts drin. Aber was viel wichtiger ist: Hast du Roberts Laptop gefunden?«, fragte Atholl.

Rose schüttelte den Kopf.

Atholl holte tief Luft. »Robert hat eine Anzeige wegen Geldwäsche an die SOCA geschickt …« Er hörte, wie sie nach Luft schnappte, und hob beschwichtigend die Hand, wandte sich dabei aber ab, als könne er ihren Schock nicht ertragen. »Sch… Nein, nein. Dawood hat sie abgefangen. Es ist alles okay, Dawood hat sie abgefangen.«

»Scheiße, was soll das heißen, ›abgefangen‹?«

Atholl überlegte kurz, schloss dann aber die Augen und sagte: »Robert war am Safe und hat danach die Anzeige von seinem Laptop über das WLAN der Firma verschickt. Dawood hat in das System eine zehnminütige Verzögerung eingebaut. Er kontrolliert alle E-Mails und hat die von Robert abgefangen. Sie wurde nie verschickt.«

Rose hatte Probleme, das alles zu verdauen: Robert hatte den Safe gefunden, Robert hatte den Safe geöffnet, Robert hatte den Inhalt an die SOCA, die Behörde zur Bekämpfung des organisierten Verbrechens weitergeleitet. Und Dawood hatte Zugriff auf alle E-Mails der Firma.

»Wusste Julius, dass Dawood die Mails kontrollierte?«

Atholl zuckte mit den Schultern. »Spielt das jetzt noch eine Rolle?«

Nein. Sie hoffte nur, dass nie E-Mails über sie verschickt worden waren. Aber es hatte bestimmt welche gegeben. Ihr Fall war 1997 verhandelt worden. Damals hatten doch schon alle E-Mail, oder nicht? Allerdings hätte Julius nie etwas Indiskretes über sie in einer Mail geschrieben. Er benutzte nicht einmal ein Handy.

Am anderen Flussufer heulte immer noch die Alarmanlage. Das Geräusch machte ihr Angst, brachte verblasste, unangenehme Erinnerungen zurück. Sie wollte hier weg.

»Tja, Roberts Laptop ist nicht im Haus.«

»Aber du musst das Laptop finden. Der Safe ist nicht so wichtig. Er könnte den Bericht auch über ein anderes E-Mail-System verschickt haben.«

Nicht Robert. Er machte alles halbherzig und stümperhaft, weil immer jemand da war, der seine Fehler für ihn ausbügelte. Sie wollte gerade gehen, als ihr aufging, dass sie eigentlich wegen ganz bestimmter Informationen gekommen war, stattdessen aber selbst welche gegeben hatte. Sogar so betrunken und verzweifelt, wie er war, blieb Atholl ein schlauer Fuchs. Sie konnte sich kaum noch erinnern, warum sie gekommen war, aber dann fiel es ihr wieder ein. »Atholl, warum spricht mich dieser Scheiß-Monkton an, wenn lauter Leute dabei sind?«

Der Deal mit Dawood, der ihr vor all den Jahren aus der Bredouille geholfen hatte, war Monktons wunder Punkt. Julius hatte ihr erzählt, dass Monkton alles arrangiert hatte, den Jungen ausgesucht, die Beweise manipuliert hatte. Er wollte, dass sie es wusste, damit sie gegenüber Monkton im Vorteil war, als eine Art Versicherung. Monkton hatte Rose nie angesprochen. Obwohl sie einander vor Gericht begegnet waren, sich in Julius' Anwesenheit gesehen hatten, obwohl er zu den Taufen aller Kinder von Francine und Robert eingeladen war.

Atholl schüttelte den Kopf, sah aus, als ob er gleich wieder anfangen würde zu weinen. Ein Trick, um sie davon abzuhalten, ihn weiter auszufragen.

»Warum ist er so frech? Warum ist er so sicher, dass nichts auffliegt?«

Er weinte wieder, presste die Finger auf die Augen; das sah schmerzhaft aus. Atholl hatte eben schon einmal geweint, als er wusste, dass sie etwas fragen wollte. Er geriet in Panik, weil sie nach Monkton fragte.

Der Bericht an die SOCA war beunruhigend, war aber abgefangen worden und hatte nichts mit dem Safe zu tun.

»Könnte im Safe noch etwas anderes sein?«

Er zuckte mit den Schultern. »Nein. Der Safe ... da ist nichts drin. Robert hat nur die Schlüssel irgendwo blöd hinterlegt, mehr nicht. Er hat sich abgesetzt, wegen des SOCA-Berichts.«

Er tastete die Sammlung Wodkaflaschen auf dem Tisch neben seinem Sessel ab, auf der Suche nach einem Schluck. Sie hasste Wodka. Sie hasste den Geruch, das schmierige Aussehen, den stechenden Gestank von Wodka-Schweiß. Sie sah in Atholls Gesicht und erkannte plötzlich das Bedauern darin. Er suchte nicht nach einem letzten Rest Wodka, er drehte sein Gesicht weg. Atholl hatte etwas Furchtbares getan. Er hatte etwas getan, das er sich selbst nie verzeihen würde, etwas, das ihn noch im Todeskampf heimsuchen würde. Sie fragte sich, ob er Robert getötet hatte.

»Ist Robert tot?«

»Was?« Er musterte immer noch seine Sammlung.

»Robert? Ist er tot?«

»Ich weiß es nicht. Vielleicht noch nicht.«

Rose hätte am liebsten geweint. Ihre selten genutzten Tränenkanäle schmerzten. Sie holte tief und abrupt Luft, wies ihren Körper an, sich zusammenzureißen, drehte sich um und verließ die trostlose Wohnung, ohne sich zu verabschieden. Sorgfältig zog sie die Tür hinter sich zu.

Draußen in der kalten Nacht setzte sie ihre Kapuze auf, steckte die Hände in die Taschen und marschierte zur U-Bahn-Station.

Robert war ein liebenswerter Mensch. Sie hatte ihn aufwachsen sehen, er war nur ein paar Jahre älter als sie. Sie liebte ihn, wie sein Vater ihn liebte: Beide sahen in ihm die Unschuld und die Treue eines braven Hundes. Er heiratete ein nettes Mädchen von der Uni, hatte nette Kinder und ein nettes, sauberes Haus. Und als Julius ihr die Ausbildung zur Nanny vorschlug und ihr Roberts Kinder anvertraute, war immer klar, dass sie auch das Kindermädchen für Robert spielen sollte. Sie war der Puffer, denn Julius brauchte zwei Dinge: Jemanden, der sich für ihn die Hände schmutzig machte, und einen Erben. Falls sie und Julius ruiniert waren, hatten sie immer noch Robert für ihre Hoffnung, ihre Menschlichkeit. Rose hatte versagt; sie hatte ihn nicht beschützt. Sie hatte Mr. McMillan im Stich gelassen.

Sie weinte um sie alle, ließ ihren kindischen Tränenkanälen freien Lauf, während sie durch die stillen Straßen des Vororts zur U-Bahn-Station lief. Sie überlegte sich eine Erklärung: Wenn jemand sie fragte, würde sie sagen, sie weine um Julius.

Ein Bericht an die SOCA bedeutete, dass Robert den hinteren Safe gefunden hatte. Wie um alles in der Welt war er darauf gekommen? Er wusste nicht einmal, dass es den hinteren Raum gab. Hatte Dawood es ihm gesagt? Sicher nicht, er konnte nicht davon ausgehen, dass Robert die E-Mail vom Büro aus schicken würde.

Robert musste ins Büro seines Vaters gegangen sein und alles durchsucht haben. Alles, sonst wäre er nur auf einen Haufen Geld ohne eine Erklärung gestoßen. Rose spürte den plötzlichen Verlust, einen abrupten Tod. Nicht wie bei Julius, nicht nur Trauer. Sie hatte sich für Robert etwas Besseres gewünscht.

Sie spürte, wie sie in sich zusammenfiel, wie das Gewicht seiner Unschuld an ihr zerrte, ihre Schritte verlangsamte.

Vor ihr durchschnitten die hellen Lichter der U-Bahn-Station die Dunkelheit. Robert hatte Anzeige wegen Geldwäsche erstattet. Er hatte aus dem, was er sah, seine Schlussfolgerungen gezogen und war empört gewesen. Er kämpfte wider besseres Wissen, er akzeptierte es nicht, und das gab ihr irgendwie Hoffnung. Sie musste ihn jetzt nur noch finden und ihm aus der Patsche helfen, wie sie es schon hundertmal getan hatte. Niemand wusste, wo er war, und das war gut.

Etwas aufgemuntert entschied sie, dass der Geruch des Wodkas, der SOCA-Bericht und der bösartige Einfluss von Dawood sie runtergezogen hatten. Rose trocknete sich das Gesicht mit dem Ärmel. Sie nahm die Unterführung zum Bahnsteig und wartete mit der Kapuze auf dem Kopf auf den Zug. Als der Zug einfuhr, wandte sie sich ab, damit niemand im Zug sie sah.

Dann dachte sie an Atholl. Er wusste nicht, wo Robert war, da war sie sich sicher. Atholl war ein gerissener Anwalt, er konnte ein Gespräch in jede beliebige Richtung lenken. Dreimal hatte er ihr gesagt, sie solle sich keine Gedanken um den Safe machen. Rose schloss die Augen und ging seine Antworten noch einmal durch.

Irgendetwas war im Safe.

11

Morrow und DC Wheatly standen in der Red Road. Um sie herum tobte der gnadenlose morgendliche Berufsverkehr. Wainwright hatte Morrow benachrichtigt, dass der Papierkram zum Arbeitsschutz geklärt sei und sie einen Blick auf den Tatort werfen könne, allerdings sollte sie früh kommen.

Wheatlys fleischige Hände umklammerten das Steuer, und er reckte den massigen Hals, um einem Frühaufsteher mit ledrigem Gesicht nachzusehen, der den Hügel hinuntereilte. Alle drängten in Richtung Stadt, weg von hier, standen rauchend und wartend in dichten Knäueln an den Bushaltestellen. Sie schauten zum Auto, sahen Morrow und Wheatly und wussten sofort, dass sie Polizisten waren, weil er so vierschrötig und verkniffen und eben wie ein Polizist aussah.

»Sie könnten sich den Schnauzbart abrasieren, Wheatly«, sagte Morrow und griff damit ein Gespräch wieder auf, das sie vor einer Woche geführt hatten. Er wollte mehr undercover arbeiten, aber mit seinem Gesicht flog er immer gleich auf.

»Hab ich schon mal gemacht.« Wheatly strich mit dem Zeigefinger über die schwarzen Barthaare. »Ich sehe trotzdem aus wie auf einem Werbeplakat der Polizei.«

Morrow zuckte mit den Schultern und sah zu den Wohnblocks hoch. Die Leiche war weg, das war gut. Eine Leiche am Tatort lenkte immer ab. Sie zog die Blicke auf sich, man hatte Mitleid oder, in Morrows Fall, man dachte darüber nach, warum man kein Mitleid empfand. Der Tatort hier war so spektakulär, dass es schwer genug sein würde, sich auf die Details zu konzentrieren.

Die Wohnblocks in der Red Road waren 27 Stockwerke hoch und 500 Meter breit und wurden gerade für den Abriss ausgeschlachtet. Sämtliche Wände, die Verkleidung und vor allem die Fenster wurden vor der Sprengung entfernt, damit keine Glassplitter durch die Luft flogen. Sie konnten erst jetzt zum Tatort, weil sie ohne die nötigen Genehmigungen vom Arbeitsschutz und von der Baubehörde nicht einmal durch die Absperrung kamen, die um die Blocks errichtet worden war. Morrow mochte große Höhen nicht besonders.

Zu Beginn ihrer Karriere hatte sie als Streifenpolizistin die Schaulustigen im Zaum gehalten, als die Hochhäuser in Gorbals abgerissen wurden. Die Polizisten mussten mit dem Rücken zum Geschehen stehen und die Menge drei Stunden lang im Auge behalten. Die Zuschauer brachten Essen, Getränke und Sitzgelegenheiten mit. Die aufgeheizte Atmosphäre war beunruhigend. Morrow sah, wie die Menge anschwoll und immer ausgelassener wurde, und hielt Ausschau nach Betrunkenen, Unruhestiftern und Taschendieben. Im Laufe des Nachmittags versuchten alle möglichen Leute, ihre Sensationsgier zu rechtfertigen. Es sei ein Stück Geschichte, sagten sie, ein Stück Stadtgeschichte. Aber das genügte nicht, erklärte nicht die erwartungsvolle Vorfreude, deshalb erfanden viele zusätzliche Gründe für den Abriss der Hochhäuser: In den Wohnungen war es immer feucht, meine Tante ist dort gestorben, ich habe gesehen, wie ein Mann aus dem Fenster sprang. Ausreden, weil sie wussten, dass ihre sensationslüsterne Begeisterung etwas Schäbiges hatte.

Eine moderne öffentliche Hinrichtung. Sie waren gekommen, weil sie sehen wollten, wie etwas Größeres als sie starb, weil sie an einem unwiderruflichen Akt der Zerstörung teilhaben wollten.

Morrow stieg aus dem Wagen. Kalter Regen prasselte ihr auf den Kopf. Sie sah sich auf der Straße um, die abrupt an einem hohen Bauzaun endete. Bei den Garagen parkte ein Imbisswagen, wahrscheinlich für die Arbeiter. Direkt neben dem Abrissgelände gab es eine Apotheke, die noch geöffnet hatte. Vermutlich war sie Teil eines Programms zur Ausgabe von Metadon, um die Anwohner betäubt zu halten, sonst hätte die Stadt sie schon längst dichtgemacht.

Sie setzte sich wieder ins Auto und sagte Wheatly, er solle um den Block auf die andere Seite fahren. Sie fuhren die Straße hinauf, bogen im Kreisverkehr rechts ab und dann noch einmal, bis sie vor dem Haupteingang der Wohnblocks standen. Wheatly starrte angespannt in den Rückspiegel.

»Uns verfolgt ein weißer Lieferwagen«, sagte er. »Hat kurz hinter uns angehalten und ist jetzt weitergefahren, den Berg hoch.«

Sie wusste nicht, was sie sagen sollte. »Haben Sie die Nummer?«

»Klar.« Er parkte und schrieb die Nummer in sein Notizbuch. »Ich überprüfe sie, wenn wir wieder auf dem Revier sind.«

Die Straße vor ihnen wurde durch einen Zaun und einen Komplex aus Containern blockiert, auf denen der Name des Abrissunternehmens stand.

Morrow stieg aus und bekam auf dem exponierten Hügel den Wind mit voller Wucht zu spüren. Sie zog ihren Mantel gegen den fast waagrechten Regen enger um sich und machte sich auf den Weg zum Maschendrahtzaun. Die einstigen zentralen Treppenhäuser wurden jetzt als Müllrutschen für den Abrissschutt benutzt. Am Boden zog ein Bagger Gipsbrocken und Backsteine vom Eingangsbereich weg und schob sie zu ordentlichen Haufen zusammen.

Wheatly stieg ebenfalls aus und folgte ihr. Hinter dem Zaun trat ein Mann mit Helm aus einem der Container. Er ging zum Tor, prüfte ihre Ausweise, öffnete das Vorhängeschloss und ließ sie aufs Gelände. Er zeigte auf den Container, aus dem er gekommen war. Der Container war aus blauem, geriffeltem Stahl mit einem Fenster und einer Tür an der Seite.

Sie gingen über eine Metallrampe zur Tür und klopften. Ein kleiner, energischer Mann mit einer operierten Hasenscharte öffnete ihnen.

Morrow streckte die Hand aus: »DI Alex Morrow.«

Er schüttelte sie. »Farrell McGovan«, sagte er, und seine Oberlippe rutschte dabei schräg nach oben.

Er trat beiseite und ließ sie in den überheizten Raum treten. Es gab Teppichboden, Stühle, zwei Schreibtische und eine Wandtafel, dennoch befand man sich eindeutig in einem Metallcontainer.

Neben einem Detective Constable stand DI Paul Wainwright. Groß, dunkel und hässlich lächelte er sie an, gab ihr die Hand und begrüßte Wheatly. Sie nickte dem DC zu, als Wainwright ihn vorstellte, vergaß seinen Namen aber sofort wieder.

»Nett, Sie kennenzulernen«, sagte sie mit leichten Schuldgefühlen. »Also, gehen wir hoch?«

McGovan nickte. »Sie müssen aber vorher noch diese Verzichtserklärung unterschreiben und bestätigen, dass wir für Ihre Sicherheit nicht verantwortlich sind. Ich kann Sie nicht alle mit nach oben nehmen, ich bin allein, deshalb können nur zwei mit. So ist die Vorschrift.«

Morrow und Wainwright nickten zustimmend. Er reichte ihnen die ausführlichen Formulare mit juristischen Formulierungen, die bereits an ihre Vorgesetzten gefaxt und von ihnen genehmigt worden waren. Morrow und Wainwright unterschrieben und gaben sie ihm zurück.

»Wegen der Sicherheitsvorschriften brauchen Sie auch Helme und Sicherheitswesten.«

Sie nickten wieder, und er öffnete die Tür. »Und Sie beide warten hier?«, fragte er die DCs. Die beiden Männer sahen ihre Chefs fragend an und warteten auf die Erlaubnis, im warmen Bürocontainer zu bleiben, während Morrow und Wainwright elf Stockwerke aus nacktem Beton erklommen.

Morrow suchte krampfhaft nach einer Aufgabe für Wheatly. Schließlich sagte sie: »Überprüfen Sie die Autonummer von vorhin und dann, tja, dann können Sie einfach hier sitzen.«

Neben ihr lachte Wainwright leise.

Sie schlossen die Tür und folgten McGovan zum Container nebenan, wobei sie sich über die üblichen sinnlosen Fragen unterhielten: Wie ist es dir ergangen? Wie läuft's im Norden? Werden wir nächstes Jahr alle versetzt? Morrow konnte es nicht richtig glauben, aber es war nun einmal gerade üblich, sich besorgt über die Polizeireform zu äußern.

McGovan führte sie in einen Umkleideraum, der viel kälter war als das Büro. Auf einem Regal lag eine lange Reihe gelber Helme, und an einer Stange hingen leuchtend gelbe Sicherheitswesten.

Er fand die passenden Größen für sie beide. Beim Anziehen überlegte Morrow, warum sie so gut sichtbar sein mussten; damit man sie sah, wenn sie abstürzten, oder fand, wenn sie tot unter einer Tonne Schutt lagen? McGovan ging voraus zu den Wohnblocks. Wainwright riss einen müden Witz über die Village People, und Morrow lachte, aber weniger über den Witz, als vielmehr Wainwright zuliebe.

Wainwright sah ängstlich am Gebäude hoch. »Das ist, ähm, schon ziemlich heftig …«

Sie gingen etwa hundert Meter über Glasscherben und Holzlatten, bis sie die verrotteten Überreste des Gebäudes erreichten, das einst als Revolution des sozialen Wohnungsbaus gegolten hatte.

Das Treppenhaus war aus nacktem Beton, die Verkleidung an den Wänden bereits entfernt worden. Sie stiegen hinter McGovan hinauf und wurden bald langsamer, schnappten nach Luft. Ab dem sechsten Stock gab es kein Geländer mehr. Ab dem achten Stock waren die Außenwände bereits abgerissen und der Wind wirbelte ihnen Staub um die Knie, wehte ihn vom oberen Treppenabsatz direkt in ihre Augen und in ihre Kragen. Vögel flogen dicht an ihren Fußknöcheln vorbei. Jedes Mal, wenn ihr Kopf einen weiteren Absatz erreichte, sah Morrow die gigantische Stadt aus einer neuen Perspektive. Die Höhe und die verschobenen Proportionen ließen sie schwindeln.

Die Stahlträger jaulten, und das ganze Gebäude schwankte leicht im Wind. Man hatte das Gefühl, als würde der Bau bröckeln, ein Skelett, das seine Verkleidung abschüttelte.

Morrow spürte die Höhe und den gähnenden Abgrund immer stärker, bis sie an nichts anderes mehr denken konnte. Die Treppen waren nichts als eine Reihe tödlicher Kanten, hypnotisch und angsteinflößend. Die starken Windböen drückten sie Richtung Abgrund, ihre Muskeln verloren das Vertrauen, wehrten sich, spannten sich an. Bilder von Menschen, die aus dem World Trade Center sprangen, gingen ihr durch den Kopf und verstärkten die Anspannung zusätzlich, so dass schließlich all ihre Bewegungen steif und ungelenk waren.

Völlig außer Atem dachte sie gerade, dass sie nicht mehr weiter konnte, als McGovan ihr über den brausenden Wind hinweg zurief, sie seien da.

Morrow streckte die Arme aus, um auf der glatten Oberfläche die Balance zu halten, und war froh, sich vom Abgrund wegzudrehen und eine der ehemaligen Wohnungen zu betreten. Allerdings war sie nicht mehr als Wohnung zu erkennen. Vor ihr erstreckten sich 150 Meter Beton, dahinter kam ein weiter furchtbarer Abgrund. McGovan führte sie an drei Stahlträgern vorbei zu einem dunklen Fleck und einem Träger, dessen staubiges Rot mit schwarzem, verschmiertem Fingerabdruckpulver gesprenkelt war.

Natürlich hatte niemand eimerweise Wasser die elf furchtbaren Stockwerke hinaufgeschleppt, um hier sauberzumachen; die Pfütze aus mittlerweile getrocknetem Blut war immer noch zu sehen, unberührt.

Morrow stand an der Stelle, wo sie Aziz Balfours Füße vermutete, und nahm den Tatort in sich auf. Sie waren neun Meter vom Abgrund entfernt, von der Vorderseite des Gebäudes, nah genug für ein anhaltend mulmiges Gefühl in der Magengrube.

Warum im elften Stock?, überlegte sie. Warum machte sich jemand die Mühe, mit jemandem hier hochzugehen? Man konnte sich nur schwer einen gottverlasseneren Ort vorstellen. Vielleicht hatte der Wohnblock für irgendjemanden eine besondere Bedeutung.

»Wer hat zuletzt hier gewohnt?«, rief sie Wainwright über den brüllenden Wind und die quietschenden Stahlträger hinweg zu.

»Asylanten«, schrie er zurück, der Klang wurde vom starken Wind fast weggetragen. »Somalis.« Er hielt drei Finger hoch. »Drei Kinder.« Dann hob er die Hände, als ob er sich ergeben wolle, runzelte die Stirn und nickte. »Sehr freundlich.« Er zeigte nach Norden. »Wohnen jetzt dort drüben. Alibi. Nette Frau.« Er wiederholte in seiner erfundenen, wirren Zeichensprache die Geste mit den erhobenen Händen.

Morrow tat es ihm nach und machte mit den Händen eine drehende Rückwärtsbewegung. »Und davor?«

»Stand lange leer …«, rief Wainwright, weil ihm keine Geste einfiel.

Er hatte die früheren Bewohner nicht überprüft, was ihm auch kaum vorzuwerfen war. Es war sein Fall, er hatte das Recht zu entscheiden, welchen Spuren er nachging.

»Was denkst du?« Sie wollte respektvoll klingen, aber leise Töne waren unter diesen Bedingungen nicht möglich. Sie streckte fragend die Hände aus. Es war dumm, sie kam sich vor wie ein Tourist, der schreit, weil sein Gesprächspartner kein Englisch versteht.

Wainwright verstand trotzdem, was sie meinte. »Balfours Hilfsorganisation hat dort drüben ihr Büro.« Er nickte vage Richtung Norden.

»Sie haben ihn von dort aus gejagt, hier hinauf. Fußabdrücke …« Er fuhr mit der ausgestreckten Hand waagrecht durch die Luft. »… Rennen.«

Sie gaben die Unterhaltung auf und sahen sich am Tatort um. Morrow fragte sich erneut, warum er hier hinaufgejagt worden war; das musste doch etwas bedeuten. Oder auch nicht. Vielleicht dachten der oder die Täter auch, man würde ihn hier nie finden. Die Wohnblocks sollten bald abgerissen werden, doch im vierundzwanzigsten Stock nistete ein Paar Wanderfalken und hatte zwei Eier gelegt. Sie standen unter Naturschutz und konnten nicht einfach vertrieben werden. Aber ein Mensch würde sich nicht freiwillig hier aufhalten. Sie sah, wie McGovan zurück zur Treppe schaute.

Wainwright drehte das Handgelenk mit der Uhr zu sich, ohne auf die Uhrzeit zu schauen. Er hatte genug.

»Okay.« Sie machte eine Handbewegung zur Treppe hin.

»Fertig?«

Sie nickte.

McGovan sah beide an, merkte, dass sie aufbrechen wollten, und stellte sich so, dass der Wind seine Stimme zu ihnen trug.

»Also, ich möchte Sie bitten, gut aufzupassen«, sagte er. Sie verstanden ihn perfekt. »Der Weg nach unten ist ein bisschen unangenehm.«

Ein plötzlicher Windstoß wirbelte Staub auf, und sie drehten schnell die Gesichter weg, drückten das Kinn auf die Brust und gingen zurück zur Treppe.

McGovan hatte stark untertrieben. Der Weg nach unten war nicht nur ein bisschen unangenehm, er war entsetzlich. Die Treppen waren mit Schutt bedeckt, und der Wind trieb den Staub nach oben und ihnen in die Augen. Wainwright schien es ähnlich zu gehen wie Morrow. Er ging vor ihr, und sie sah, wie er mit den Füßen nach der nächsten Stufe tastete. Ein Fuß rutschte ab, schlitterte einen Millimeter in die falsche Richtung, und sie sah, wie er vor Schreck zusammenzuckte. Er schaute nach unten und konzentrierte sich auf die Stufen.

Schließlich kamen sie zu der Etage, die wieder Außenwände hatte. Zwei Etagen tiefer gab es wieder ein Treppengeländer, und sie klammerten sich dankbar daran fest und folgten der Treppe in der zunehmenden Dunkelheit weiter nach unten.

Die Anspannung ließ auch nicht nach, als sie wieder festen Boden unter den Füßen hatten; Morrow und Wainwright tasteten weiter mit den Zehen nach der nächsten Stufe und hielten zur Balance die Hände von sich weggestreckt, bis sie das, was vom Eingangsbereich übrig war, hinter sich gelassen hatten.

Die Sonne und der ebene Boden waren ein Segen, an den sie sich kaum noch erinnern konnten. Morrow schwitzte unter ihrem Helm und fühlte sich völlig erschöpft. Eine halbe Stunde lang hatte sie jeden Muskel in ihrem Körper krampfhaft angespannt.

Sie folgte McGovan. Wainwright ging neben ihr.

»Der Arbeitsschutz würde durchdrehen, was?«, sagte er.

Morrow grinste und verdrehte die Augen. »Wie oft warst du da oben?«

Wainwright zuckte zusammen. »Fünfmal. Wird mit jedem Mal schlimmer.«

»Danke, Paul. Ich hatte keine Ahnung, dass es so …« Sie suchte nach einem heroischen Wort, gab dann aber auf. »So beängstigend sein würde. Aziz Balfour schien ein netter Kerl zu sein.«

»Ja wirklich, das sagen alle. Ein lustiger Typ. Fromm, freundlich, hat letztes Jahr geheiratet, in ein paar Monaten soll das erste Kind kommen. Er kam nach dem Erdbeben 2008 her, weil er für eine Hilfsorganisation gearbeitet hat.«

»Warum waren sie da oben?«

Wainwright schaute am Gebäude hoch. »Er war noch im Büro, sehr spät abends«, er nickte wieder Richtung Norden, »und dann war er hier oben. Wir glauben, dass er gerannt ist, dass er fliehen wollte. Er kam durch das zentrale Treppenhaus nach oben. Auf den Stufen sind überall verrutschte Fußspuren, die Abdrücke seiner Sohlen.«

»Nur seine?«

»Und andere, von Turnschuhen«, sagte er. »Kleine Füße, Größe 36. Sehen aus wie Kinderfüße.«

»Ein kleingewachsener Typ?« Sie dachte an einen kleinen Gangster, einen Jungen, der seinen Boss beeindrucken wollte.

»Möglich. Es gibt nur ein einzelnes Paar Fußabdrücke, noch dazu von Adidas-Turnschuhen.«

Heutzutage trug niemand mehr Adidas.

»Der kleine Kerl muss ziemlich entschlossen gewesen sein, um ihm durch das ganze Treppenhaus hinterherzujagen. Eine Schande. Balfour war bei sich daheim ein echter Held. Er war bei den Rettungseinsätzen nach den Erdbeben 2005 und 2008 dabei. Seine Familie ist sehr reich, korrupte Militärs, aber er hat sich losgesagt. Er war einer von den Guten.« Wainwright scharrte stirnrunzelnd mit den Füßen, der Mord machte ihm zu schaffen. Nicht eben hilfreich bei einer Ermittlung.

»Was war mit seiner Hand?« Morrow streckte die eigene Faust aus. »Auf den Fotos sieht es so aus, als ob er etwa einen Tag vor seinem Tod irgendetwas oder jemanden geschlagen hätte.«

»Das konnten wir nicht klären. Seine Frau hat keine Ahnung. Sie sah die Verletzung, aber er sagte, er habe sich die Faust versehentlich bei der Arbeit angeschlagen. Also an dem Tag, bevor er verschwand.«

»Gelbliche Hämatome …«

Paul sah sie an. »Hat es dir etwas gebracht, da hochzugehen?«

»Es ist komplizierter, als ich dachte. Das alles ergibt keinen Sinn. Aber die Verbindung nach Pakistan ist interessant. Ich dachte, Michael Brown hätte das eingefädelt, aber so schlau ist er nicht. Allerdings bekommt er von irgendwoher ziemlich raffinierte Ratschläge …«

Wainwright nickte. »So läuft das, wenn sie Geld haben. Verbrechen sind Verbrechen, aber ein Verbrechen mit Geld, das ist was ganz anderes.«

Morrow nickte. »Oh ja, Paul, wem sagst du das.«

»Oh, tut mir leid, Alex, ich habe natürlich nicht deinen Bruder gemeint …«

»Nein, nein …« Sie tat sein Unbehagen mit einer Handbewegung ab und schaute zurück zum Wohnblock. »Ich verstehe nur nicht, wie sie das gemacht haben. Ich hatte gehofft, Browns Fingerabdrücke wären auf irgendeinem beweglichen Gegenstand gewesen.«

Sie gingen ein paar Schritte und genossen dabei die nachlassende Anspannung ihrer Muskeln.

»Tja«, Wainwright richtete sich auf und schaute über ihren Kopf hinweg, »zurück zum drögen Tagesgeschäft.«

»Was steht bei dir derzeit an?«

»Das hier«, er nickte Richtung Wohnblock, »ein weiterer Mord, unter Freunden. Zwei dicke Mädchen, die eine Freundin mit ihren spitzen Absätzen in einem Club erstochen haben. Und ein Vermisstenfall.« Er beugte sich mit einem Lächeln zu ihr.

»Der Vermisste ist Anwalt.«

»Und? Was bedeutet das?«

»Die Kekse sind besser«, sagte er, und beide lachten lang und laut, froh, dass sie am Leben waren.

12

1997

Glasgow war wie ausgestorben an dem Sonntag, an dem Prinzessin Diana starb. Auf einem ungeordneten Haufen am George Square wurden Blumen deponiert. Die Autos fuhren langsamer. Es regnete. Anders als in London war die menschenleere Stadt kein Zeichen von Schock und Trauer. Es wirkte eher wie eine verlegene Pause. Die Stadt senkte den Blick und trat beiseite, damit der Moment vorüberging.

DS George Gamerro hatte hart gearbeitet, obwohl es ein ruhiger Tag war, und bis zur Teezeit hatte er seinen Papierkram auf den neuesten Stand gebracht und den der Kollegen koordiniert. Jetzt bereitete er sich darauf vor, den Verdächtigen zu verhören, der Pinkie Brown ermordet haben sollte.

Er saß in der Kantine, aß die Sandwiches, die seine Frau ihm gemacht hatte, und trank Suppe aus seiner Thermoskanne. Draußen war der Himmel grau und drückend düster, die frühe Dämmerung ging unmerklich in die Nacht über.

Es war schön, wenn ein Fall so klar war. George war schon lange bei der Polizei, lange genug, um überall nach einem Muster zu suchen. Der Fall war einfach, heute Abend würde er einen aufgeräumten Schreibtisch zurücklassen. Außerdem war es befriedigend, wenn man so einen Burschen schon mit vierzehn von der Straße hatte, bevor er noch größeren Schaden anrichten konnte.

Einige uniformierte Kollegen kamen in die Kantine. Als sie ihn am Tisch sitzen sahen, gesellten sie sich zu ihm und holten ebenfalls ihre Brote raus. In der großen leeren Kantine bildeten sie eine Art Feldlager. Sie ließen sich Zeit. Wegen des Unfalls in Paris hatten heute alle gemütliche, lange Pausen. Es gab keine Ladendiebstähle, weil die meisten Läden geschlossen hatten. Keinen Ärger beim Fußball, weil die Spiele abgesagt worden waren.

Einer meinte, die Stimmung würde sich später noch aufheizen, wenn die Leute besoffen waren. Sie nickten. Polizisten hatten eine Vorliebe für düstere Prognosen, aber heute wussten alle, dass es in der Stadt nicht so wild zugehen würde wie an einem Samstagabend, und auch die für den Sonntagabend typische Wut würde ausbleiben. Alle waren ein bisschen geschockt. Die richtig harten Alkoholiker würden heute Abend schlafen, weil sie den ganzen Tag kräftig gesoffen hatten. Und die geselligen Trinker würden daheim vor dem Fernseher sitzen und darauf warten, dass der Tag bald vorbei war. Das Gespräch wandte sich dem Autounfall in Paris zu. Alle erzählten, wo sie gewesen waren, als sie davon erfahren hatten, als ob sie versuchen wollten, sich selbst in das Ereignis einzubringen, und dann ebbte die Unterhaltung langsam ab. Alle waren ein bisschen durcheinander.

George setzte den Deckel auf seine Brotdose und schraubte die Thermoskanne zu.

»Gut.« Er stand auf, hielt sich den Bauch und sagte, was er immer nach dem Essen sagte: »Lecker, die Suppe.«

»Machst du die Suppe nicht selbst, George?«

»Doch. Und die ist verdammt lecker.«

Sie lachten glucksend, und George lächelte, als er zur Tür ging. Er trabte die Treppe hinunter zu seinem Büro, mit schweren Beinen, denn die alten Knie protestierten bei einem so schwungvollen Gang.

Sie teilten sich zu viert ein Büro, die Schreibtische mit dem Blick zur Wand, als ob sie alle nicht artig gewesen wären. Drei

Schreibtische waren verwaist, doch DC Monkton saß an seinem Platz. Er wartete und begrüßte George mit einem Lächeln.

»Sie ist jetzt da«, sagte er.

Monkton war neu zu ihnen gekommen. Er hatte darum gebeten, George Gamerro bei den Verhören zum Fall Pinkie Brown zu assistieren. Er brauche die Erfahrung, hatte er gesagt, denn er wolle bald die Prüfung zum Sergeant ablegen.

Monkton war jung, aalglatt und ehrgeizig. Er schien Vorgesetzte zu kennen, vor denen George selbst einen Heidenrespekt hatte, nickte ihnen auf der Treppe zu, lächelte wissend, wenn ihr Name fiel.

George war ein erfahrener Polizist und durchschaute das offizielle System aus Macht, Dienstgraden, Vorgesetzten und Qualifikationen. Er wusste auch, dass es ein inoffizielles System gab. Aber das durchschaute er nicht. Als er noch jung und ehrgeizig gewesen war, hatte er mit dem Gedanken gespielt, den Freimaurern beizutreten. Heute war ihm das peinlich. Niemand war wirklich bei den Freimaurern. Die wahren inoffiziellen Machtstrukturen waren unsichtbar – zumindest für ihn.

George fühlte sich unwohl in Monktons Gegenwart, weil dieser so deutlich zeigte, dass er das inoffizielle System durchschaute. Monkton klang nie gedämpft oder unterwürfig, er sprach immer laut, erwartete immer, dass man ihm zuhörte. Und Monkton hatte ein Haus gekauft. Dabei war er nicht mal verheiratet. Für George wirkte das unglaublich dekadent; er selbst kam aus einer ganz anderen Generation, hatte bei seinen Eltern gewohnt und seinen Lohn zum Familieneinkommen beigesteuert, bis er geheiratet hatte. Er mochte Monkton nicht, weil er entweder seine Eltern im Stich ließ oder aus einer Familie kam, die nicht erwartete, dass die Kinder ihren Teil beitrugen.

Doch der eigentliche Grund, warum er Monkton nicht leiden konnte, war der, dass der ihm das Gefühl gab, zum alten

Eisen zu gehören. George gab ihm wie allen jungen Kollegen Ratschläge, aber Monkton wusste anscheinend schon alles. Er hörte geduldig zu, zeigte sich nach außen hin respektvoll, gab aber zu verstehen, dass George ihm nichts Neues sagte. Die Aufnahmeprüfungen waren heutzutage strenger. Die Neuen waren aus anderem Holz geschnitzt als zu seiner Zeit. George dachte in letzter Zeit häufiger daran, sich aus dem Polizeidienst zu verabschieden. Sein Vetter hatte einen Zeitschriftenladen, bei dem er mit einsteigen konnte.

Doch George Gamerro war ein zu erfahrener Polizist, um sein Misstrauen gegenüber Monkton einfach mit seiner persönlichen Abneigung zu erklären. Er ertappte sich dabei, dass er immer wieder Monktons Gesellschaft suchte, ähnlich, wie er hin und wieder zu einem Zeugen zurückkehrte, der nicht die Wahrheit sagte.

»Okay.« George stellte seine Thermosflasche für später auf den Schreibtisch. »Bereit zum Verhör?«

Monkton stand auf. »Aye.«

Sie gingen gemeinsam hinunter zu den Zellen, ließen sich Zeit, liefen schweigend nebeneinander her und bereiteten sich gedanklich auf das Verhör vor.

George wusste, dass es ihm zusetzen würde, ein Kind zu einem brutalen Mord zu verhören. Seine eigenen Kinder waren bereits Mitte zwanzig, aber er konnte sich noch gut daran erinnern, wie unfertig sie mit vierzehn gewesen waren. Er tröstete sich mit dem Gedanken, dass es keine größeren Komplikationen geben würde: Im Wagen hatte der Junge den Mord im Beisein von Monkton und Harry bereits gestanden. Jetzt mussten sie das Geständnis nur noch auf Band aufnehmen. Und selbst wenn sie kein Geständnis von ihm bekamen, würde es jede Menge Fingerabdrücke geben.

Die Wände im Gang waren mit fettigen Handabdrücken bedeckt. Das Licht war schummrig und bildete einen deutlichen

Gegensatz zum harten Neonlicht in den Verhörräumen. George hatte schon oft gedacht, dass die Beleuchtung den Befragten unterschwellig das Gefühl vermittelte, völlig von der Außenwelt abgeschottet zu sein.

Er und Monkton zögerten vor der Tür zum Verhörraum, sahen sich kurz an, sammelten sich. George öffnete die Tür in den grell beleuchteten Raum, und seine Pupillen zogen sich abrupt zusammen. Er spürte ein schmerzhaftes Stechen, als das Licht auf die Netzhaut traf. Mit tränenden Augen erriet er mehr, wo sein Stuhl am Tisch stand, als dass er ihn sah, und folgte dem Weg, den seine Beine schon bei Hunderten von Verhören an Hunderten verregneten Abenden gegangen waren.

Er sah den Jungen am Tisch nicht an. Weder er noch Monkton grüßten ihn oder die Frau, die hinter ihm saß. Das war keine absichtliche Unhöflichkeit. Sie mussten den Kassettenrekorder einschalten, bevor sie etwas sagten, damit alles aufgezeichnet werden konnte. George war bewusst, dass das unhöflich oder kalt wirken musste, aber es gab Vorschriften, und es war wichtig sie auch einzuhalten. Ihm war auch bewusst, dass er sich im Beisein von Monkton besonders korrekt verhielt, ihm zeigen wollte, wie es gemacht wurde, ihm beweisen wollte, dass er noch nicht zum alten Eisen gehörte. Einen Moment lang, als er sich setzte, kam er sich vor wie eine spätere Erinnerung Monktons, aus der Frühzeit seiner Laufbahn, eine Geschichte, die an spätere hoffnungsvolle junge Polizisten weitergegeben wurde, die jetzt noch zur Schule gingen; die Jungen, die zu den Männern heranwachsen würden, die Monkton einmal das Gefühl geben würden, alt und ahnungslos zu sein.

Er saß an der Wand, blinzelte, um den Blick frei zu bekommen, legte die Kassette ein, schaltete den Rekorder ein und nannte Datum, Ort und die Namen der Anwesenden. Dann begann er das Verhör.

»Michael Brown? Ist das dein Name?«

Ein geflüstertes »Aye.«

»Also Michael, wie du gerade gehört hast, bin ich Detective Sergeant George Gamerro. Ich werde die Befragung leiten.«

Der Junge schaute nicht auf. Er war klein für sein Alter, hatte schmale Schultern und trug ein schmutziges gelbes Nike-T-Shirt. Seine Augen waren geschwollen.

»Verstehst du mich, Michael?«

Ein ganz leichtes Nicken Richtung Tisch.

»Weißt du, wer die Frau hinter dir ist?«

Er sagte nichts.

»Yvonne ist Betreuerin in Cleveden House, dem Heim, wo du lebst, das stimmt doch?«

Der Junge nickte erneut.

»Michael, würde es dir etwas ausmachen, das zu sagen, damit wir es auf Band haben?« George war so sanft wie möglich, aber der Junge sagte trotzdem kein Wort.

»Okay. Also, Yvonne ist nicht hier, um dich juristisch zu beraten oder so. Sie ist nur hier, um sicherzustellen, dass es dir gutgeht, stimmt's, Yvonne?«

Yvonne blickte zu George hoch und nickte mit einem scheuen Lächeln. Sie war fast genauso schüchtern wie der Junge. Im Grunde schien sie selbst noch ein Kind, ein schmales Ding. Sie würde keine Probleme machen.

Georges Blick fiel auf das T-Shirt des Jungen. Schmutzig gelb. Nicht mit Dreck verkrustet, aber staubig, als ob er auf trockenem Boden herumgerollt wäre. Er stutzte. Etwas stimmte nicht mit dem T-Shirt. Er schaute auf das Gesicht des Jungen.

Michael Brown starrte Monkton an, und einen Moment lang dachte George, dass seine Augen nicht vom Weinen geschwollen waren, sondern vom Hass auf Monkton. Der Junge wirkte winzig, wie er so dasaß, mit hängenden Schultern, die Hände im Schoß, und zwischen den zusammengezogenen Brauen hindurchstarrte.

George fiel die Aufnahme wieder ein, und er hob ein Blatt Papier, damit die Pause klang, als würde er in seinen Unterlagen blättern. Doch er grübelte weiter darüber, was mit dem T-Shirt nicht stimmte. Plötzlich begriff er: Es hatte keine Blutspuren. Dabei war der Junge im Heim. Wenn er aus einer chaotischen Familie käme und das blutige T-Shirt schnell ausgezogen hätte, dann könnte es schon sein, dass er kein sauberes gefunden und einfach ein schmutziges vom Boden aufgehoben und angezogen hätte. George hielt Heime nicht unbedingt für einen geeigneten Ort für Kinder, wo immer sie auch herkamen, aber immerhin wurde dort auf Sauberkeit geachtet. Das musste man ihnen zugestehen. Die Kleider und die Bettwäsche der Kinder wurden regelmäßig gewaschen, die Schuhe wurden geputzt und die Kinder geschrubbt. In einem Heim lag nirgendwo ein schmutziges T-Shirt herum, das man schnell überstreifen konnte.

Er legte die Hand vor dem Jungen auf den Tisch, um ihn auf sich aufmerksam zu machen. Dann zog er die Finger zurück, und der Blick des Jungen folgte ihnen. Michael sah jetzt George an, der sich um eine freundliche Miene bemühte.

»Michael, hast du überhaupt vor, mit mir zu reden?«

Er war viel freundlicher als üblich. Er spürte, wie es in Monkton arbeitete; der jüngere Polizist zuzelte geräuschvoll an seinen Zähnen und verlagerte das Gewicht auf dem Stuhl.

Der Junge sah George aufmerksam an, studierte seine Miene.

»Ist das dein T-Shirt?«

Verwirrt fuhr sich Michael Brown mit dem Finger über die Brust. »Hab's gekauft.«

»In welchem Laden?«

Der Junge zog die Augenbrauen zusammen und musterte ihn finster, ähnlich, wie er vorhin Monkton angesehen hatte.

Er dachte, George würde ihn fragen, ob er das T-Shirt gestohlen hätte.

»Meine Nichte will nämlich auch so ein gelbes T-Shirt mit Nike-Schriftzug.«

Der Junge schnalzte herablassend über diesen lahmen Trick und ließ George damit vor Monkton blöd dastehen.

»Okay«, sagte er nun deutlich kühler, »*wann* hast du das T-Shirt angezogen?«

Der Junge schaute nach links, rechnete mit einer Falle, schaute nach rechts, suchte nach einem Grund, nicht zu antworten. Er fand keinen. »Gestern. Gestern morgen.«

Er hatte das T-Shirt vor dem Mord angezogen. George glaubte ihm. Monkton dagegen seufzte, so leise, dass es nicht auf Band zu hören sein würde. George fürchtete, dass ihm etwas entgangen war, dass er sich gerade blamierte. Er beschloss, das Thema zu wechseln.

»Was ist gestern Nacht passiert?«

Aber der Junge antwortete nicht, starrte nur Monkton an.

»Das ist deine Chance, deine Version zu erzählen, Michael.«

Nichts. Wütendes Starren. Monkton hatte den Kopf gesenkt und grinste hämisch.

»Was glaubst du, was es für einen Eindruck bei Gericht macht, wenn du dich weigerst, unsere Fragen zu beantworten? Die Geschworenen werden denken, nur jemand, der schuldig ist, weigert sich zu reden.«

Der Junge rutschte unruhig auf seinem Stuhl herum, als ob er unter dem Tisch etwas in der Hand hätte, mit dem er spielen würde.

»Hände auf den Tisch«, befahl George und der Junge folgte.

George versuchte es anders. »Michael, sag es uns einfach nochmal. Den Polizisten, die dich hergebracht haben, hast du ja schon gesagt, dass du deinen Bruder umgebracht hast.«

Er hatte an einer Schnittwunde herumgefingert, das war es, was er unter dem Tisch gemacht hatte. Er hatte kleine Hände, und sie waren leicht angeschwollen. Die Schwellung weckte Georges Aufmerksamkeit. Er sah genauer hin und entdeckte Blutergüsse, Kratzer und Striemen. Die Verletzungen waren nicht direkt auf den Knöcheln, also nicht da, wo sie wären, wenn er jemanden geschlagen hätte. Sie befanden sich auf der Rückseite der Finger zwischen den Knöcheln und auf seinem Handrücken. Jemand hatte ihn geschlagen. Sein großer Bruder hatte ihn geschlagen, und Michael hatte die Schläge abgewehrt, und irgendwie war die Sache außer Kontrolle geraten. George war erleichtert. Das war der Grund, das erklärte sein Mitgefühl.

»Hey, die Kratzer da an deinen Händen«, sagte er und betastete seine eigenen Knöchel, »wie ist das passiert?«

Aber der Junge sagte nichts. Er platzte nicht mit einer Erklärung heraus, warum er seinen Bruder getötet hatte. Er saß stumm da, schaute auf Monktons Hände, auf dessen aufgeplatzte Fingerknöchel. George sah, wie Monkton die Verletzungen mit der anderen Hand abdeckte. Seine Erleichterung war dahin: Monkton hatte den Jungen geschlagen und war jetzt bei der Befragung dabei, um sicherzustellen, dass er nichts davon erzählte.

George hatte zwei Möglichkeiten: Er konnte den Jungen noch einmal fragen, und der würde dann vielleicht sagen, dass Monkton ihn geschlagen hatte. Oder er fragte ihn nach etwas anderem. Wenn er nach seinen Händen fragte, war das auf Band. Selbst wenn George den Vorfall nicht meldete – derjenige, der das Protokoll anfertigte, müsste die Sache melden.

George war alt genug, um zu wissen, wie es einem Polizisten erging, der einen anderen Polizisten anschwärzte. Er dachte an Monktons Beziehungen zu mächtigen Vorgesetzten, an das wissende Lächeln, wenn der Name des Detective Chief Inspectors fiel, an das Händeschütteln im Flur.

Und George wusste, was passieren würde, wenn Browns Verteidiger davon erfuhr. Er würde den Vorfall natürlich nutzen, und das mündliche Geständnis im Auto wäre dann wertlos, Michael Brown würde nicht wegen Mordes verurteilt werden, er käme frei und würde ein Jahr später oder irgendwann wegen eines anderen Mordes verhaftet werden; ein zweites Leben, das er aufgrund eines unwichtigen Streits, einer kleinen Handgreiflichkeit aufs Spiel gesetzt hätte.

»Wann hast du deinen Bruder zuletzt gesehen, Michael?«

Der Junge zuckte mit einer Schulter, erinnerte sich. Panik flackerte in seinen Augen, und ihn verließ der Mut. Er schlug die verletzten Hände vors Gesicht und seufzte tief, bis keine Luft mehr in seiner Brust war. Jetzt würde er gestehen, da war sich George sicher, sie mussten nur warten.

Aber er gestand nicht. Michael Brown holte abrupt und laut Luft, ein Ertrinkender, der zurück an die Oberfläche kam. Er begann auf sich einzuschlagen, zerkratzte sich das Gesicht, riss mit den Nägeln Wangen und Lider auf. Yvonne sprang auf und packte seine Ellbogen, zog seine Arme nach hinten, bis er sich nicht mehr rühren konnte.

Sein Gesicht war völlig zerkratzt, die Augen waren weit aufgerissen und er atmete schwer; seine Brust hob und senkte sich, der Atem rasselte in seiner Kehle. George hatte so etwas noch nie gesehen; er musste an ein Tier denken, das zur Schlachtbank geführt wurde und Panik bekam. Er wollte nur noch raus.

Hastig leierte er die entsprechenden Formulierungen herunter, hielt die Aufnahme an und winkte Monkton, mit ihm den Raum zu verlassen. Sie redeten erst wieder, als sie draußen auf dem Flur waren und sich die Tür hinter ihnen geschlossen hatte.

Monkton sprach als erster. »Und was sollte das jetzt?«, grinste er hämisch.

George packte ihn bei der Schulter, drehte Monkton zu sich

und fuchtelte mit erhobenem Zeigefinger vor seinem Gesicht herum.

»Haben Sie den Jungen geschlagen?«

Monkton drehte den Kopf weg, verächtlich, fast spöttisch.

»Ach kommen Sie …«

George war fuchsteufelswild: »Haben Sie den Kleinen geschlagen, als Sie ihn hergebracht haben?«

»Als ob ich ein Kind schlagen würde«, entgegnete Monkton, doch etwas in seinem Ton signalisierte George, dass er die Sache auf sich beruhen lassen sollte.

Und George hatte die Sache bereits auf sich beruhen lassen. Er hätte Monkton danach fragen können, während die Aufnahme lief. Er hatte es ihm schon durchgehen lassen. Aber was er ihm nicht durchgehen lassen konnte, war der mangelnde Respekt ihm gegenüber, und das wusste Monkton.

Der seufzte und erklärte: »Er hat sich widersetzt, Sir. Im Auto hat er sich plötzlich gegen die Verhaftung gewehrt. Er ist völlig durchgedreht, wie gerade eben auch.«

Monkton warf einen Blick zurück auf den Gang. »Schlug sich selbst, zerrte an der Kopfstütze herum, und wir mussten ihn festhalten. Dabei hat er wohl etwas abbekommen.« Er hob entschuldigend die Hände. »Was soll ich Ihnen noch sagen?«

»Ich wollte, dass das Geständnis im Auto zählt, dass wir zur Bestätigung nur noch die Fingerabdrücke brauchen und den Fall dann abschließen können. Aber das wird dann wohl nicht ganz so laufen, oder, DC Monkton?«

»Nein, Sir«, sagte Monkton, als sich George bereits zur Treppe wandte. »Aber es hat ja auch seinen Grund, warum Sie die jungen Kollegen wie mich zu solchen Festnahmen schicken.«

George verlangsamte den Schritt, blieb hinter Monkton zurück. Monkton hatte seinen Stolz verletzt. Er deutete an, dass George seine besten Zeiten hinter sich hatte, was ja auch so war, das wusste er. Aber da war noch etwas. Was Monkton gesagt hatte, beunruhigte ihn. Und als er stehen blieb und versuchte, die unangenehmen Gefühle beiseite zu schieben – den verletzten Stolz eines älteren Mannes, das Gefühl des Machtverlusts, die Furcht, dass sich Monkton und die anderen jungen Polizisten aufgrund ihrer körperlichen Fähigkeiten überlegen fühlten –, sah er einen Kratzer an Monktons Nacken. Ein tiefer Riss, der sich diagonal zu den Haaren hochzog. Die Haare hatten einen rötlichen Schimmer vom Blut, das nur oberflächlich weggewaschen worden war. Ein möglicher Beweis, dass der Junge im Auto auf Monkton losgegangen war. Aber George sah darin etwas ganz anderes; eine Verletzung von einer Hand, die nach einem Hals griff, weil ein Polizist auf der Brust eines kleinen, mageren Jungen in einem gelben T-Shirt kniete. Die Hand des Jungen griff nach oben und hinterließ einen tiefen Kratzer im Nacken des bulligen Polizisten.

Monkton drehte sich mit einem Lächeln zu ihm um: »Soll ich Ihnen eine Tasse Tee holen, Sir?«

George schüttelte den Kopf. »Wir sehen uns in zehn Minuten wieder hier.«

Monkton trabte weiter die Treppe hinunter.

George fand Harry in der Kantine, wo er gerade seine belegten Brote aß, und zog ihn beiseite.

»Setzen Sie sich«, sagte er und deutete auf einen Tisch in der hintersten Ecke der Kantine.

Harry setzte sich lächelnd hin und stellte seine Tupperdose vor sich. George nahm den Stuhl gegenüber und schob die Dose weg.

»Hey!«, Harry blickte der Dose hinterher, »ich bin am Verhungern.«

»Sagen Sie mir ganz genau, Minute für Minute, was passiert ist, als Sie nach Cleveden gefahren sind und Michael Brown abgeholt haben.«

Harry war auf der Hut. »Na ja«, sagte er und griff nach seiner Jackentasche, »ich habe meine Notizen ...«

»Scheiß auf die Notizen«, sagte George. Sie wussten beide, welchen Wert Notizen hatten. Notizen dienten als Rechtfertigung gegenüber Außenstehenden, die nie geschlagen, gebissen oder angespuckt worden waren. Sie gaben die offizielle Sichtweise wieder, nicht die inoffizielle. »Erzählen Sie schon.«

Harry und George hatten sich schon immer gemocht. Beide spielten Bowls und waren Fans derselben kleinen Fußballmannschaft. Wenn sie näher beieinander wohnen würden und der Altersunterschied nicht wäre, wären sie befreundet. Aber das waren sie nicht.

Harry hatte die Hände flach auf den Tisch gelegt, die eine das exakte Spiegelbild der anderen, und sah George in die Augen. »Ich sage es *Ihnen*«, erklärte er und meinte damit: Ich werde es nicht melden und auch keine Aussage dazu machen. »Nur *Ihnen*.«

»Okay«, sagte George.

»Monkton ist durchgedreht. Hat auf halbem Weg angehalten, Brown aus dem Auto gezerrt und ihn angebrüllt: ›Wir könnten dich umbringen, niemand würde das je erfahren‹, ›dein Bruder war nur ein Stück Scheiße‹, ›um den ist es nicht schade‹, solche Sachen.« Er hielt inne und senkte den Blick. George ließ ihm Zeit. »Der Bruder des Kleinen. Tot, wissen Sie? Dieser kleine Kerl ...« Harry verlor sich in traurigen Erinnerungen.

»Warum war Monkton so wütend?«

Harry wirkte verwirrt. »Keine Ahnung. Der Kleine heulte. Er ist erst vierzehn, wenn man sich das mal überlegt. Monkton saß am Steuer, sah ständig in den Rückspiegel und wurde immer wütender. Keine Ahnung.«

George tippte ihm mit dem Zeigefinger an den Arm. »Was hat Michael Brown gemacht?«

Harry konnte seinem Chef nicht in die Augen sehen. Langsam zog er eine Schulter hoch. »Was hätte er tun können?«

George wusste nicht, was er sagen sollte. Harry war ein guter Kerl, ein guter Polizist. George war sich sicher, dass er Monkton von dem Jungen weggezerrt und ihn aufs Revier gebracht hatte. Er hatte bestimmt ein paar Worte zu dem Jungen gesagt, und wahrscheinlich war er auch derjenige gewesen, der im Heim angerufen und dafür gesorgt hatte, dass diese Yvonne aus dem Kinderheim kam und nicht einfach nur die zuständige Sozialarbeiterin.

»Hat er den Mord gestanden?«

Harry senkte den Blick zur Tischplatte. »Ich habe es nicht gehört.«

»Monkton sagt, Sie hätten es gehört.«

Harry konnte ihn nicht ansehen. »Ich weiß.«

»Und wann wurde daraus die offizielle Version?«

Harry seufzte. »Als wir seine Personalien aufgenommen und ihn eingebuchtet haben. Monkton sagte das so, als ob wir es beide gehört hätten, und sah mich nur an, damit ich es bestätigte. Hat mich angestarrt, bis ich genickt habe.«

»Mein Gott, Harry!«

»Ich weiß, das war blöd …« Harry versuchte es zu erklären. »Ich … ich dachte irgendwie …«

Doch George kannte seine eigenen Unterlassungssünden gut genug; er hatte nicht nur einmal Unregelmäßigkeiten ausgebügelt, damit ein Fall hieb- und stichfest war. Er schaute auf und sah, dass Harry zur Tür starrte.

Auf der anderen Seite des Raums stand Monkton und beobachtete sie. Er war nicht wütend und er wirkte auch nicht reumütig, sondern stellte eine Miene zur Schau, die auch George schon oft aufgesetzt hatte, wenn er mit einem Angeklagten zu tun hatte, der ihm zuwider war. Abscheu oder Verachtung. Ein Gesichtsausdruck, der bedeutete, dass der Zivilist vor ihm nicht genug Verstand hatte, um den Schaden, den er angerichtet hatte, überhaupt zu begreifen. Plötzlich kam George der Gedanke, dass Monkton ein ranghoher Vorgesetzter sein könnte, der ihre Abteilung auf die Probe stellte. Er wusste, dass das ein dummer Gedanke war, aber Monkton strahlte eine gewisse Autorität aus, und George wusste nicht, woher diese Autorität kam.

Er musste sich daran erinnern, dass er einen höheren Rang als Monkton hatte. George stand auf – er hatte ein bisschen Angst, das konnte er sich eingestehen – und ging zu ihm.

»Sie.« Er stach Monkton mit dem Zeigefinger gegen die Brust, als er an ihm vorbeiging. »Sie kommen jetzt sofort mit.«

Sie gingen in einen winzigen Verhörraum im hinteren Teil des Gebäudes. George forderte Monkton auf, sich zu setzen, aber er blieb stehen.

»Ich stehe lieber.«

»Es interessiert mich nicht, was Ihnen *lieber* ist. Setzen-Sie-sich-verdammt-nochmal-hin.«

Monkton setzte sich ihm gegenüber. Die beiden Männer sahen sich an.

»Sie haben den Jungen geschlagen.«

Monkton grinste höhnisch und lehnte sich zurück, verdrehte die Augen wie ein frecher Teenager.

George beugte sich über den Tisch und brüllte: »FÜR WEN HALTEN SIE SICH EIGENTLICH, VERDAMMT NOCHMAL?« Er hätte ihn am liebsten geschlagen, tat es aber nicht, Monkton lehnte sich weit im Stuhl zurück, hielt aber seinem Blick stand. Er ließ sich nicht einschüchtern.

»Was ist, wenn der Junge es gar nicht war, haben Sie daran schon einmal gedacht?«

Monkton schüttelte den Kopf. »Er war's.«

George brüllte wieder: »Das *wissen* wir noch nicht.«

Monkton sagte ruhig: »Oh doch, George. Die Fingerabdrücke stimmen überein.«

George verstand nicht. »Was meinen Sie mit ›stimmen überein‹?«

»Seine Fingerabdrücke, die Fingerabdrücke des Jungen, sind überall in der Gasse.« Er hielt die Hände hoch, die Finger gespreizt, präsentierte George alle zehn Finger. »Sie passen zu denen am Tatort.«

»Sie *könnten* passen.«

»Nein«, sagte Monkton langsam, »sie *passen*.« Er hob den Finger und zeigte zur Decke. »Sie passen.«

Wortlos stand George auf und verließ den Raum. Er schloss sorgsam die Tür und ging zur Toilette, wo er sich in einer Kabine einschloss. Er konnte nicht einmal weinen. Saß einfach auf dem Klodeckel und starrte die Tür an, blinzelte wieder und wieder. Es war Sonntag. Prinzessin Diana war tot. Niemand war da. Von der Verwaltung war heute niemand bei der Arbeit. Die Fingerabdrücke würden erst am Montagmorgen bearbeitet werden.

Aber Monkton hatte zur Decke gezeigt und signalisiert, dass das irgendwo ganz oben bereits beschlossene Sache war. Wenn George dem nachging, würde er sehr mächtige Leute gegen sich aufbringen. Er würde seinen Dienstrang verlieren, seine Pension. George wusste nicht, wer Monkton war oder wen er kannte oder warum er sich so sicher war.

In dem Moment beschloss er, aus dem Polizeidienst auszuscheiden und das Angebot seines Vetters anzunehmen, sich an seinem Zeitschriftenladen zu beteiligen.

13

Robert McMillan war noch nicht wieder ganz bei Bewusstsein, als sich sein Magen heftig zusammenkrampfte. Er sprang aus dem Bett, um etwas zu suchen, in das er sich übergeben konnte, und stellte fest, dass er in einem fremden Zimmer war. Er schaute nach links. Schaute nach rechts und nahm vage einen hellen Perserteppich und ein riesiges Doppelbett wahr. Vor seinem Mund tauchte ein schwarzer Abfalleimer aus Metall auf, und er übergab sich. Er verfolgte mit den Augen, wie der Eimer samt Inhalt wieder sanft vor ihm auf dem Boden abgestellt wurde.

Er war auf allen Vieren und nackt. Wieder erbrach er aus seinem leeren Magen grüne Galle, war nicht in der Lage, das krampfartige Würgen zu unterdrücken, nahm aber plötzlich seine Umgebung wieder deutlich wahr. Der Abfalleimer war aus Kupfer und schwarz lackiert, doch an einigen Stellen war der Lack abgeplatzt und das Kupfer schimmerte durch. Er sah aus wie etwas Militärisches, ein Mitbringsel aus dem Burenkrieg. Auf dem Boden des Eimers glänzte sein Mageninhalt, eine Pfütze aus Algenwasser, gesprenkelt mit schaumigen Speichelinseln.

Tod. Er hatte versucht, sich daran zu erinnern, den Gedanken nicht im Hintergrund verschwinden zu lassen, aber er entglitt ihm immer wieder. Selbst jetzt ließ er sich von unwichtigen Details ablenken. Der Teppich unter ihm war sehr schön gearbeitet, aus Seide, blasses Apricot mit weißen und gelben Blumen auf grünen Stängeln, mit einem ganz blassen Hauch Blau.

»Das war's.«

Eine Stimme hinter ihm, unbekannt, sanft. Und dann eine Hand auf seinem Rücken, beziehungsweise direkt auf seinem Hintern. Eine warme Handfläche auf seinen Hinterbacken. Obwohl ihm immer noch übel war, seine Nase vom anstrengenden Würgen tropfte und ihm die Augen tränten, erschreckte ihn diese zärtliche Geste. Er richtete sich abrupt auf, woraufhin Kopf und Augen massiv gegen die heftige Bewegung protestierten.

Er öffnete die Augen, blinzelte bemüht um klare Sicht die Tränen weg und wandte mit großer Anstrengung den Kopf zu der Gestalt links hinter ihm.

Leuchtend orangerotes Schamhaar unter einer kleinen Bauchfalte. Beunruhigend große rosafarbene Brustwarzen.

Der Hippie stand völlig unbefangen mit hängenden Armen neben ihm und betrachtete ihn gelassen. »Pass auf, dass nichts daneben geht«, sagte er sanft und musterte das Erbrochene. »Der Teppich ist mindestens dreißigtausend wert.«

Er wandte sich um und watschelte zur Tür. Robert sah seinen hängenden Arschbacken nach, bis sie im dunklen Flur verschwunden waren, dann wandte er sich wieder dem Mülleimer zu und übergab sich erneut.

Auf dem Tisch neben Robert stand eine Tasse Kaffee, daneben ein kobaltblaues Glas mit Wasser und ein Streifen Schmerztabletten, die er sich bereitgelegt hatte.

Er starrte darauf, versuchte, den Blick auf den Tisch zu konzentrieren. Sobald er sich aufrappeln konnte, stolperte er unsicher durchs Schlafzimmer und zog seine Hose an. Dann folgte er dem Klang des Radios in die Küche. Der Hippie war immer noch völlig nackt. Es schien ihn überhaupt nicht zu stören, im bläulichen Licht eines kalten Tages splitterfasernackt in der Küche herumzuwerkeln, barfuß, mit ausgestelltem Bauch und hängendem Hintern.

»Fußbodenheizung«, sagte er, als ob er eine Frage beantworten würde.

Robert brauchte eine Weile, um zu begreifen. Fußbodenheizung. Er wackelte mit den Zehen. Der Schieferboden war ganz warm. Sehr angenehm.

Er nahm zwei Tabletten, steckte sie in den Mund und versuchte, sie mit so wenig Wasser wie möglich hinunterzuspülen. Sie blieben in seinen Wangentaschen hängen, das Wasser löste sie auf, und er spürte das Pulver hinten auf seiner Zunge. Er schaffte es, noch ein paar Schluck Wasser zu trinken, aber der bittere Nachgeschmack des Paracetamols blieb und blockierte seine Speicheldrüsen.

Der Hippie setzte sich im rechten Winkel zu ihm an den Tisch.

»Erinnerst du dich an letzte Nacht?«, fragte er ruhig.

Robert hatte keine Ahnung. Er erinnerte sich, dass er im Salon gewesen war, betrunken und heulend. Der Hippie war auch da gewesen, hatte ihn aber nicht angeschaut. Es war dunkel im rosa Salon gewesen. Kaminfeuer und noch ein Drink. Er stand irgendwo, irgendwo in einem Raum mit niedriger Decke, neben einer Tür. Dann erinnerte er sich nur noch an das Aufwachen und wie ihn eine Welle von Übelkeit aus dem Bett trieb.

Robert hatte am Vortag nichts gegessen. Er stellte sich vor, wie er geweint und dem Hippie alles erzählt hatte. Hatte er das? Der Hippie hätte es wahrscheinlich gar nicht kapiert. Die Geschichte war so kompliziert, Robert hätte vom Geld erzählen müssen und den Fotos von Rose und von dem Bericht an die SOCA und dass Männer kommen und ihn töten würden. Der Hippie wäre angeekelt gewesen, wenn er ihm alles erzählt hätte. Und er hätte sicher Angst. Bestimmt hätte er vorgeschlagen, die Polizei zu rufen.

»Du warst ein bisschen betrunken.«

»Tatsächlich?« Robert war sich sicher, dass für seinen Black-out mehr nötig gewesen war, Haschkekse oder irgendwelche Pillen vielleicht. Seine Kehle fühlte sich rau an, vielleicht hatte er irgendetwas geraucht.

»Ich muss los«, sagte der Hippie.

Robert trank seinen Kaffee und spürte, wie die Tabletten wirkten. Schnappschussartig fielen ihm weitere Einzelheiten ein. Er stürzte. Ein quadratischer Tisch mit einem Glas darauf.

Sie würden ihn töten, wenn sie ihn hier fanden.

Der Hippie kam noch einmal an die Küchentür, dieses Mal bekleidet. Er trug ein Tweed-Cape mit einem passenden Hut, bestückt mit einer bizarren Fasanenfeder.

»Wann kommen deine Freunde?«

Robert wusste nicht, was er sagen sollte. Um fünf? Neun? Morgen? Was hatte er gestern Nacht gesagt? Und schließlich: Warum lügen? Trug der Mann eigentlich Frauenkleider?

»Sie kommen nicht. Ich bin allein.«

Robert konnte den Hippie nicht ansehen, starrte nervös auf seine Kaffeetasse, auf das blaue Glas und die Spiegelung des Hippies darin.

Im Glas wirkte das Gesicht verzerrt, als ob er einen Schlaganfall gehabt hätte. In seiner Verlegenheit drehte sich Robert um und fragte vorwurfsvoll: »Trägst du etwa Frauenkleider?«

»Ich?« Der Hippie strich mit den Händen über seinen Bauch und sah an sich hinunter. »Weiß nicht.«

»Das sind Frauenkleider.«

»Okay.« Er straffte die Schultern. »Aber auf jeden Fall gute Qualität.«

Nach einer Weile hörte er, wie die Tür ging, und wenige Augenblicke später spürte er, wie kalte Luft um seine Zehen strich. Der Hippie war nach draußen gegangen. Die Wohnung im Souterrain hatte einen eigenen Eingang.

Hinter dem Haus ertönte ein lautes Brummen, und als Robert aus dem Fenster schaute, sah er vier dicke Räder vorbeifahren. Der Saum eines Tweed-Umhangs und Cowboystiefel auf einem Quad.

Mit vorsichtigen Bewegungen und bemüht, den Kopf möglichst gerade zu halten, stand Robert langsam auf und sah sich im Zimmer um. Ein großer, cremefarbener Aga-Herd, alt und mit abgeplatzter Farbe und drei Klappen, die wie erschöpft schräg in den Scharnieren hingen. Auf dem Herd stand ein großer Topf, in dessen Henkel ein Holzlöffel steckte. Daneben lag ein Schneidebrett mit frischem weißem Brot, das mit der angeschnittenen Seite auf dem Brett lag, damit es nicht austrocknete.

Sein erster Impuls war, zum Brot zu gehen und daran zu riechen, aber sein Magen zog sich schon beim bloßen Gedanken daran zusammen. Er sollte hier verschwinden.

In seinem Schlafzimmer folgte er der Spur seiner Kleider, das Hemd beim Kleiderschrank, die Weste etwas näher beim Bett. Er fand eine Socke auf der Decke und vermutete die andere auf dem Leintuch. Tatsächlich, da war sie, auf halbem Weg Richtung Fußende. Eine plötzliche Erinnerung. Er und der Hippie im Bett, betrunken. Umarmten sie sich? Robert setzte sich auf. *Umarmten sich? Nackt?* Erinnerte er sich wirklich daran?

Nein.

Das malte er sich nur aus. Mit dem Bild verband er keine körperlichen Empfindungen. Das war keine Erinnerung. Oder doch? Nein. Oder vielleicht doch? Das war ähnlich wie das Bild, wie er im Salon weinte, aber das war nicht sehr wahrscheinlich, oder doch? Andererseits war da die Socke in seinem Bett. Und der Hippie hatte ihn an den Hüften festgehalten, als er sich übergeben hatte. Außerdem trug er Frauenkleider und Hüte mit Federn. Das war nicht normal, wirkte an ihm aber auch nicht schwul, sondern mehr wie eine geschmackliche Verirrung.

Schaudernd musterte Robert das Bett. Nein. Mein Gott, nein, da war nichts passiert.

Jetzt machte er sich Gedanken, weil er überhaupt darauf gekommen war.

Und dann, wie eine lästige gesellschaftliche Verpflichtung, fiel ihm ein, dass er heute ermordet werden würde, dass sein Leben bald für immer zu Ende war und er sich keine Gedanken über solche Sachen machen musste. Körperkontakt und Umarmungen waren, ob unangebracht oder nicht, derzeit seine kleinste Sorge.

Seine Schuhe fand er draußen vor der Tür, den einen ordentlich abgestellt, den anderen auf der Seite liegend. Er hatte alles. Dann fiel sein Blick auf den Abfalleimer neben dem Tischchen.

Ein wirklich schönes Stück. Das trübe Tageslicht fiel durch die niedrigen Fenster direkt auf das freiliegende Kupfer, doch es waren nur ein paar abgeplatzte Stellen hier und da in der tiefschwarzen Lackierung. Der Rand war gerollt und aus Kupfer und an einer Seite eingedellt, als ob jemand dagegengetreten wäre. Er ging hinüber und schaute hinein.

Der Hippie hatte den Eimer geleert, ausgewaschen und abgetrocknet und wieder da hingestellt, wo er hingehörte.

Die Kleider, die Möbel, das Haus; alles, was der Hippie hatte, war aus zweiter Hand, gehörte jemand anderem. Er trug einen Damenmantel aus edwardianischer Zeit und dazu Cowboystiefel, außerdem fuhr er ein dreckiges Quad. Er lebte im Schloss seiner Vorfahren, bewohnte seine eigene Vergangenheit. Robert wünschte, er könnte ihm von seinem Vater erzählen, denn von allen Menschen würde der Hippie vielleicht am besten verstehen, was für eine erdrückende Last so ein Vermächtnis sein konnte.

Mit seinem Bündel Kleider im Arm trat Robert hinaus in den Flur. Eine offene Tür gab den Blick auf eine Steintreppe frei, die ins Innere des Schlosses führte. Als er die Tür der kleinen Souterrainwohnung zumachte, hörte er, wie hinter ihm das Schloss einrastete. Sofort spürte er eine deutliche Kälte. Er setzte den Fuß auf die erste Stufe, und da war es wieder, hatte nur auf ihn gewartet: Das Bewusstsein, dass er bald sterben würde.

14

Unter dem runden Portikus des High Court drängten sich die Raucher. Alle Verhandlungen starteten um punkt zehn, und jeder war bestrebt, vorher noch so viel Nikotin wie möglich in die Blutbahn zu bekommen. Kronanwälte in ihren Roben standen in kleinen Gruppen beisammen und rauchten schweigend neben den Familien der Angeklagten und den Angehörigen der Opfer, alle hatten den Blick gesenkt und mieden jeden Kontakt. So groß die Unterschiede zwischen allen auch sein mochten, im Raucherbereich einte sie die gemeinsame Sucht.

Wheatly setzte Morrow auf dem Parkplatz ab. Im Gehen suchte sie nach Atholls Gesicht unter den Rauchern. Sie rechnete damit, ihn dort zu sehen. Sie wusste nicht, ob er rauchte, nahm es aber an. Während sie die Gesichter musterte, nahm sie aus den Augenwinkeln einen weißen Kasten wahr. Sie blieb stehen, drehte sich um und sah einen weißen Lieferwagen, der sich in den Verkehr am Salt Market einfädelte. Wheatly hatte ihr die Autonummer von vorhin nicht genannt. Er wollte gerade hinter ihr vom Parkplatz fahren, aber sie gab ihm ein Zeichen anzuhalten.

»Die Autonummer«, sagte sie. »haben Sie etwas herausgefunden?«

»Keine Vorstrafen. Ein Typ namens Stepper.«

Sie sah auf die Straße, aber der Lieferwagen war weg. »Versuchen Sie, so viel wie möglich über ihn herauszufinden, bis ich zurück bin«, sagte sie und ging weiter.

Es gab viele weiße Lieferwagen, da konnte man leicht paranoid werden. Trotzdem ging sie im Kopf die Liste der Verdächtigen durch: Irgendwelche Typen, die Michael Brown beauftragt hatte, Jugendliche im schulpflichtigen Alter, die mit Pistolen herumfuchtelten. Dannys Leute, lächelnde Haie, Lügner, die ein Foto von Morrows Mutter herumzeigten. Misstrauische Kreditgeber. Wütende Zimmerleute auf der Suche nach reparaturbedürftigen Dächern. Das war keine Liste mit Verdächtigen, das war eine Liste ihrer Sorgen.

Morrow kam an der Glaswand vorbei und schaute in die Eingangshalle. Die beiden Polizisten waren da, noch ohne Waffen, aber in ihren schwarzen Uniformen und mit ihrem abweisenden Blick wirkten sie trotzdem einschüchternd. Sie würden die Waffen erst sichtbar tragen, wenn die Eingangshalle leer war und Brown hereingeführt wurde.

McCarthy war schon da, saß auf einer Bank mit Blick zur Tür, die Tasche zur mobilen Abnahme der Fingerabdrücke zu seinen Füßen. Er wartete wohl schon länger auf sie, denn er lächelte erfreut und winkte fröhlich, als er sie sah. Dann errötete er und senkte verlegen die Hand.

Morrow ging durch die Drehtür, schaute noch einmal zu ihm rüber, lächelte und winkte ihm so zu, wie sie den Zwillingen bei einer Karussellfahrt zuwinkte. Sie grinsten sich an.

In der Schlange zur Sicherheitskontrolle stand sie hinter einem sehr alten Mann. Er roch nach Teerseife. In seinem Nacken sah sie tiefe Falten, die Spuren von Tausenden Blicken zum Himmel. Er hatte eine Plastiktüte dabei. Dexie, der Sicherheitsmann, stocherte mit seinem Stift darin herum und wirkte zunehmend verwirrt.

»Tut mir leid, Sir, aber was ist das?« Dexie war ein ehemaliger amerikanischer Soldat, der eine Frau aus Hamilton geheiratet hatte. Er hatte amerikanische Zähne und sah in Gesellschaft von Glasgowern auffallend gesund aus. Außerdem war er einen ganzen Kopf größer als die meisten seiner Mitbürger und hatte eine breite Brust. Aufgrund seines Akzents und seines Selbstvertrauens hatte Morrow in seiner Gegenwart immer das Gefühl, unwissentlich in einer seltsam langweiligen Fernsehserie mitzuspielen.

Der alte Mann erklärte ihm, was es mit Novenen auf sich hatte.

»Gebetskarten?«, fragte Dexie und wusste nun auch nicht viel mehr.

»Nicht ganz«, sagte der nach Seife riechende Herr und setzte zu einer längeren theologischen Erläuterung an.

»Verkaufen Sie die?«, unterbrach ihn der Sicherheitsmann. Morrow kannte Dexie. Er war intelligent und musste eigentlich nicht weiter nachfragen, schließlich handelte es sich nicht um eine Pistole oder Bombe, aber er hatte eine gewisse distanzierte Neugier, ähnlich wie ein Tourist, außerdem wusste er, dass er die Schlange rechtzeitig abfertigen würde. Er hatte einfach Interesse.

»Natürlich *nicht* …«

Dexie unterbrach ihn: »Verteilen Sie sie nicht und lassen Sie sie auch nicht liegen, Sir.« Er schob die Tasche mit Gebeten durch den Metalldetektor und winkte ihn weiter.

»Wie geht's heute, Ma'am?«

»Sehr gut, Dexie, und Ihnen?«

»Viel zu tun.«

Morrow zog den Mantel aus und legte ihn in eine Plastikschale, bevor sie den Inhalt ihrer Taschen zusammen mit ihrem Handy und ein paar Münzen in eine andere Schale gab. Dexie schob beide auf den Rollen durch das Röntgengerät. Morrow öffnete ihre Handtasche, er nahm sie, winkte sie durch den Metalldetektor und gab ihr die Tasche zurück.

Er wünschte ihr einen schönen Tag, und sie ihm ebenfalls.

Eigentlich wollte sie weitergehen, aber dann blieb sie stehen und hielt ihn von der Überprüfung des nächsten Sicherheitsrisikos ab. »Sagen Sie mal, Dexie, ist Anton Atholl schon da?«

»Tja, also …« Sie sollte zum Empfang gehen und dort nachfragen, aber Dexie sah, dass dort bereits eine lange Schlange war. »Hm.« Er sah sie an. »Ja. Allerdings weiß ich nicht, wo er heute ist. Ich glaube, in Saal vier.«

»Das weiß ich. Er nimmt mich dort nachher ins Kreuzverhör. Danke Dexie, ich werde ihn schon finden.«

McCarthy wartete auf der anderen Seite. »Hab alles dabei.« Er hob die große rechteckige Tasche hoch.

»Wunderbar.« Als sie aufschaute, sah sie Anton Atholl, der gerade mit einem anderen Anwalt die Treppe herunterkam, beide mit Perücke und Robe und in ein ernsthaftes Gespräch vertieft.

Sie bat McCarthy zu warten und ging zu Atholl. Sie erinnerte sich an ihren kleinen Flirt und war auf der Hut. Aber sie hätte sich keine Gedanken machen müssen. Er war völlig verkatert, das sah sie an seiner Kopfhaltung. Er versuchte, den Kopf so wenig wie möglich zu bewegen.

Morrow hatte am Vorabend nur zwei Gläser Wein getrunken und fühlte sich trotzdem nicht hundertprozentig fit. Dabei hatte sie das zweite nicht einmal ganz geleert, falls die Jungs die ganze Nacht wach waren, aber die beiden hatten glücklicherweise geschlafen. Sie hatte einmal einen Kater gehabt. Das war schon lange her, bevor sie zur Polizei gegangen war; sie hatte an dem Abend einfach falsch eingeschätzt, wie viel Bier sie vertrug. Ihr war einen ganzen Tag lang übel gewesen, und sie hatte heftige Kopfschmerzen gehabt. Doch als Atholl sie ansah, wusste sie, dass ihr schwerer Kopf vor vielen Jahren nicht annähernd mit dem vergleichbar war, was er gerade durchmachte.

»Eine schöne Trauerfeier gehabt?«

Er versuchte zu lächeln, ließ es dann aber lieber. »Mr. McMillan hätte es gefallen, denke ich.«

»Ging hoffentlich nicht bis spät abends?«

»Nein, nein. Ein paar von uns sind noch in einen privaten Club gegangen.« Er lächelte dem Mann neben sich zu, als ob der auf die Idee gekommen wäre, aber der andere Anwalt sah ihn mit leerem Blick an. »Wir sind bis in die frühen Morgenstunden geblieben. Tolle Nacht. Wird in die Geschichte eingehen. Mit Shakespeare-Zitaten und allem Drum und Dran, Sie wissen schon: ›Good night, sweet prince‹ und so.«

Er schmückte die Sache übertrieben aus. Morrow überlegte, dass die Nacht vielleicht doch düsterer gewesen war, als er zugeben wollte. Er wirkte ein bisschen traurig. »Und was kann ich heute für Sie tun?«

Seine einstudierte prätentiöse Art war ein Schutz, dachte sie, um andere Leute abzuschrecken. »Ich muss Sie etwas fragen.«

Atholl verabschiedete sich von dem anderen Anwalt mit einem Nicken und führte Morrow zu einer Bank an der hohen Glaswand. Er setzte sich neben sie, ein bisschen zu dicht, seine Hüfte berührte fast ihre. Er roch nach altem Alkohol. Morrow rückte von ihm ab.

»Wir müssen von Ihrem Klienten Fingerabdrücke nehmen, mit einem mobilen Gerät. Wir haben seine Fingerabdrücke an einem Tatort gefunden, sie sind erst wenige Tage alt.«

Atholl runzelte die Stirn. »Aber er war in Haft.«

»Deshalb brauchen wir die Fingerabdrücke.«

Atholl richtete sich auf und wandte den Blick ab. Er dachte kurz darüber nach und lachte dann verlegen. »Was für ein Tatort?«

»Ein Mord.«

Er brummte nachdenklich und drehte sich dann mit dem

Oberkörper zu ihr, ohne den Kopf zu bewegen. »Ich weiß nicht, ob Brown damit einverstanden ist. Sie können nur darauf bestehen, wenn ein neuer Verdacht gegen ihn vorliegt.«

Sie war sicher, dass Atholls Zögern gespielt war.

»Ich glaube, er wird zustimmen. Ich glaube sogar, dass er weiß, was wir von ihm wollen.« Sie stand auf, mit dem Rücken zur Scheibe, damit das grausam helle Morgenlicht Atholl ins Gesicht schien. Er zuckte zusammen. »Ich glaube, *Sie* wissen, was wir von ihm wollen.«

»Nein.« Atholl sagte das so schlicht, dass sie ihm fast glaubte. Sie war etwas ratlos.

»Okay, fragen Sie ihn, wenn es möglich ist«, sagte sie. »Achten Sie darauf, ob er überrascht ist.«

Sie stand auf und machte sich auf den Weg zum Zeugenraum, aber Atholl kam ihr nach. »DI Morrow«, sagte er und zuckte erneut zusammen, weil er sich zu schnell bewegt hatte. »Michael Brown ist sehr krank.«

Sie schaute ungläubig.

»Morbus Crohn«, sagte er leise. »Ziemlich weit fortgeschritten. Sagt Ihnen die Krankheit etwas?«

»Was mit dem Darm?«

»Etwas ziemlich Übles ›mit dem Darm‹.«

»Also, wenn Sie jetzt hoffen, dass ich Mitleid mit ihm habe, nur weil er …«

»Ich bitte Sie nicht um Mitleid.« Atholls Ton hatte sich verändert, er flüsterte jetzt und klang sehr ernst. »Ich sage nur: Ich glaube nicht, dass er der große Ränkeschmied ist. Als er draußen war, wurde er überhaupt nicht behandelt. Er hat überall an den Schienbeinen offene Wunden, er schafft es in seiner Zelle kaum bis zur Toilette. Verstehen Sie, was ich sage? *Darum geht es nicht*, das meine ich …« Atholl zuckte mit den Schultern. »Was soll's. Ich werde ihn fragen.«

Morrow sah ihm nach, beobachtete, wie er versuchte, den Kopf gerade zu halten. Sie hätte ihm widersprechen und auf die Villa auf Zypern verweisen können, aber dann hätte er gewusst, dass sie von Interpol Informationen über die Banktransaktionen seines holländischen Anwalts erhielten.

Eine Lautsprecherdurchsage verkündete, dass die Verhandlung gleich beginnen würde.

»Sie warten hier, bis wir gerufen werden«, sagte sie zu McCarthy. »Könnte allerdings eine Weile dauern.«

»Kein Problem«, sagte er leichthin. »Ich kann warten.«

Auf dem Weg ging Morrow plötzlich auf, dass Brown vielleicht plante, die Villa auf Zypern zu verkaufen, um seine Anwälte zu bezahlen. Womöglich betrachtete sie das alles aus einem ganz falschen Blickwinkel. Sie zeigte dem Sicherheitsmann an der Tür ihren Ausweis und ging in den Warteraum für Zeugen. Sie schaltete ihr Telefon auf stumm, holte ihre Unterlagen aus der Tasche, falls sie sie brauchen sollte, und legte den Mantel ordentlich über einen Stuhl. Den konnte sie hier lassen, überlegte sie, und hörte bereits die Gerichtsdienerin rufen und das Scharren der Stühle, als sich alle für den Richter erhoben.

Sie stellte sich an die Tür, wie ein Schauspieler, der auf sein Stichwort wartet. Worauf hatte Atholl angespielt, als er sie fragte, ob sie verstand, was er ihr da sagte bzw. nicht sagte? Sie konnte nicht einmal erraten, worum es hier überhaupt ging.

Die Tür ging auf, und die Gerichtsdienerin forderte sie auf, in den Gerichtssaal zu kommen. Morrow ging nach unten. Dieses Mal hatte sie die richtigen Schuhe an, flach mit weicher Sohle. Sie zog nicht viel Aufmerksamkeit auf sich: Die Geschworenen kannten sie schon, Brown wusste, wie sie sich verhalten würde, und Atholl war mit seinen Akten beschäftigt. Sie nutzte die Gelegenheit und sah sich genauer um.

Michael Browns Gesicht war so weiß, dass es fast silbrig

wirkte. Er hatte abgenommen und starrte auf den Boden. Atholl sammelte die Papiere aus seinem Ordner zusammen.

Die Gerichtsdienerin sah mit einem leichten Lächeln zu Atholl hinüber, in ihrem Blick lag Sympathie, aber auch Skepsis. Dann wandte sie sich Morrow zu, erinnerte sie, dass sie noch unter Eid stand, und legte eine Nachricht vor sie auf die Ablage des Zeugenstands. Einen gefalteten cremefarbenen Zettel, auf dem mit schwarzer Tinte *z. Hd. von DI Morrow* stand. Anhand der schwungvollen Schrift wusste sie sofort, dass der Zettel von Atholl war.

Er sammelte seine Ordner zusammen, ging zu seinem Platz, legte seine Sachen ab und erbleichte dramatisch. Er zögerte, öffnete die oberste Akte, und während er sich sammelte, kehrte die Farbe in sein Gesicht zurück. »DI Morrow.«

Atholl schaute auf und schenkte ihr ein strahlendes Lächeln. »Wie geht es uns heute?«

Er wollte sie auf dem falschen Fuß erwischen.

»Gut.« Sie strahlte zurück. »Und wie geht es Ihnen?«

Die Geschworenen kicherten, die Gerichtsdienerin entspannte sich, und das Spiel begann von Neuem.

Morrow brauchte keine dreißig Minuten, um ihre Aussage zu beenden. Sie durfte gehen, nahm die Stufen vom Zeugenstand nach unten und dann hinauf in den Warteraum für Zeugen. Dieses Mal hatte sie sogar an ihre Tasche gedacht. Dr. Peter Heder, der Experte für Fingerabdrücke, wartete darauf, aufgerufen zu werden. Pete war groß und bärtig, ein Mann, der alles hinterfragte und dessen Stärke eher in seiner Fachkenntnis lag als in seinem Präsentationsstil. Er sprang eilig auf, seine Wange zuckte nervös.

»DI Morrow, hallo.«

»Hi Pete.«

Er sah nervös an ihr vorbei. »Da draußen alles in Ordnung?«

»Absolut. Nichts, worüber Sie sich Sorgen machen müssten.«

Pete schaute weiter auf die Tür. Morrow nahm ihren Mantel, ging hinaus in die Vorhalle und öffnete den Zettel, den ihr die Gerichtsdienerin hingelegt hatte.

In schönster Schreibschrift hatte Atholl geschrieben:

DI Morrow:
Mr. Brown sagt »Nein«.
AA

Das ergab keinen Sinn.

»Ma'am?«

Es ergab einfach keinen Sinn.

»Gehen wir jetzt zu den Zellen, Ma'am?« McCarthy stand vor ihr und hielt die Tasche mit dem Fingerabdruck-Scanner hoch.

»Nein.« Sie schob den Zettel in die Tasche. »Zurück ins Büro.«

Sie musste in Ruhe über die Sache nachdenken. Gemeinsam gingen sie zum Wagen. McCarthy schloss auf, und sie stiegen ein.

Schweigend fuhren sie zurück zum Revier. Auf der neuen Dalmarnock Road sah Morrow zum Fenster hinaus auf die Stadt und auf das unbebaute Abrissgelände im Osten.

Sie musste noch einmal von vorn anfangen: Sie hatte angenommen, dass der Mord arrangiert worden war, damit die Anklage wegen Waffenbesitzes gegen Brown fallengelassen wurde. Aber die Fingerabdrücke auf den Waffen passten. Sie wusste, dass sie passten.

Wusste sie das wirklich? Sie musste den gesamten Fall noch

einmal prüfen. Als sie in Gedanken die Beweise und Ereignisse durchging, fragte sie sich, wie sie es geschafft hatte, sich in eine derartige Sackgasse zu manövrieren, ohne Abzweigung, ohne Schlupfloch; es schien keinen Punkt zu geben, an dem sie eine falsche Entscheidung getroffen hatte – oder überhaupt irgendeine Entscheidung, um genau zu sein.

»Da ist ein Lieferwagen …«, murmelte McCarthy.

Morrow hörte nicht hin. Sie legte im Geist eine Skizze von den Ereignissen an: Brown war aufgrund der Fingerabdrücke verhaftet worden. Sie nahmen seine Fingerabdrücke, gaben sie in den Computer ein, erhielten eine Übereinstimmung mit der Nummer, unter der seine Abdrücke registriert waren. Eine hohe Übereinstimmung, wie die Datenbank meldete. Sie nahmen ihn fest. Er kam direkt in Haft. Und während er in Haft war, tauchten eben diese Fingerabdrücke neben einem Toten an einem Tatort auf. Das war nicht ihr Fall. Sie musste dem gar nicht nachgehen. Er weigerte sich, sich noch einmal die Fingerabdrücke abnehmen zu lassen. Sie konnten also die Übereinstimmung nicht prüfen.

Als McCarthy auf den Parkplatz hinter dem Polizeirevier fuhr, fiel ihr ein, dass Atholl bei der Präsentation der Indizien durch den Fingerabdruckexperten die am Tatort gefundenen Fingerabdrücke aufgreifen würde. Sie hätte im Gericht bleiben sollen.

»Soll ich das einfach wieder zurückbringen?«, fragte McCarthy und griff nach hinten zur Tasche auf dem Rücksitz.

»Ja«, sagte sie abwesend und griff nach ihrem Handy. »Ja, vielleicht.«

Sie stieg aus, blieb aber auf dem Parkplatz stehen und ging die gespeicherten Nummern durch. Irgendwo musste sie sein. Da. Sie rief Pete Heder an.

Vielleicht war er noch im Zeugenstand. Sie sah auf die Uhr.

Zehn Minuten, bevor bei Gericht Mittagspause war. Wahrscheinlich hatte Pete sein Handy im Gerichtssaal dabei. Als es klingelte, stellte sie sich vor, wie er im Zeugenstand panisch seine Taschen nach dem Handy abtastete und sich wortreich entschuldigte.

Er ging dran, und sie hörte, dass er schon draußen war.

»Pete Heder?«

»Alex Morrow, sind Sie das?«

»Aye, ich habe nur eine kurze Frage, Pete: Ist heute bei Gericht irgend etwas Merkwürdiges angesprochen worden?«

»Nein. Direkte Identifizierung, Punkt-für-Punkt-Abgleich und Zehner-Abdrücke. Ein Abdruck der Handfläche. Nichts Ungewöhnliches.«

»Okay. Vielen Dank. Tschüss.«

»Kein Probl...«

Sie hatte bereits aufgelegt. Sie wollte ihren Gedankengang nicht unterbrechen.

Als sie sich umsah, war McCarthy weg. Wahrscheinlich war er schon drin.

Langsam ging sie die Rampe zum hinteren Empfang hoch, wo Mike, der diensthabende Sergeant, ruhig hinter einer runden Glaswand an den Computern saß.

»DS Harkins.«

»DI Morrow.« Er stand auf, bereit für einen kleinen Plausch. »Wie geht es Ihnen?«

»Mike, könnte ich einen Blick ins Protokollbuch werfen?«

Er richtete sich auf. »Von heute?«

»Nein, von dem Tag, an dem wir Michael Brown festgenommen haben.« Sie schrieb das Datum auf einen Zettel und reichte ihn ihm.

»Das ist im Magazin, Ma'am.« Er schaute in ihr ausdrucksloses Gesicht. »Ich hole es.«

Er ging und schloss mit seinen Schlüsseln den Magazinraum auf. Morrow betrachtete derweil das Gerät zum Einscannen der Fingerabdrücke hinter dem Schreibtisch. Es sah aus wie eine Videospiel-Konsole: Der Bildschirm war auf Augenhöhe, groß und sperrig und kein schöner Anblick. Erst vor kurzem hatte man den Bildschirm ersetzen müssen, weil ein Junkie ihm einen Kopfstoß verpasst hatte. Daneben stand eine Sprühflasche mit Desinfektionsmittel, dazu Gummihandschuhe und Papiertücher. Sie wusste noch, wie Brown davor gestanden hatte, sie war gerade vorbeigegangen, als seine Fingerabdrücke genommen wurden.

Morrow stand im stillen Empfangsbereich und schaute auf die Monitore. Hin und wieder klang ein Geräusch aus den Zellen. Sie sah auf die Tafel: Zwei Personen in Gewahrsam. Ein ruhiger Tag.

Mike kam mit einem schwarzen Protokollbuch zurück und legte es vor ihr auf den Schreibtisch, die Hand auf dem Umschlag. »Sie müssen das hier bei mir ansehen.«

»Kann ich es nicht mit rauf ins Büro nehmen?«

»Nein, das Protokollbuch muss hier bleiben.«

Sie blätterte zum gesuchten Datum, folgte den Einträgen bis zur richtigen Uhrzeit, es war so gegen zehn gewesen, und fand seinen Eintrag für 10.23 Uhr. Sie notierte sich die Referenznummer neben Michael Browns Namen und schob das Buch zu Harkins rüber.

»Danke, Mike.«

In ihrem Büro schaltete sie den Computer an, loggte sich ein und tippte die Referenznummer für die Fingerabdrücke, die sie an jenem Tag genommen hatten.

Sie wurde direkt zum Formular in der nationalen Fingerabdruckkartei weitergeleitet.

Morrow erinnerte sich noch an die Zeit, als man das Formular von Hand ausfüllen musste. Im Grunde war es das gleiche Formular, es gab nur noch ein paar weitere Felder. Michael Brown hatte es unterschrieben. Sie sah genauer hin. Die Strafregisternummer war von dem Beamten ausgefüllt worden, der Brown verhaftet hatte – die Nummer stand auf dem Haftbefehl. Die Abdrücke waren identisch.

Sie öffnete Browns Strafregister und sah nach, wer wann darauf zugegriffen hatte. Las es viermal. Sie meldete sich ab und wieder an, weil sie dachte, sie hätte einen Fehler gemacht, aber das Ergebnis war immer dasselbe. Wainwrights Abteilung hatte nie auf Michael Browns Unterlagen zugegriffen.

Sie sah noch einmal nach. In den letzten beiden Jahren hatte niemand außer ihrer Abteilung auf Browns Fingerabdrücke zugegriffen.

Sie lehnte sich zurück. Wainwright würde sie nicht anlügen, er war ein anständiger Kerl, da war sie sich sicher. Aber sie hatte auch nie geglaubt, dass Harris bestechlich sein könnte.

Morrow holte tief Luft. Ihr war ein bisschen übel. Nicht schon wieder. Sie konnte nicht noch einmal einen Kollegen anzeigen. Und genau deshalb hatte man sie auf den Fall angesetzt. Man wusste, dass sie ohnehin schon fast ruiniert war, deshalb hatte man sie ausgesucht.

Nein. Das war Schwachsinn. Morrow spreizte die Hände auf dem Schreibtisch und versuchte, einen klaren Gedanken zu fassen. Wenn Wainwright von Brown bezahlt wurde, wenn es sich schlicht um den Versuch handelte, die Beweiskraft der Fingerabdrücke auf den Waffen in seinem Garten zu verschleiern, dann hätte sich Brown bereit erklärt, sich noch einmal die Fingerabdrücke nehmen zu lassen.

Es sei denn, er und Atholl wollten die Sache erst bei der Berufung zur Sprache bringen, aber das wäre ungeschickt und würde wahrscheinlich auch nicht funktionieren. Das wäre ein zu großes Risiko.

In der Hoffnung, noch etwas zu finden, einfach irgendetwas, tippte sie »Brown, Michael« in die Suchmaschine des schottischen Polizeicomputers ein. Sieben Dateien tauchten auf. Wainwright hatte auf die fünfte zugegriffen. Sie wollte sie gar nicht öffnen, weil sie fürchtete, dass sie sich täuschte, aber sie schloss die Augen, murmelte eine Art Stoßgebet und klickte die Datei an. Die Datenbank mit nicht identifizierten Fingerabdrücken an Tatorten stellte einen Link zwischen »Brown, Michael« und Wainwrights Fall her.

Es war ein anderer Michael Brown.

Erleichtert öffnete sie Wainwrights Unterlagen zu Brown. Mit vierzehn war er wegen Mordes an seinem älteren Bruder Pinkie Brown angeklagt und für schuldig befunden worden. Er hatte dafür lebenslänglich bekommen.

Sie öffnete das Foto. Es zeigte Michael Brown als Jugendlichen, von vorn und von der Seite. Er trug ein gelbes T-Shirt und schaute finster in die Kamera. In der Akte wurden seine Größe, sein Gewicht und sein Alter genannt.

Sie sah auch die Fingerabdrücke, die am Tag seiner Verhaftung genommen worden waren, außerdem eine Nummer, die sie anhand der letzten vier Ziffern wiedererkannte. Es war der Tag, an dem sein Bruder getötet wurde.

Sie notierte sich die Nummer des zuständigen Reviers und den Rang und Namen des Beamten, der das Formular unterschrieben und damit die Richtigkeit der Angaben bestätigt hatte: DC Harry McMahon.

Dann lehnte sie sich wieder zurück und überlegte, welche Auswirkungen das alles hatte. Michael Brown, der Mann, den sie drei Monate lang verhört hatte, wurde als zwei Personen im Strafregister geführt und hatte offenbar vier Hände. Zwei Hände hatten Waffen angefasst und in seinem Garten vergraben. Die beiden anderen Hände hatten seinen Bruder getötet, als Michael Brown vierzehn war. Man hatte ihm den Mord angehängt.

Wenn sie das jetzt wieder ausgrub, kam das einem beruflichen Selbstmord gleich: Die Wiederaufnahme der Ermittlungen würde ein Vermögen kosten, außerdem müsste Brown sofort entlassen werden, weil er gar nicht rechtmäßig als Mörder verurteilt worden war, er wäre also gar nicht mit einem lebenslänglichen Urteil vorbelastet. Aber noch schlimmer war, dass Alex Morrow wieder einmal in einem Korruptionsskandal bei der Polizei ermitteln würde. Wer immer Brown das angehängt hatte, war ihr karrieremäßig fünfzehn Jahre voraus. Es konnte jeder sein.

15

Julius McMillan hatte die Räumlichkeiten für seine Kanzlei wegen der Hintertür ausgewählt. Von der Vorderseite war alles ganz normal: ein großes Fenster mit seinem Namen in Goldbuchstaben und die üblichen Aufkleber: Rechtsbeistand, Anwalt für Personenschäden und so weiter. Die Tür wurde regelmäßig frisch gestrichen, das Fenster geputzt und die Türschwelle gefegt, doch seine Geschäfte liefen alle über die Hintertür ab.

Rose war zum ersten Mal vor zehn Jahren hier gewesen. Sie war gerade aus dem Gefängnis entlassen worden. Mit ihren damals neunzehn Jahren hatte sie noch nie ein Büro von innen gesehen. Sie wusste noch, wie sie an der Tür stehen geblieben war und sich umgesehen hatte, während Mr. McMillan den Anrufbeantworter abhörte und Mrs. Taits Liste mit »zu erledigen« und »erledigt« überflog. Sie war überwältigt: Die Schreibtische, die Heftmaschinen, der Computer, all die vielen Sachen, die ihm gehörten, die schiere Bandbreite an *Dingen*. Dabei tat er gar nicht reich. Er schien das alles gar nicht zu bemerken. Rose hatte das Gefängnis mit einer kleinen Tasche verlassen, und auch die war nur halb voll.

Sie war damals durch die Hintertür gekommen, und seitdem hatte sich nicht viel geändert. Der Hinterhof war eine quadratische Festung: Er war auf allen vier Seiten von den Mauern heruntergekommener Gebäude umgeben: kleine Wohnungen in Privatbesitz in keiner besonders guten Gegend. Wenn sie einer Wohnungsbaugesellschaft gehört hätten, hätte immer die Gefahr bestanden, dass der Hinterhof renoviert worden wäre. Wenn die Gebäude in einer besseren Gegend gelegen und die Bewohner nicht so oft gewechselt hätten, hätte man den Platz zwischen den Gebäuden vielleicht in Gärten umgewandelt, in einen Spielplatz oder sogar einen Parkplatz. Aber nichts davon war passiert.

Der Boden war schlammig und aufgewühlt. Der alte Ziegelhaufen in der Mitte neigte trunken zu einer Seite. Mehrere Scheiben waren zerbrochen, aber sonst sah es mehr oder weniger aus wie beim ersten Mal.

Jede Mauer um den Hinterhof hatte zwei Durchgänge. Die Polizei konnte nicht jeden Zugang überwachen: Dafür würde sie jeden Tag zwei Beamte pro Seite benötigen. Sie könnte einen freundlichen Ladeninhaber bitten, Kameras in den Durchgängen zu installieren und so beobachten, wer ein- und ausging, aber die Bewohner und Ladeninhaber sahen, wer da kam, und wussten, dass man diese Leute besser nicht störte.

Rose hielt sich an der Seite und stapfte über den schlammigen Boden, immer an einer Mauer entlang, bis sie plötzlich in die schmale Öffnung einbog. Sie zog die Schlüssel aus der Tasche und öffnete damit eine unauffällige Tür, die eher aussah wie ein Kellereingang. Sie schlüpfte hinein, schloss die Tür und streckte die Hand aus, um den Code für die Alarmanlage einzugeben. 0883. Ihr Geburtsdatum. Die Alarmanlage piepste zweimal zur Bestätigung. Rose stand reglos in der Dunkelheit. Sein Geruch. Eine bittere Note in der Luft, Teerduft von den Wänden. Rose mochte den Geruch von Zigarettenrauch eigentlich nicht, aber hier gefiel er ihr. Das Säuerliche, Freundliche daran, wie eine Sünde, die vergeben worden war.

Sie schloss fest die Augen und schüttelte den Kopf, um sentimentale Erinnerungen loszuwerden. Sie hatte etwas zu erledigen und konnte Francine nicht zu lange mit den Kindern allein lassen.

Im vorderen Büro ließen die Jalousien am Fenster dämmriges Licht herein. Ein Empfangsschreibtisch, der unbesetzt geblieben war, seit Mrs. Tait vor drei Jahren in Rente gegangen war. Rose nahm die Schlüssel aus dem Schlüsselkästchen, schloss den grauen Aktenschrank auf und zog eine Schublade nach der anderen heraus. Sie waren alle leer. Sie suchte den Boden jeder einzelnen Schublade nach vergessenen Blättern ab, schob die Hängeregistraturen nach hinten und wieder nach vorn. Nichts. Sie schob die Schubladen zu und schloss ab, bevor sie sich dem Schreibtisch zuwandte. Auch hier waren die Schubladen leer. Entweder hatte er vor kurzem alles ausgeräumt oder das Geld war das einzige, womit er sich in letzter Zeit noch beschäftigt hatte. Sie hatte nicht den Eindruck, dass er noch Klienten gehabt hatte.

Sie nahm die Schlüssel und steckte sie in die abgeschlossene Bürotür. Als sie die Tür aufzog, umwehte sie Julius' ganz eigener Geruch aus dem abgeschotteten Raum. Sie stand einen Moment lang still, überwältigt, versuchte nicht zu atmen, bis sich die Luft auf beiden Seiten angeglichen hatte.

Sie spürte seinen Geruch, spürte Partikel davon auf sich, Partikel seiner Haut auf ihrer, in ihrer Nase, verfangen in ihren Wimpern, wie unsichtbarer Schnee in ihren Haaren. Sie wollte, dass es ewig so blieb. Aber das tat es nicht. Das Gefühl von Nähe verflüchtigte sich, ihre Gedanken wanderten weiter.

Sie öffnete die Augen und tastete nach dem Lichtschalter. Klick. Er hatte unter einem sehr grellen Licht gearbeitet. Neonleuchten hinter Deckengittern, die das grelle Licht nicht milderten.

Mr. McMillan hatte nichts für schöne Möbel übrig gehabt, sein Blick war immer etwas in die Ferne gerichtet gewesen. Der Schreibtisch und der Stuhl, mit denen er Tag für Tag gelebt hatte, waren reine Funktionsgegenstände, so gut, wie sie für ihre Aufgabe sein mussten, aber auch nicht besser. Ein Kalenderplan an der Wand verströmte Büro-Atmosphäre, rot und schwarz, daneben hing an einer ausgefransten Schnur ein Filzstift. Die meisten Tage waren mit einem Symbol markiert: einem Dreieck, einem Stern, einem Quadrat oder einem Querstrich. Die Markierungen brachen an dem Abend ab, an dem seine Lungen kollabierten.

Ihre Augen hatten sich mittlerweile an das grelle Licht gewöhnt, und sie sah auf den Boden, entdeckte aber nichts außer einem Kugelschreiber. Bei seinem Anblick zog sich in Rose alles zusammen.

Es war die Stelle, an der er ihn fallengelassen hatte: Auf dem Boden unter dem Schreibtisch, wo auch seine Hand gelegen hatte, als sie kam, wo er lag, als sie den Notarzt rief und die Rettungssanitäter durch die Vordertür hereinließ, damit sie ihn mitnahmen. Aziz Balfour. Sie wusste, dass er es gewesen war, noch bevor sie die Schramme an seiner Hand gesehen hatte, bevor er versuchte, es ihr zu erklären, denn am Plan klebte seine Markierung, ein roter Stern. Und sie wusste, dass Dawood das gelbe Quadrat vor ihm war, beide im Zeitfenster um 18.30 Uhr. Sie mussten sich gesehen haben. Aziz hatte es ihr entgegengeschrien: Er hatte Dawood *gesehen*. Oben in der Red Road, im brüllenden Wind in der Dunkelheit, hatte er geschrien, er habe gesehen, wie Dawood aus Julius' Büro gekommen sei, ob sie denn wüssten, was das für ein Mann sei? Er hatte Dawood gesehen und sich dadurch gekränkt gefühlt. Das war seine Ausrede, warum er Julius geschubst hatte.

Rose blinzelte, zwang sich, den Blick vom Kugelschreiber abzuwenden, sich im Büro umzuschauen, gegen die Anspannung in ihrem Kinn, in der Brust und gegen das Brennen in ihren Augen anzukämpfen.

Julius McMillan hätte sich vielleicht noch nach nebenan schleppen können, wobei er sich an den Wänden abgestützt hätte, wie er es am Ende immer hatte tun müssen. Sie konnte sein gequältes Atmen hören, das in seiner Kehle und in der Nase rasselte, jeder Atemzug eine gewaltige Willensanstrengung, laut und trotzig. Er war so lange krank gewesen, dass sich schon alle daran gewöhnt hatten, aber niemand hatte damit gerechnet, dass er wirklich sterben könnte.

Sie schaute wieder auf den Kugelschreiber. Zärtlichkeit durchströmte sie. Julius McMillan an der Tür zum Verhörzimmer. Der Geruch nach Zigarettenrauch war das Erste, was ihr an ihm aufgefallen war, die akkurat geschnittenen gelben Fingernägel und sein fester Händedruck.

Hallo Rose, ich bin Mr. McMillan. Ich weiß, was passiert ist, und ich, ich allein, schicke dich nicht weg. Du wirst für sie ein Kind sein, und nur ich werde wissen, wer du wirklich bist. Bei mir kannst du du selbst sein.

Als Rose Mr. McMillan zum ersten Mal gesehen hatte, hatte sie ihn nicht für einen freundlichen Mann gehalten. Dennoch war er gut zu ihr gewesen. Und doch hatte er in letzter Minute Robert ihr gegenüber vorgezogen. Er hatte Robert ins Büro geschickt, nicht sie. Atholl irrte sich, Julius hatte sie nicht geliebt. Am Ende hatte er ihr nicht vertraut. Sie durfte die Botengänge übernehmen und den Kurieren das Geld bringen, sie durfte seine Zahlen kontrollieren und wusste Bescheid über seine Geschäfte, aber am Ende liebte er nur Robert. Am Ende hatte er Robert mit dem Code ins Büro geschickt. Er hatte sich getäuscht, er hätte ihm nicht vertrauen sollen. Robert hatte seinen Vater im Stich gelassen, hatte den Bericht an die SOCA geschickt. Es war zu viel für ihn, sie hatten ihn zu gut von allem abgeschirmt. Sie hatten ihre Arbeit zu gut gemacht. Julius hatte sie am Ende nicht geliebt, hatte sich nicht für sie entschieden. Aber sie liebte ihn.

Sie hatte ihre glühende Loyalität voll und ganz auf Mr. McMillan konzentriert und liebte ihn immer noch.

Rose verschloss die Bürotür und kontrollierte, ob sie auch wirklich zu war. Sie sah sich im Raum um und schaute sogar unter den Schreibtisch, falls sich jemand im Raum versteckte. Eine dumme Befürchtung, aber sie wollte hier unten nicht eingesperrt werden. Man konnte hier sterben.

Sie öffnete die kleine Tür an der Rückwand des Büros, bückte sich und betrat den Flur, der zum alten Kohlekeller führte.

Sieben Stufen hinunter in einen kleinen Raum, in dem man gerade noch stehen konnte; die Decke war noch ein bisschen niedriger geworden, seit Mr. McMillan den Raum mit Beton hatte verschalen lassen. Die Kälte setzte sich hier wie feuchter Nebel an den Fußknöcheln fest. In den Beton an der Rückwand eingelassen befand sich der Safe. Groß genug, um einen Mann darin zu verstecken, hatte er immer gesagt. Rose drückte den Griff nach unten, und die Safetür schwang auf. In einem Fach lagen Papiere. Darunter ledergebundene Bücher. Bücher, die die Steuerfahnder oder die Anwaltskammer finden sollten, falls sein Büro durchsucht wurde. Normalerweise war auch Bargeld im Safe, acht- oder zehntausend Pfund, um Einbrecher oder Polizisten abzulenken. Robert oder Dawood mussten es genommen haben.

Sie nahm die Bücher und deponierte sie sorgfältig auf dem Boden, holte das kalte Metallregal heraus und legte es daneben. Sie stellte einen Fuß in den Safe und tastete die Decke ab. Der Safe hatte eine falsche Decke. Ihre Finger glitten an der kalten hinteren Kante entlang, fanden den Absatz und glitten nach links, wo der Absatz mit der Seitenwand verbunden war. Ein kleiner Knopf, fast eben mit der Rückwand. Sie musste danach tasten. Rasch zog sie die Hand weg und wartete, zählte langsam bis acht. Sie griff erneut hinein und drückte noch einmal.

Die Rückwand glitt langsam nach links, verschwand in der Betonwand. Rose stützte sich mit beiden Händen an den Safewänden ab und kletterte hinein, kroch durch die kurze enge Passage in einen niedrigen Keller unter der Straße. Innen flackerten helle weiße Lichter auf. Dieser Raum war warm und trocken, weil daneben das Lüftungsrohr der angrenzenden Wäscherei verlief.

Ein einfacher Hotelsafe mit einem verstellbaren vierstelligen Zahlenschloss war auf niedriger Höhe halb in die Wand eingelassen. Nichts Besonderes. Rose erinnerte sich noch, wie sie und McMillan über den Vorschlag des Verkäufers gelacht hatten, einen Biotech-Safe mit Fingerabdruck- oder Netzhauterkennung zu nehmen. Der Verkäufer verstand nicht, was daran so komisch sein sollte. Die Leute, vor denen sie ihre Sachen versteckten, schreckten nicht davor zurück, einem den Finger abzuhacken oder das Auge herauszudrücken, wenn sie es brauchten. Nein, hatte McMillan damals gesagt, nein, wir brauchen nur einen kleinen Safe fürs Haus. Die beste Verteidigung bestand darin, dem Angreifer das zu geben, was er wollte. Danegeld nannte er das. Sie brauchten keinen großen teuren Safe, sondern einen geheimen.

Rose saß im Schneidersitz auf dem nackten Betonboden. Der Code konnte von jedem verändert werden, man musste nur die Rautetaste drücken. Robert hatte ihn geändert. Sie wusste es, noch bevor sie es probierte. Kein Geburtsdatum funktionierte, weder ihres noch ein Geburtstag der Kinder oder von Robert oder Julius. Sie versuchte es mit Julius' Todestag. Seinem Todeszeitpunkt. Nichts. Es konnte irgendeine Nummer sein. Eine willkürliche Zahlenkombination. Aber willkürliche Zahlen, die Robert genommen hatte. Sie versuchte, wie Robert zu denken, als er das Schloss verstellte.

Er hatte den SOCA-Bericht verschickt. Er wollte, dass die Polizei hierher kam, in den Safe stieg und alles fand.

Die Polizei. 0999. Nein. 9990. Das funktionierte auch nicht. 9999. Die Tür sprang vor ihr auf.

Sie lachte leise vor sich hin, überrascht, fast schon ein bisschen triumphierend. Sie schwang die Tür weit auf.

Die in Folie verschweißten Banknoten waren komplett weg. Enttäuschend. Robert hatte das Schwarzgeld gemeldet, es aber selbst eingesteckt. Typisch. Er hatte sein MacBook Air im Safe gelassen, bestimmt war darauf der Bericht an die SOCA gespeichert, und ein melancholischer Brief, dass er das Richtige habe tun wollen. Rose nahm das Laptop. Darunter lag ein dünnes, in Leder gebundenes Buch. Die erste Hälfte war mit Mr. McMillans handschriftlichen, mit Kugelschreiber geschriebenen Einträgen gefüllt, die Seiten wellig vom Abdruck des Stiftes. Sie nahm auch das Buch, sah jedoch nicht auf die Zahlen, sondern fuhr nur mit den Fingern über die Abdrücke, die er hinterlassen hatte. Mit geschlossenen Augen tastete sie die Seiten ab, als ob sie Blindenschrift lesen würde. Als sie die Augen wieder aufmachte, sah sie etwas Unerwartetes auf dem Boden des Safes.

Einen Umschlag. Alt. Die Gummierung war völlig vergilbt. Das Papier fühlte sich brüchig an. Sie hielt den Umschlag unschlüssig in der Hand, wusste nicht, ob sie ihn öffnen sollte. Er lag im geheimen Safe. Was immer darin war, es war nichts Gutes oder Harmloses. Sie vergeudete Zeit, schaute auf die Wand, spürte das Papier an ihren Fingerspitzen. Sie sollte nicht hineinschauen.

Aber sie tat es. Sie nahm den alten Umschlag und fischte mit spitzen Fingern nach dem Inhalt. Kein Blatt Papier. Fotos. Alte Fotos, auf dickem Papier, nicht einfach nur ausgedruckt. Quadratische Bilder mit einem weißen Rand, der unten etwas breiter war, damit man darauf schreiben konnte. Polaroid-Bilder, überlegte sie, so hießen sie damals. Drei Stück. Sie fielen in ihren

Schoß, mit der Bildseite nach unten. Rose schaute lange auf die schwarze Rückseite, die Hände auf den körperwarmen Fußboden gestützt, die Zunge nervös zwischen den Backenzähnen. Sie holte tief Luft, hielt kurz den Atem an und drehte die Bilder um.

Es waren Bilder von ihr.

16

Wheatly stand von seinem Schreibtisch auf, als Morrow auf den Gang hinaustrat.

»Ma'am?«

»Ja?«

»Ma'am, ich war mir zuerst nicht sicher, aber das sollten Sie sich ansehen.« Er winkte sie zu seinem Bildschirm. Darauf war ein Standbild von der Überwachungskamera des Polizeiparkplatzes zu sehen. Auf dem grobkörnigen Bild sah man die Vorderseite eines kleinen weißen Lieferwagens, der auf der anderen Straßenseite parkte. Das Nummernschild war zu erkennen.

Sie sah ihn fragend an.

»Der Lieferwagen ist auf einen privaten Halter zugelassen, Matthew Stepper. Er arbeitet für verschiedene Zeitungen.«

Sie betrachtete den Bildschirm. »Und er steht gerade da draußen?«

»Aye.«

Morrow und McCarthy standen auf dem Gehweg vor dem Revier. Der weiße Wagen wackelte, Regentropfen glitten vom Dach. Beide hatten Mühe, nicht laut zu lachen. Wer immer da drin war, versuchte so zu tun, als ob er nicht da wäre, aber sobald er sich ein bisschen bewegte, wackelte das ganze Auto. Sie sahen eine Weile zu, weil sie nicht wussten, ob sie reden konnten, ohne loszulachen, aber schließlich klopfte Morrow an die Seite des Lieferwagens.

»Wir sehen, dass Sie da drin sind. Kommen Sie raus.«

Unterdrücktes Flüstern, sie waren wohl zu zweit. Dann bewegte sich wieder jemand, dieses Mal Richtung Fahrerkabine, und schaute durch die Windschutzscheibe. Morrow und McCarthy zogen sich ein wenig zurück, damit man sie nicht sah.

Der Lieferwagen schaukelte erneut, als jemand im Innern wieder nach hinten ging.

»Machen Sie Schwimmübungen da drin?«, rief Morrow. Sie und McCarthy lachten endlich los.

Die Bewegung brach ab. Sie warteten. Der Lieferwagen neigte sich langsam nach hinten und auf die Seite, als ob sich die Leute im Innern hingesetzt hätten, um nachzudenken.

Dieses Mal klopfte McCarthy. »Kommen Sie raus oder wir beschlagnahmen den Wagen.«

Wenig später war ein Klicken zu hören und die hintere Tür glitt auf. Ein verlegener Mann, klein, mit Halbglatze, in Jeans und Strickpullover, kletterte hinaus auf die Straße. Er wirkte besorgt. Morrow und McCarthy schauten in den Lieferwagen. Außer ihm war niemand da.

»Mit wem haben Sie da drin gesprochen?«, fragte Morrow.

Er fasste nach dem Handy in seiner Tasche. »Meinem Chefredakteur.«

»Sie sind Journalist?«

»Ich bin Fotograf.« Er schien sich darüber zu freuen, aber dann fiel ihm wohl ein, dass er kein richtiger Fotograf war. »Na ja, ich recherchiere. Aber ich bin auch Fotograf.«

»Was hat Ihr Redakteur gesagt?«

Der Mann lächelte verlegen. »Nicht aussteigen.«

Morrow betrachtete den Lieferwagen. Eine rostige, heruntergekommene Karre, aber unauffällig. Sie zeigte mit dem Finger darauf. »Wenn Sie dann bitte den Wagen abschließen und uns mit aufs Revier begleiten würden, damit wir uns dort weiter unterhalten?«

Der Mann wirkte völlig entsetzt. »Können wir das nicht hier machen? Ist echt schwer, im Moment Arbeit zu bekommen, und ich habe noch zwei weitere Aufträge für heute Nachmittag. Wenn ich die nicht mache ...«

Er tat ihr leid, außerdem hatte er gegen kein Gesetz verstoßen. »Wir können uns auch hier unterhalten, wenn Sie uns sagen ...«

»Ich sage Ihnen *alles*.« Er klang aufrichtig.

»Für welche Zeitung arbeiten Sie?«

»*Scottish Daily News.*«

»Wer ist der Redakteur, mit dem Sie gerade gesprochen haben?«

Er schaute weg und überlegte. Das stand in der Zeitung, es hatte keinen Zweck, deswegen zu lügen.

»Okay.« Morrow packte ihn am Ellbogen. »Wir können Sie sechs Stunden lang festhalten, wir gehen jetzt rein.«

»Nein.« Er machte sich los. »Nein, bitte nicht mit aufs Revier. Alan Donovan. Alan Donovan.«

»Wen überwachen Sie?«

»S...« Er brach ab, sprach es dann aber doch aus. »Sie.« Er sah Morrow an.

»Und weshalb?«

»Wegen Ihrem Bruder. Danny McGrath.« Er hob flehend die Hände. »Hören Sie, ich mache nur den Fotografenjob, ich weiß *nichts*, wirklich *nichts* über die Sache. Nichts.«

»Donovan hat Sie angerufen und Ihnen den Job gegeben?«

»Ja. Er hat gesagt, Ihr Bruder ist ein Gangster, eine große Nummer. Ich soll Sie verfolgen, schauen, ob ich Sie nicht zusammen erwische. Das ist alles, was ich habe.« Er drückte ihr einen USB-Stick in die Hand.

Morrow wurde knallrot. Sie wusste, dass sie rot war, schaffte es aber, normal weiterzusprechen. »Okay Stepper, wir haben Sie anhand Ihrer Nummernschilder identifiziert. Wir haben Ihre Autonummer, Ihren Namen und Ihre Adresse.« Sie stach mit dem Finger in die Luft und zögerte, weil sie nicht genau wusste, was sie ihm androhen sollte. Die Presse war ziemlich empfindlich, was Drohungen anging. Journalisten waren nicht wie andere Leute, man konnte ihnen nicht einfach sagen, sie sollten verschwinden, sonst brachten sie das sofort in der Zeitung. »Also … verschwinden Sie.«

Seite an Seite sahen Morrow und McCarthy zu, wie der Mann verlegen lächelnd in seinen Lieferwagen stieg. Er ließ den Motor an und fuhr los.

McCarthy sah sie an. Eine peinliche Situation. »Komisch. Das mit Ihrem Bruder ist doch kein Geheimnis, das weiß doch jeder.«

Michael Brown musste hinter der Sache stecken. Er hatte den Zeitungen einen Tipp gegeben, versuchte sie für die Berufung in Misskredit zu bringen. Das hatte es schon öfter gegeben: Wahrscheinlich würde er behaupten, sie würde für ihren Bruder arbeiten, und dass er und Danny Rivalen wären. Aber eigentlich war das ein zu komplizierter Schachzug für Brown, das musste ihm jemand anderes vorgeschlagen haben, da war sie sicher. Atholl vielleicht.

Morrow wusste nicht, was sie sagen sollte. »Es geht nicht darum, wer es weiß. Es geht darum, wie das nach außen hin aussieht. Vorgesetzte wollen einfach ihre Ruhe haben, wenn es unangenehm wird. *Wer* hat den Tipp gegeben, das ist hier die Frage.«

In Morrows Büro sahen sie sich die Dateien auf dem Stick an. JPEGs, Fotos von Danny vor ihrem Haus, wie er ihr das Foto gab, Morrow vor dem Revier, Morrow, wie sie in ihr Auto stieg,

Danny mit seinen Handlangern, jungen Kerlen, die ein bisschen aussahen wie er, seinen rasierten Schädel nachahmten, seine lässigen Trainingsanzüge.

McCarthy saß neben ihr. Sie sah ihm an, dass er nicht wusste, was er sagen sollte.

»Kennen Sie die Typen auf dem Bild?«, fragte sie und zeigte auf eine Gruppe mit vier Personen: Danny mit einem älteren Mann, der wie ein Pakistani aussah und elegant gekleidet war, daneben zwei junge Schlägertypen; einer hatte eine lange Narbe von der Lippe bis zum Auge.

»Den mit der Narbe. Pokey Mulligan.«

Pokey war ein Slang-Ausdruck für Gefängnis.

»Hat er viele Vorstrafen?«

McCarthy zuckte die Schultern. »Nicht soviel, wie sein Name vermuten lässt. Körperverletzung. Macht das jetzt auf Bestellung. Und der Pakistani, ich glaube, das ist Dawood McMann.«

Morrow hatte von ihm gehört. Dawood war gerissen, das wusste jeder, aber in den letzten zehn Jahren war er anscheinend anständig geworden. Er hatte eine Kette ziemlich erfolgreicher Sportgeschäfte gegründet. Spendete viel Geld für gute Zwecke. Morrow hätte nicht gedacht, dass Danny ihn kannte. Sie ließ sich in ihrem Bürostuhl zurückfallen. »Schauen wir doch mal bei Donovan vorbei.«

Morrows Wissen um den Niedergang der Presse beschränkte sich auf Witze aus den *Simpsons* und Gerüchte über die Beteiligung der Londoner Polizei am Abhörskandal, bei dem britische Zeitungen die Handys von Prominenten abgehört hatten.

Die Londoner Polizei hatte mehrmals die Ermittlungen aufgenommen und wieder eingestellt und war jedes Mal zu dem Schluss gekommen, dass niemand nichts getan hatte, Fall erledigt. Und jedes Mal, wenn man feststellte, dass die Presse völlig unschuldig war, hatte ein ranghoher Polizeibeamter eine gut bezahlte Kolumne bei einer der verdächtigten Zeitungen erhalten, oder die Mitgliedschaft in einem Club oder ein Pferd. Auch ohne Einblick in das Beweismaterial war für Morrow klar, dass immer wiederkehrende Ermittlungen bedeuteten, an der Sache war etwas dran. Und wenn einige Journalisten die Mailbox verschiedener Handys knackten, und das in einem wettbewerbsorientierten Markt, in dem Journalisten zwischen den Zeitungen hin- und herwechselten, dann hieß das, dass es wahrscheinlich alle machten. Jede Polizeieinheit hatte Probleme mit Korruption, aber bei den Problemen von Strathclyde ging es um große Tüten mit Banknoten, nicht um Firlefanz wie Statussymbole. Irgendwie erschien Morrow das ehrlicher.

Sie wusste also, dass es der Zeitungsbranche schlecht ging, aber wie schlecht, erfuhr sie erst, als sie die Redaktionsräume betraten. Die *Scottish Daily News* erschienen täglich in ganz Schottland, doch das Großraumbüro hatte gerade einmal acht Schreibtische, von denen nur vier besetzt waren.

Auf dem Weg zu Donovans Büro fragte Morrow die Empfangsdame, ob die anderen unterwegs seien.

»Nein«, sagte sie, ging zu einer Glastür, öffnete sie und trat ein. Sie folgten ihr, und die Empfangsdame ließ sie ohne ein weiteres Wort allein mit Alan Donovan, dem Chefredakteur der *Scottish Daily News*.

Er war klein, saß aber keck und aufrecht an seinem Schreibtisch. »DI Alex Morrow?«, fragte er und sah dabei McCarthy an.

»Ich bin Morrow«, sagte sie.

»Ja.« Er wandte sich ihr zu und tat so, als ob er die ganze Zeit gewusst hätte, dass sie eine Frau war. Und natürlich noch mehr Informationen über sie hatte. Dabei wusste er eindeutig gar nichts.

»Hallo.« Er wartete, dass sie etwas sagte.

»Was ist los, Mr. Donovan?«

»Wie meinen Sie das?«

Sie starrten sich noch einen Moment lang an. Beinahe erwartete sie, dass er ihr eine Kolumne anbot.

»Sie haben einen Journalisten beauftragt, mich zu überwachen und Fotos von mir bei der Arbeit zu machen.«

»Tatsächlich?« Er hob langsam die Augenbrauen.

Sie konnte nicht anders, sie musste lächeln. Sie leckte sich die Lippen, bemühte sich um eine ernste Miene und begann noch einmal. »Ich glaube, Sie suchen Informationen über mich. Vielleicht kann ich Ihnen dabei helfen?«

Donovan lehnte sich auf seinem Stuhl zurück und schlug die Beine übereinander. Und als ob die Pose noch nicht einstudiert genug gewesen wäre, griff er auch noch nach einem Stift und betrachtete ihn gründlich. Morrow wünschte fast, sie hätte McCarthy nicht mitgenommen, weil sie beide am liebsten losgekichert hätten. Sie wagte kaum, zu ihm hinüberzusehen.

»DI Morrow, was würden Ihre Vorgesetzten sagen, wenn sie wüssten, dass Danny McGrath Ihr Bruder ist?«

»Das wissen sie.«

Er zuckte zusammen, ein kurzes Blinzeln, dann studierte er wieder gründlich seinen Stift.

»Woher?«

»Ich habe es ihnen gesagt.«

»Alle wissen es«, sagte McCarthy. »Sie können jeden auf dem Revier fragen. Sie können sich beim Schichtwechsel an die Tür stellen und fragen. Wir wissen es alle.«

»Sie können es auch in der Zeitung bringen, wenn Sie wollen ...« Es wäre eine Katastrophe für sie, wenn sie das tun würden. Die höheren Ränge gehörten schließlich noch zur Zeitung lesenden Generation.

»Das machen wir vielleicht auch.« Er fühlte sich sichtlich unwohl. »Wenn es kein Geheimnis ist, warum sind Sie dann da?«

Morrow stand am Fenster. »Ist das hier nicht ein bisschen dürftig für eine Redaktion? Ich dachte, hier würden richtig viele Leute arbeiten.«

»Früher schon. Aber heute nicht mehr. Die neue Technik.«

»Die anderen Journalisten sind der Technik zum Opfer gefallen?«

Er lächelte kläglich. »Sozusagen. Mit den Computern kamen effizientere Arbeitsweisen oder die Arbeit wurde outgesourct. Früher waren Zeitungen schrecklich ineffizient.«

»Outgesourct?«, fragte Morrow und sah durch die Glastür auf das halbleere Redaktionsbüro. »Das wird bei der Polizei auch gerade eingeführt.«

Donovan stand auf und stellte sich neben sie, sah zusammen mit ihr durch die Scheibe. Er wirkte ein bisschen traurig, zuckte aber die Achseln. »Das sollten Sie. Uns spart es ein Vermögen. Warum für ein volles Gehalt mit Renten- und Sozialleistungen aufkommen, wenn man einfach nur für eine Dienstleistung bezahlen kann? Dienstleistungsunternehmen werden nie alle gleichzeitig krank und fehlen dann wochenlang. Sie liefern einfach.«

»Welche Arbeiten werden outgesourct?«

»Druck, Vertrieb, Buchhaltung, auch viele graphische Sachen. Wir hatten früher eine eigene Graphikabteilung. Ein Albtraum. Zehn Leute, aber höchstens zwei waren da. Nahmen sich ständig frei, um eigene Ausstellungen vorzubereiten oder Kurse zu geben. Lächerlich.«

Sie wandte sich zu ihm um, stand jetzt sehr nah bei ihm. »Also, Donovan, ich bin hier, weil ich einen komplizierten Fall bearbeite, in den einige gewiefte Typen verwickelt sind. Ein schwebendes Verfahren …« Sie wollte die aktuelle Verhandlung nicht erwähnen, weil sie wusste, er würde sonst herausfinden, dass es um Michael Brown ging. »Ich frage mich, ob das hier irgendwie damit zusammenhängt. Ich meine, als ich hier reinkam, wussten Sie eindeutig nicht, wer ich bin. Ich frage mich, ob dieses plötzliche Interesse an mir mit dem Fall zusammenhängt?«

»Ich weiß nichts über irgendeinen Fall, in dem Sie ermitteln.«

Sie hatte richtig getippt. Donovan wusste nichts darüber, dass Brown vor Gericht stand.

»Ich meine, wer hat Sie veranlasst, mich beobachten zu lassen?«

Er hob erneut die Augenbrauen. »Ich wäre ein ziemlich schlechter Journalist, wenn ich meine Quellen preisgeben würde.«

Morrow nickte. »Stimmt. Das Problem beim Outsourcing ist für uns die Integrität. Wir sind mächtig, wir haben Zugang zu Informationen. Wenn wir andere Leute mit Ermittlungen beauftragen, wie können wir dafür sorgen, dass sie verantwortlich handeln? Brauchen wir wieder jemand anderen, der sie beaufsichtigt? Schaffen wir damit nicht nur noch mehr Bürokratie? Verstehen Sie? Weitere Stellen, wo Papiere verloren gehen. Wo massive Fehler gemacht werden.«

Sie lächelte Donovan an, aber der wirkte verwirrt.

»Hat man gegen Sie wegen des Ausspionierens von Handys ermittelt?«

Er wurde bleich und leckte sich nervös die Lippen.

Sie schaute wieder hinaus ins Redaktionsbüro. »Nicht, dass die Fehler bei outgesourcten Ermittlungen aus böser Absicht geschehen würden. Menschen machen Fehler. Aber manchmal schaut man eben auch absichtlich weg oder handelt rücksichtslos. Nehmen wir zum Beispiel Sie. Jemand gibt Ihnen einen verheißungsvollen Tipp, aber nehmen wir an, dahinter steckt Manipulation, da hat jemand Interesse an ganz anderen Fällen. Sie gehen dem Tipp nach. Das könnte den Verlauf eines Falles ändern. Kriminelle kommen frei. Andere Leute sterben.« Sie blickte zu Donovan und sah, dass er schwitzte. »Ich bin überrascht, dass Ihr Name bei den Ermittlungen zur Handy-Spionage nicht erwähnt wurde, Sie haben doch viele Artikel über Prominente.«

Morrow und McCarthy saßen im Auto und warteten an einer roten Ampel. Sie sah ihn an. Er wirkte ziemlich verschreckt.

»Alles okay, McCarthy?«

Er nickte, obwohl es eindeutig nicht so war.

»Woran denken Sie?«

Er hielt den Blick auf die Ampel gerichtet. »Was um alles in der Welt läuft hier, Boss?«

17

Robert saß im rosafarbenen Salon. Von der letzten Nacht waren keine Spuren zu sehen, keine leeren Gläser, keine vollen oder leeren Flaschen. Der Hippie hatte wohl aufgeräumt. Gehörte das dazu, wenn man das Schloss mietete? Robert wusste es nicht mehr.

Er hatte einen Sessel ans Fenster geschoben und sah hinaus aufs Meer, behielt aber auch die Auffahrt im Auge. Über seine Naivität konnte er nur den Kopf schütteln: Die Mörder würden nicht über die Auffahrt kommen. So kam der Tod nicht. Der Tod sickerte durch die Ritzen, stürmte durch die Tür, durchwühlte Betten und durchlöcherte Wände. Der Tod nahm kein Taxi vom Bahnhof. Aber trotzdem schaute er weiter auf die Einfahrt.

Das Schmerzmittel wirkte, Kopfschmerzen und Übelkeit waren abgeklungen, sammelten ihre Kräfte irgendwo in seinem Körper und warteten nur darauf, dass die Wirkung der Tabletten nachließ. Er hatte nicht direkt Schmerzen, aber er roch schlecht und zitterte. Er fühlte sich klebrig. Seine Hoden juckten. Er war zu traurig, um sich zu waschen. Manchmal war er sogar zu traurig, um sich an den Eiern zu kratzen. Er saß einfach nur da und litt vor sich hin.

Er blinzelte, und die klare Vorahnung des Todes wich zurück wie das Wasser am Strand bei Ebbe. Er nahm sich selbst wahr, wie er sich in Details draußen vor dem Fenster verlor, wie übel er roch, dass er bald noch ein paar Tabletten nehmen würde. Er verlor sich in den Kleinigkeiten des Alltags.

Plötzlich hatte er ein Bild vor Augen, wie jemand hinter ihm stand und ihm eine Pistole an den Kopf hielt. »Meine Eier jucken« sollte nicht sein letzter Gedanke sein.

Das brachte ihn wieder zu sich.

Ich werde sterben, dachte er. Ich werde sterben, wahrscheinlich noch heute.

Er beschloss, sich darauf vorzubereiten, musste sich jedoch auch eingestehen, wie schwierig es war, wie mühsam, sich darauf zu konzentrieren.

Die Aufgabe lautete also, konzentriert zu bleiben, irgendwie, damit ihm stets bewusst war, was passierte. Dann kam ihm ein anderer Gedanke: Was sollte das bringen, sich auf den Gedanken zu konzentrieren, dass er sterben würde? Er wäre dadurch auch nicht besser vorbereitet, es würde auch nicht weniger weh tun oder ihn davon abhalten, am Ende zu schluchzen und um sein Leben zu flehen.

Die Frage verblüffte ihn. Er versuchte, an gestern zurückzudenken, als er noch keinen Kater gehabt hatte und überzeugt war, das Richtige zu tun. Er dachte, sie wären ihm hierher gefolgt, aber jetzt war es schon fast Mittag und er saß immer noch am Fenster.

Er hatte damit gerechnet, um diese Zeit schon längst tot zu sein. Wo blieben sie denn?

Robert stellte sie sich vor, zwei Männer im Auto, die gerade von der Fähre fuhren. Er sah, wie sie der lakritzschwarzen Straße über die Berge folgten, um die Seen der Insel herum, hinunter zum sumpfigen Land am Meer, umgeben von Wald. Sah, wie sie auf der kurvenreichen einspurigen Straße langsamer wurden, bei Gegenverkehr an den Ausweichstellen warteten, den Einheimischen zeigten, dass sie Fremde waren, weil sie beim Dank die ganze Hand hoben und nicht nur einen Finger.

Oder vielleicht war derjenige, der ihn töten sollte, zu Fuß auf der Insel unterwegs, kroch gerade jetzt unaufhaltsam über den Hügel in seine Richtung.

Aber vielleicht kamen sie ja auch gar nicht, weil sie nicht wussten, wo er war. In dem Fall konnte er ein Jahr lang hier am Fenster sitzen und warten.

Verärgert über den Gedanken kratzte sich Robert an den Hoden und stand unruhig auf. Sie wussten vielleicht gar nicht, wo er war. Daran hatte er überhaupt nicht gedacht. Er hatte alles bar bezahlt, ohne Kreditkarten, hatte niemandem etwas erzählt. Sogar das Schloss hatte er nicht im Internet gefunden, sondern in einem Katalog gesehen, der zu Hause herumlag. Gebucht hatte er telefonisch, von einer Telefonzelle aus.

Niemand wusste, wo er war. Der SOCA-Bericht war mittlerweile sicher bei der Polizei, das hatte sich bestimmt herumgesprochen, bei der Polizei hielt doch niemand dicht. Wer auch immer die Geschäfte mit seinem Vater gemacht hatte, war jetzt hinter ihm her.

Sie würden Roberts alte Kanzlei überprüfen, seine Kollegen, fragen, mit wem er zu tun gehabt hatte. Robert wünschte, er wäre wieder dort, im Konkurrenzkampf mit den anderen Juniorpartnern, im Streit mit den Sekretärinnen, beim Gerangel um eine Beförderung, bei dem er immer unterlag. Heute erschienen ihm das wie goldene Zeiten. Er war dort feierlich ausgeschieden, um die Kanzlei seines Vaters zu übernehmen. Er wusste noch, damals hatte er gedacht, *jetzt* wäre er glücklich.

Die Fotos von Rose fielen ihm ein, und er wand sich innerlich. Er lehnte sich zurück. Sie sah auf den Fotos aus wie heute. Ihr Gesicht war eindeutig zu erkennen. Sie trug sogar denselben hohen Pferdeschwanz. Auf einem Foto weinte sie. Ihr Gesicht zeigte keine Regung, aber beim Vorbeugen tropften Tränen von ihrer Nase. Er sah, dass sie noch sehr jung war. Sie hatte kaum Schamhaare.

Als Robert die Bilder aus dem Safe genommen und Rose darauf erkannt hatte, hatte er sie quer durch den Raum geschleudert. Er war zur gegenüberliegenden Wand gelaufen und hatte sich dagegen gepresst. Hatte sein Vater die Bilder gemacht? Hatte sein Vater dazu masturbiert? Niemand würde dazu masturbieren, sie waren entsetzlich. Andererseits wusste man nie, was die Leute sehen wollten. Als Robert die Bilder sah, war er zuerst so von ihrem Gesicht fasziniert, dass er den Kontext gar nicht erfasste. Ein junges Mädchen, nackt in einer Gruppe von Männern, dunklen Männern, manche lachten, manche grinsten anzüglich.

Aber Robert war nun einmal Robert und sah daher zunächst nur Rose. Eine weinende Rose. Eine verängstigte Rose, die zu einem Gesicht hochsah. Eine teilnahmslos lächelnde Rose, als einer der Männer sie befummelte. Die Räume waren nichtssagend, man konnte nichts erkennen. Flaschen mit Alkohol standen herum.

Das machten die Leute also, wenn das Licht aus war, wenn niemand sie sah.

Ich kann das nicht in Ordnung bringen, hatte er gedacht, in der niedrigen Geborgenheit des Saferaums. Ich schaffe das nicht allein. Warum besaß sein Vater diese Fotos?

Rose war fast wie eine Schwester für Robert. Sie war im Gefängnis, er ging zur Schule. Sie hatte einen Mann getötet, der versucht hatte, sie zu missbrauchen, hatte sein Vater ihm gesagt. Sie besuchten sie im Gefängnis. Und Julius und Robert hielten zu ihr, waren anders als diese Männer.

Beim ersten Besuch im Gefängnis hatte Robert auf dem Weg dorthin fast gehofft, er würde sich in sie verlieben, aber das tat er nicht. Später dachte er, dass sie sich zu ähnlich waren, aber das stimmte nicht ganz. Sie verliebten sich einfach nicht. Er akzeptierte sie als Familienmitglied: ohne zu viel Lob, ohne sie zu bewerten. Sie gehörte zu ihnen, und als sie ihre Nanny wurde, hatte Robert das Gefühl, dass das gut und richtig war. Er freute sich, dass sie und Francine sich so gut verstanden, denn Francine war schon vor ihrer Krankheit immer ein bisschen zart gewesen. Wie seine Mutter: Margery war immer ein bisschen krank.

Als er sie nun so auf den Fotos sah, wollte er sie erbittert verteidigen. Er wollte die kleine, zarte Rose in den Arm nehmen und sie vor diesen furchtbaren Männern beschützen. Er war bereit, sich zu ruinieren, seine Familie, den Ruf seines Vaters, wenn er damit auch diese Männer in den Abgrund riss. Er würde es für Rose tun. Also rief er die Polizei an und tat, was man ihm sagte: Füllen Sie das Formular aus.

Robert saß im Schloss am Fenster und fühlte sich wieder etwas besser, wenn er daran dachte, wie ehrenhaft er sich verhielt, wie anders als die Männer auf dem Foto. Für Rose würde er sich umbringen lassen. Er stand auf, um aufs Klo zu gehen, versuchte sich zu erinnern, wo die Toilette war, und da sah er ihn: Der Hippie fuhr mit seinem Quad über die Wiese unterhalb vom Schloss. Er hielt an, holte einen kleinen Sack Getreide unter seinem Umhang hervor und schüttete es auf die Wiese. Dann fuhr er ein paar Meter weiter und sah von dort aus den Gänsen beim Fressen zu.

Die Gänse waren kreideweiß und größer, als sie sich ein Stadtbewohner wie er vorgestellt hatte. Der Hippie verschränkte die Arme unterm Umhang. Selbst vom Schloss aus konnte Robert erkennen, dass er lächelte. Und dann winkten ihm zwei Männer auf der anderen Seite der Wiese, die dort am Zaun standen. Der Hippie schaute zu ihnen und fuhr auf seinem Quad hinüber. Robert beobachtete entsetzt, wie er sich den dunkel gekleideten Männern näherte, deren Gesichter durch tief in die Stirn gezogene Strickmützen nicht zu erkennen waren. Er konnte auch das Gesicht des Hippies nicht sehen, hatte aber das Gefühl, dass er immer noch lächelte und dass auch die Männer lächelten, Robert sah ihre Zähne aufblitzen. Sie lächelten, als der Hippie auf sie zukam, und einer hatte seine Hand in der Tasche.

Sie unterhielten sich. Der Hippie hatte die Hände im Umhang vergraben, diesem verdammten Frauenumhang. Und während Robert zusah, nahm einer der Männer die Hand aus der Tasche, und Robert stockte der Atem. Er bot dem Hippie einen Kaugummi an. Der Hippie schüttelte den Kopf, nahm die Hände aus dem Cape und fuhr über die Wiese zurück. Die Männer wandten sich um und gingen weiter. Sie machten bloß einen Spaziergang.

Robert wich vom Fenster zurück. Er konnte nicht zulassen, dass sie den Hippie umbrachten. Das konnte er einfach nicht. Er musste das Schloss verlassen.

Als er über den Hügelkamm ging und sich das Meer unter ihm wie eine silberne Picknickdecke ausbreitete, fühlte er sich schon viel besser. Links führte ein steiler Weg hinunter zum weißsandigen Strand und zum Schloss, das darüber thronte. Rechts sah man in den sanften grünen Hügeln die verfallenden Überreste eines aufgegebenen Dorfes, dessen Bewohner einst von den Gutsherren vertrieben worden waren, um auf dem Gelände Schafe zu züchten. Die Mauerreste sahen aus wie ein halb ausgefülltes Kreuzworträtsel. Der nasse Wind peitschte seine Haare. Möwen kreisten über dem Meer. Vor ihm fiel das Land steil zum Wasser ab.

Robert trug noch seinen Geschäftsanzug, Stadtschuhe und einen billigen Regenumhang aus Plastik, den er im Kofferraum seines Wagens gefunden hatte. Leider war er gleich vor dem Haus in eine Pfütze getreten, und seine Füße waren nass und die Zehen mittlerweile taub vor Kälte. Die Hose klebte ihm an den Beinen und die Haut an den Schienbeinen war gefühllos vor Kälte. Er fühlte sich großartig. Die raue Landschaft, der Wind, die Brandung und die Schreie der Möwen, der immer wieder einsetzende Regen und das dazwischen aufblitzende grelle, fast brutale Sonnenlicht, das alles lenkte ihn von der schweren Schuld seines Vaters ab, von Rose' schrecklicher Kindheit und diesen Männern, die im Kreis um sie herumstanden, und auch von den Männern, die mit dem Hippie geredet hatten, und von den Gedanken an seine Kinder. Er spürte nur den Moment. Er war auf Händen und Knien die Klippe hinaufgekrochen, war über Geröll gekrabbelt und mit seinem Slipper in einem Schlammpfuhl steckengeblieben. Aber jetzt stand er hoch aufgerichtet über dieser ursprünglichen Landschaft und schaute aufs Meer, das nicht wusste oder dem es egal war, dass er existierte.

Er sah zum Dorf hinüber. Kniehohe Überreste von Grundmauern, die einst Generationen von Menschen beherbergt hatten. Sie waren von ihrem Land vertrieben worden, Opfer eines Unrechts, das viel größer war als das, das er erlitten hatte, größer als ein Raum voll Männer und eine kleine, nackte Rose. Die Gebäude waren geblieben und mit der Zeit wieder Teil der Landschaft geworden, und jetzt war es schon fast egal. Er lächelte und ging in Richtung der Mauerreste. Seine Schuhe machten grässliche schmatzende Geräusche, er hatte das Gefühl, es sei mehr Wasser in den Schuhen, als von außen hereinkam, und überlegte sogar, sie auszuziehen und auszuleeren. Nur noch über den Hügel bis zum Dorf, versprach er sich. Er hastete den Hügel in der Hoffnung hinauf, in den Ruinen ein wenig Schutz vor dem Wind zu finden. Die Einheimischen hatten gewusst, wo sie ihre Dörfer anlegten, dort war es sicher windgeschützt.

Es war überhaupt nicht windgeschützt. An der ersten Reihe

der flachen Grundmauern kam ihm der Wind noch stärker vor als oben auf dem Hügel. Er stieg über eine niedrige Mauer in ein ehemaliges Haus und versuchte sich vorzustellen, wie die Menschen früher hier gelebt hatten. Sehr eng. Ein winziger Raum. Er fühlte nichts, obwohl er versuchte, so etwas wie Ehrfurcht zu empfinden: Er stellte sich eine große Familie vor, sechs Kinder und dazu die Großeltern, die alle in dem winzigen Zimmer lebten. Er war nicht sicher, ob das ein Haus gewesen war. Was wusste er schon, es konnte genauso gut ein Schuppen gewesen sein. Oder ein Lagerraum. Robert hatte keine Ahnung, wie man damals gewohnt hatte. Er ging einmal im Kreis herum. Sechs Kinder, die Eltern und Großeltern passten nicht in einen so kleinen Raum. Es musste ein Lagerraum gewesen sein.

Er ging weiter zum nächsten Rechteck, stieg hinein und versuchte, sich das Ganze hier vorzustellen. Warum eigentlich zwei Großeltern, überlegte er. Es mussten doch vier Großeltern gewesen sein, aber schon die zwei waren zu viel. Vielleicht waren die Großeltern ja gestorben, draußen auf See oder an der Grippe. Grübelnd stieg er über die nächste niedrige Mauer.

Doch sein Fuß trat ins Leere, da war kein Boden, wie er erwartet hatte, sondern ein Loch, und er verlor das Gleichgewicht, stürzte und landete mit dem Gesicht voraus auf einem großen Stein.

Stöhnend lag er im nassen Gras, den Wangenknochen immer noch auf dem Stein. Seine Gedanken rasten, während er überlegte, wem er die Schuld geben konnte – der Tourismusbehörde, den Highländern, der Schwerkraft. Und während ihm aufging, wie sinnlos es war, irgendjemandem die Schuld an seinem eigenen Missgeschick zuzuschieben, wurde ihm allmählich der dumpfe Schmerz in seinem Knöchel und das Kribbeln in seinen tauben Zehen bewusst. Er setzte sich auf und betrachtete den Fuß, mit dem er ins Loch getreten war. Vorsichtig schob er

sein nasses Hosenbein hoch. Im grellen Licht wirkte der Knöchel wund und ein bisschen knubbelig. Und während er ihn betrachtete und vorsichtig mit den Zehen wackelte, erleichtert,
dass nichts gebrochen war, konnte er zusehen, wie die Schwellung dicker und dicker wurde.

Eine Möwe landete neben ihm und beäugte ihn, als ob er ein
vermisstes Lamm wäre. Sie sah verdammt riesig aus, streckte
den großen hässlichen Kopf in seine Richtung und schien schon
mal Maß zu nehmen. Robert hob einen Stein auf und warf ihn,
verfehlte sie aber. Die Möwe war völlig unbeeindruckt.

»Hau ab!«, schrie Robert, doch die Möwe rührte sich nicht.

Er spürte Nässe in seinem Gesicht und betastete es mit der
Hand. Als er die Hand wieder herunternahm, sah er das Blut.
Ziemlich viel Blut. Es kam von seiner Wange. Er brauchte ei-
nen Spiegel und sah sich um, als ob zufällig einer im nassen, mit
Schafskötteln gesprenkelten Gras liegen könnte.

Die Möwe beobachtete ihn. Vielleicht hatte sie das Blut ge-
rochen, noch bevor er es bemerkt hatte. Halt, nein, das waren
Geier. Die Möwe musterte ihn weiter, neigte den Kopf hierhin
und dahin, als ob sie überlegte, welchen Teil von ihm sie zuerst
fressen sollte. Robert kam sich dumm vor, er war eindeutig im
Nachteil. Er hatte eine tiefe Schramme an der Wange, über die
die Möwe mehr wusste als er.

Da saß er nun im Schlamm mit einem verstauchten Knöchel,
und das Blut tropfte auf den Plastikregenumhang, der mittlerweile wie Zellophan an ihm klebte. Doch dann hatte er eine
Idee. Er holte sein Handy aus der Tasche, schaltete es ein, tippte
auf die Kamerafunktion und machte ein Foto von seinem Gesicht. Na bitte. Jetzt sah er sich. Es war gar nicht so schlimm.
Nur eine tiefere Schramme an der Wange. Er grinste zur Möwe
hinüber, aber die pickte auf dem Boden herum. Dann breitete
sie die Flügel aus und flog hinaus aufs Meer.

Robert stützte sich auf der niedrigen Mauer ab, zog vorsichtig den verstauchten Knöchel aus dem Loch und schob den nassen Stoff seiner Hose wieder über das Bein. Er beugte das noch funktionsfähige Bein und stand auf, vermied es, den schmerzenden Knöchel zu belasten, bis er aufrecht stand. Wenn er es nicht zurück zum Schloss schaffte, wurde womöglich der Hippie an seiner Stelle ermordet. Er versuchte es. Nicht so schlimm. Er würde es allein zurückschaffen. Es schmerzte, wenn er den Knöchel belastete, aber so schlimm war es nun auch wieder nicht. Er musste eben langsam gehen.

Beim ersten Schritt spürte er, wie das Handy in seiner Tasche vibrierte. Eine, zwei, drei neue Sprachnachrichten. Onkel Dawood. Ohne überhaupt hinzusehen, griff er in die Tasche, schaltete das Handy wieder aus und ging weiter.

18

Johnstone war kein Ort, den man auf einem Straßenschild finden würde. Morrow und McCarthy nahmen die Abfahrt nach Paisley und schauten immer wieder auf das Navigationsgerät, damit sie nicht einfach durch den Ort hindurchfuhren, ohne es zu merken.

Johnstone lag am Stadtrand von Paisley, eine Ansammlung von ein paar Häusern, die so eng beieinander standen wie in einer dicht bebauten Innenstadt, typische Einfamilienhäuser mit zwei Zimmern im Erdgeschoss und zwei im Obergeschoss, und Fenstern, so klein wie Luken in einem Fabriktor. Trotzdem waren die Bewohner unerklärlich stolz auf ihren Ort. Als McCarthy die Adresse des ehemaligen Polizeibeamten Harry McMahon überprüft hatte, war ihm auch die Anzeige für McMahons Haus aufgefallen – er war gerade erst nach Johnstone gezogen. Für Glasgow war es ein bescheidener Preis, aber in Johnstone erwarteten Morrow und McCarthy eine wahre Villa.

Es war keine Villa, aber immerhin grenzte das Haus an einen Golfplatz. Das Haus hatte eine Auffahrt und eine kleine rechteckige Rasenfläche als Vorgarten. Es sah genauso aus wie die Nachbarhäuser, sauber und neu. Womit auch immer Harry McMahon in den letzten sieben Jahren sein Geld verdient hatte, seit er aus dem Polizeidienst ausgeschieden war, er schien es ganz gut getroffen zu haben.

Sie parkten an der Straße und gingen die Einfahrt hinauf, vorbei an einem vier Jahre alten blauen Honda. McCarthy klopfte an der Haustür, während Morrow durch die Fenster spähte. Adrette Tüllgardinen an den flachen Erkerscheiben neben der Tür. Zwei Dekofiguren und ein gerahmtes Bild mit der Rückseite zum Fenster. Der Fußboden war aus Laminat und gab dem Raum ein orangefarbenes Leuchten.

Ein schlanker Mann Ende vierzig öffnete die Tür, sorgfältig frisiert, das saubere weiße Hemd in die gebügelte Jeans gesteckt. Morrow lächelte: Sie hätte auch gewusst, dass er ein ehemaliger Polizist war, wenn sie ihn im Supermarkt getroffen hätte.

»Hallo«, sagte er, »was kann ich für Sie tun?«

»Harry McMahon?« Sie zeigte ihm ihren Ausweis.

»Ah, okay.« Er las ihren Namen. »DI Alexandra Morrow. Wie geht es Ihnen?«

Sie hatten sich nie getroffen, aber zwischen ihnen bestand sofort eine Art Kameradschaft, weil sie ein gemeinsames Wertesystem hatten.

»Ich bearbeite gerade einen Fall, der etwas mit einem alten Fall von Ihnen zu tun hat. Könnte ich hereinkommen und mit Ihnen darüber sprechen?«

»Ah, kommen Sie nur beide herein«, sagte er und wirkte erfreut.

Die Diele war sauber und ohne jeden Schnickschnack. Ein Skateboard war an die Wand gelehnt, das abgewetzte Deck mit Graffiti-Design bildete einen starken Kontrast zu den sterilen weißen Wänden und dem sauberen Holzboden.

»Sie fahren Skateboard?«, fragte sie.

Harry nickte zustimmend über den Witz. »Einer meiner Jungs.«

Morrow schaute sich um und suchte nach weiteren Spuren. »Leben die nicht bei Ihnen?«

Harry lachte. »Doch, doch, wir sind nur eine sehr ordentliche Familie. Aber kommen Sie doch rein.« Zu McCarthy sagte er: »Ihren Namen habe ich gar nicht mitbekommen.«

McCarthy stellte sich vor. Sie gaben sich die Hand, dann schien McMahon einzufallen, dass er Morrow gar nicht die Hand gedrückt hatte. Nachdem sie das nachgeholt hatten, nahm er ihnen die Mäntel ab. Er hängte sie in einen Schrank unter der Treppe, den ordentlichsten Garderobenschrank, den Morrow je gesehen hatte.

Dann winkte er sie in eine sonnige Küche mit Blick auf einen Garten, der aus einer perfekten quadratischen Rasenfläche bestand und abrupt an einem hohen Zaun endete. An der Seite stand ein Gartenhäuschen aus Kiefernholz mit zwei großen Fenstern und einer zweiflügeligen, doppelt verglasten Tür in der Mitte. Die Tür war zu.

»Wenn das meine Hütte wäre«, sagte McCarthy und deutete darauf, »wäre sie voll mit Motorradteilen. Und die ganze Terrasse« – er schaute auf die honigfarbenen Steinplatten, die zum Gartenhaus führten – »hätte lauter Ölflecken.«

»Oh, aye.« McMahon schaute hinaus. »Meine Frau ist fast schon fanatisch, wenn es ums Aufräumen geht. Verstehen Sie mich nicht falsch, ich bin auch ordentlich, aber sie ist fanatisch.« Ihm schien das gut zu gefallen. »Möchten Sie eine Tasse Tee?«

Normalerweise tranken sie keinen Tee mit jemanden, den sie befragten. Aber Harry war ein ehemaliger Polizist und wusste genau, dass eine gewisse Nähe entstand, wenn sie annahmen.

McCarthy sah Morrow fragend an. »Das wäre wunderbar«, sagte sie.

Während McMahon Wasser aufsetzte und Tassen aus dem Schrank holte, redeten sie über gemeinsame Bekannte und darüber, unter wem McMahon ausgebildet worden war und was die Polizeireform bringen würde. Er hegte keinerlei Verbitterung gegenüber der Polizei, was für Beamte, die noch ihren Dienst taten, angenehm und ermutigend war.

»Seit Ihrem Abschied ist es Ihnen offensichtlich ganz gut ergangen«, sagte Morrow, während er die Teetassen auf den völlig leeren Küchentisch stellte.

»Hab Glück gehabt«, sagte er. »Bitte setzen Sie sich doch.« Er ging noch einmal zum Schrank und holte ein paar Kekse aus einer Plastikdose, die direkt neben einer anderen Dose mit Vollkornkeksen stand. »Ich bin zur richtigen Zeit gegangen. Bekam meine Pension, war noch fit genug, um zu arbeiten, und der Arbeitsmarkt war gerade im Aufschwung. Wir hatten wirklich Glück.«

Er kam mit einem Teller Kekse zurück an den Tisch. Billige Chocolate Chip Cookies, die No-Name-Version eines ohnehin billigen Markenprodukts. Morrow schaute auf ihren schwachen Tee, die Milch darin war dünn und hatte höchstwahrscheinlich nicht einmal ein Prozent Fett.

»Was machen Sie jetzt eigentlich, Harry?«

»Schon einmal von *Information Solutions* gehört?«

»Nein.«

»Tja«, er neigte den Kopf in ihre Richtung, »das werden Sie bestimmt noch. Irgendwann werden Sie wahrscheinlich auch für sie arbeiten. Das ist eine Firma für private Ermittlungen, die in ganz Schottland tätig ist. Eigentlich ist es ein loses Netzwerk aus Firmen, aber wir arbeiten alle zusammen. Das heißt, ich kann in Ullapool anrufen, und dort nimmt dann jemand noch am selben Tag für mich die Räume einer Firma unter die Lupe und mein Klient hat eine Rückmeldung. Das ist gut. Es funktioniert.«

»Geht es da nicht immer nur um Scheidungen?«

»Nein. Mehr um die Überprüfung von Bewerbern und Aussagen, solche Sachen. Scheidungsfälle sind eher selten. Nicht sehr angenehm, aber besser als entlaufene Haustiere. Auf jeden Fall bemüht man sich dann mehr um seine eigene Ehe.«

»Und das rentiert sich?«

Er wiegte den Kopf, darüber wollte er nicht so gern sprechen. »Es ist in Ordnung. Und sie rekrutieren ehemalige Polizisten. Wenn Sie ausscheiden, wenden sie sich bestimmt auch an Sie. Sie bekommen einen Brief, in dem Sie gefragt werden, ob Sie für die Firma arbeiten oder Ihre Adresse für später registrieren lassen wollen. Sehr gut organisiert.«

»Schön zu wissen«, sagte McCarthy und zuckte zusammen, weil ihm einfiel, dass Morrow neben ihm saß. Nicht gerade schlau, seiner Vorgesetzten zu zeigen, dass er Zweifel an seinem Beruf hatte. Morrow ging darüber hinweg.

»Also, Harry«, sagte sie und schob den dünnen Tee etwas von sich weg, »dieser Fall.«

»Oh, klar.« Er wandte sich ihr zu. »Also, um welches Jahr geht es?«

»1997. Ein Mord …–«

»Davon hatte ich genug.«

»Erstochen. Es ging um zwei junge Kerle, Michael Brown tötete seinen Bruder.«

»Hm, da muss ich überlegen …« Er schaute an ihr vorbei hinaus in den Garten und biss von einem Keks ab. Harry wusste genau, von welchem Fall sie redete, das sah sie ihm an. Er schaute aufs Gartenhaus, als ob er jetzt viel lieber dort draußen wäre. »1997 …«

»In der Gasse, die von der Sauchiehall Street wegführt. Die Leiche wurde morgens gefunden. Michael Brown war damals im Cleveden-Kinderheim, dort haben Sie ihn abgeholt …«

»Oh!« Er wollte überrascht wirken, aber das gelang ihm nicht, stattdessen sah er verschreckt aus. Er war ein furchtbarer Schauspieler. »Die Nacht, in der Diana starb.«

»Tatsächlich?«

»Ja. Oder nicht?« Er versuchte, ihre Miene zu deuten.

»Tja«, sagte Morrow, »was wissen Sie noch von dem Fall?«

»Nichts, nichts, nichts.« Er saß kerzengerade. »Also«, sagte er etwas zu laut, »überlegen wir mal. Hm. Die Nacht, in der Diana starb. Der Junge wurde tot in der Gasse gefunden ...«

»Beim Pommes-Pakora-Kebab-Imbiss«, nickte Morrow, um ihm auf die Sprünge zu helfen.

»Ja! Also in der Gasse und hm ... lassen Sie mich überlegen.« Er legte die Hand ans Kinn, als würde er nachdenken. »Ah, hm.«

McCarthy hielt es nicht mehr aus. »Lassen Sie's einfach«, bat er ruhig.

McMahon schwieg. Er trank einen Schluck Tee und äugte dabei nervös über den Rand seiner Tasse. Dann setzte er die Tasse ab und nahm sich noch einen Keks.

Sie saßen um den runden Tisch wie drei Speichen an einem Rad. Alle wussten, dass etwas passiert war, das den Fall zu einem Fall machte, an den man sich erinnerte. Jugendliche gingen in Glasgow ständig mit dem Messer aufeinander los. Morrow vermutete, dass etwas Schlimmes passiert war und sich der Fall deshalb in McMahons Gedächtnis eingebrannt hatte. Sonst würde er sich nicht mehr an einen vierzehn Jahre alten Fall erinnern. Aber McMahon war es nicht gewohnt zu lügen. Wahrscheinlich log er ungern und war deshalb auch ein so schlechter Lügner.

Er kaute auf dem Keks herum, als ob er sich damit den Mund versiegeln wollte.

»Das war der schlimmste Versuch zu schwindeln, den ich je erlebt habe«, sagte sie zu McCarthy, der McMahon zulächelte.

McCarthy verdrehte erleichtert die Augen. »Mist«, sagte er, »ich bin einfach kein ...«

Jetzt lächelten alle, und Harry entspannte sich etwas, da er nun wusste, dass sie ihn nicht bedrängen wollten.

»Sind Sie deshalb bei der Polizei ausgeschieden?«, lächelte Morrow.

»Nein.« Er nahm noch einen Keks. »Aber deshalb bin ich selbständig. Sie können mit Geschäftsleuten nicht so reden, wie wir das machen, wussten Sie das? Sie fangen an zu weinen und so ...«

Er schaute verwirrt auf den Tisch. Beide waren froh zu hören, dass der Wechsel in die Wirtschaft doch nicht ganz so unproblematisch verlaufen war.

»Okay Harry, machen wir es kurz: Ich nehme an, Sie erinnern sich an den Fall?«

Er blinzelte ein Ja.

»Und in dem Zusammenhang ist etwas *Ungewöhnliches* passiert?«

Noch ein Blinzeln.

»Vielleicht etwas, worüber Sie nicht reden wollen?«

Ein Blinzeln.

Sie nickte zum Tisch hin. »Hat es etwas mit Fingerabdrücken zu tun?«

Er wirkte verwirrt und schüttelte leicht den Kopf.

»Keine Fingerabdrücke?«

»Nein. Darüber weiß ich nichts.«

»In den Unterlagen steht, dass Sie die Fingerabdrücke genommen haben.«

»Das habe ich nicht.«

»Wer dann?«

Er wurde bleich.

»Okay.« Sie hob die Hand. »Wir sind nicht hinter Ihren alten Kameraden bei der Polizei her, das interessiert uns überhaupt nicht. Es geht um die Fingerabdrücke in dem Fall, die interessieren uns.«

»Darüber weiß ich nichts. Ich war nicht dabei, als sie genommen wurden.«

Das Gute an einem schlechten Lügner war, dass Morrow sofort wusste, wann er die Wahrheit sagte. »Und wer könnte darüber etwas wissen?«

»George Gamerro. Er war damals mein DS.«

»Und was macht er heute?«

»Hat einen Zeitschriftenladen nordöstlich von Glasgow, in Bridge of Allan.«

»Okay.« Sie stand auf. »Sie waren super, Harry.«

Er begleitete sie in die Diele, holte ihre Mäntel aus dem Schrank und half Morrow hinein. »Heute soll man das ja nicht mehr machen«, sagte er, als sie in den Mantel schlüpfte.

»Nein?«

»Von wegen politisch korrekt und so«, sagte Harry. »Aber meiner Frau gefällt es trotzdem.«

»Ich glaube, es geht eher darum, dass man Frauen nicht auf den Hintern klatscht und uns nicht bei der Beförderung übergeht«, sagte Morrow. Es klang ein bisschen grob, aber Harry lächelte trotzdem.

»Oh«, sagte er. »Okay. Sie klingen wie meine Tochter. Sie hält mich für einen Neandertaler.«

Morrow streckte die Hand aus und drückte seine herzlich. »War nett, Sie kennenzulernen, Mr. McMahon.«

Er lächelte und wollte schon die Tür aufmachen, doch dann zögerte er. »Würden Sie mir einen Gefallen tun? Bitte sagen Sie nicht, dass Sie hier waren. Vor allem nicht zu George. Am besten zu niemandem.«

19

Rose hielt den Becher mit Kaffee in der Hand und lehnte sich zur Seite, damit die Plastikpflanze ihr Gesicht verdeckte. Sie wollte nicht, dass jemand sie sah. Sie konnte nicht nach Hause. Robert hatte die Fotos von ihr gesehen. Er wusste jetzt, wer sie wirklich war. Das konnte sie nicht ertragen. Und sie wusste, warum Anton Atholl sie all die Jahre nicht angezeigt hatte.

Julius hat Sie geliebt. Julius hatte sie in seiner Nähe behalten, um Anton Atholl mundtot zu machen. Deshalb hatte er sie bei sich aufgenommen. Er liebte sie nicht. Er war nicht ihr Vater. Sie war nützlich. Mehr als nützlich. Sie hätten die Geschäfte gar nicht machen können, wenn Atholl nicht stillgehalten hätte. Sie hatten immer gewusst, dass er die Schwachstelle war.

Er hat Sie geliebt.

Sie wollte Atholl umbringen. Wollte ihn auslöschen. Nicht, damit er tot war, sondern damit er verschwand, für immer. Aber sie konnte nicht noch einmal töten. Sie wusste es einfach, und sie konnte nicht klar denken, weil sie das Bild von Aileen Wuornos' Küken im Kopf hatte.

Rose schloss die Augen und war in Gedanken wieder bei der Nacht, in der sie die Geschichte von den Küken gehört hatte.

Es war schon spät gewesen, zwei oder drei Uhr morgens, und sie war in Francines makellosem Wohnzimmer mit dem golden gestreiften Sofa und den hellblauen Kissen. Sie hielt Hamish im Arm, wiegte ihn sanft hin und her, während er ein dünnes, erschöpftes Jammern von sich gab. Er hatte eine Kolik. Das

Wohnzimmer war am weitesten von Francines und Roberts Schlafzimmer entfernt.

Sie hatte den Fernseher angeschaltet, um wach zu bleiben, mit abgeschaltetem Ton und Untertiteln, und sie war beim Zappen auf eine Dokumentation über die amerikanische Serienmörderin Aileen Wuornos gestoßen. Eine Prostituierte. Sie hatte sechs oder sieben Männer umgebracht, und jetzt würde man sie umbringen. Eine hässliche Frau und eine Lügnerin. Es war bewiesen, dass sie eine Lügnerin war. Sie schnitt Grimassen vor der Kamera, trug orangefarbene Gefängniskleidung, wirkte schmutzig.

Hamish beruhigte sich allmählich. Rose hatte ihm ein Medikament gegeben, und nun wurde er schläfrig. Sie fragte sich, ob sie es wagen konnte, ihn hinzulegen. Sie war abgelenkt, ging auf und ab mit ihm an ihrer Schulter, genoss es, seinen kleinen Körper zu spüren und wie er sich an ihren Hals schmiegte.

Im Fernsehen hieß es, Wuornos' Vater habe im Gefängnis Selbstmord begangen. Er war in Haft, weil er ein siebenjähriges Mädchen vergewaltigt und versucht hatte, es zu töten. Die Geschichte des Vaters weckte Rose' Interesse, und ihr wurde klar, dass da auch ihre Kindheit gezeigt wurde, dass man erklärte, wo sie herkam. Rose hörte selten Geschichten wie ihre eigene.

Der Vater hatte die Familie zwei Monate vor Wuornos' Geburt verlassen. Die neunzehnjährige Mutter ließ ihre Kinder bald im Stich, Wuornos und ihr Bruder wuchsen bei den Großeltern auf.

Hamish war eingeschlafen. Im dämmrigen Wohnzimmer suchte Rose nach der Fernbedienung, um den Fernseher auszuschalten.

Der Großvater war Alkoholiker. Er vergewaltigte Wuornos und vermietete sie an seine Freunde. Von einem wurde sie schwanger. Rose konnte die Fernbedienung nicht finden. Normalerweise ließ sie sie immer auf der Couch. Wuornos bekam das Kind und gab es weg. Mit fünfzehn riss sie von zu Hause aus und lebte in einem nahegelegenen Wald. Rose suchte neben der Couch nach der Fernbedienung und dachte, dass Wuornos in einem angenehmeren Klima gelebt haben musste, wenn sie im Wald gehaust hatte, in Michigan war es wohl wärmer. Wuornos schlief für Geld und Essen mit Männern, und wenn sie in die Stadt kam, hielt sie sich in einem Haus auf, das einem Pädophilen gehörte.

Jetzt suchte Rose nicht mehr nach der Fernbedienung. Sie sah sich die Sendung richtig an.

Leute, die damals klein waren und in der Stadt gelebt hatten, wurden befragt. Sie alle hatten dort rumgehangen. Sie wussten, dass er pädophil war, wussten, was er von ihnen wollte, aber sie kamen trotzdem zu ihm. Er ließ sie rein und gab ihnen zu essen. Er hatte auch Bier und Zigaretten. Rose sah sich selbst an der Tür zu der Hütte, die im Fernsehen gezeigt wurde, als ob sie selbst in dem Haus gewesen wäre. Sie empfand Ekel und hasste sich selbst. Den anderen Kindern sagte sie, dass sie wegen Bier und Zigaretten da war, aber deshalb kam sie nicht. Sie ging hin, weil er ihr Aufmerksamkeit schenkte. Er sagte ihr, sie sei etwas Besonderes, dass sie ihm alles bedeute. Er sah sie an und nahm sie wahr. Deshalb war sie da, nicht wegen des Geldes oder Bieres, sondern weil es ihm wichtig war, ob sie da war oder nicht. Die Sachen, die er ihr gab, waren nur ein Vorwand, denn viel peinlicher als ein Zimmer voller sexgieriger alter Männer war das Bedürfnis nach Nähe.

Rose stand vor dem großen Fernseher, im nächtlichen Dämmerlicht, mit Hamish auf dem Arm, und weinte um ihr damaliges Selbst. Zehn Jahre lang hatte sie nicht mehr daran gedacht.

Eine Frau mit harten Gesichtszügen erzählte vom Haus des Pädophilen, wie es eingerichtet war und wie schmutzig es war. Dann erzählte sie von den Küken.

Der Pädophile hielt Hühner. Die Hühner legten Eier. Er brachte die Kinder dazu, befruchtete Eier aufzuschlagen, bevor die Küken bereit zum Schlüpfen waren. Die Küken waren noch nicht voll entwickelt, noch nicht so weit, um aus dem Ei zu kommen. Er brachte die Kinder dazu, ihren Todeskampf mitanzusehen, wie sie versuchten zu atmen, versuchten aufzustehen.

Rose wusste nicht mehr, ob sie damals im Fernsehen ein Küken gezeigt hatten, das ums Überleben gekämpft hatte, aber sie hatte es genau vor Augen: Ein aufgeschlagenes Ei auf dem Tisch. Im Hintergrund das Gesicht eines Mannes, der die anderen beobachtete, der lächelte, wenn ein nacktes Küken versuchte, auf noch nicht fertigen Knochen zu stehen, die Haut dünn und blau, die großen hervorquellenden Augen. Die Küken starben alle. Natürlich starben sie. Und der Mann brachte die Kinder dazu, ihnen beim Sterben zuzusehen.

Robert wusste Bescheid über sie. Wenn er nach Hause kam, war das Haus kein sicherer Ort mehr für sie. Es wäre dann wie überall.

Also saß Rose am anonymsten Ort, der ihr einfiel, einem Starbucks im Stadtzentrum. Sie versteckte sich im Auf und Ab der kommenden und gehenden Kunden, den immer gleichen Tassen, dem klebrigen Boden und mit Zuckerkristallen bedeckten Tischen und wartete darauf, dass der Gedanke wieder verschwand.

Ein Küken und ein aufgeschlagenes Ei. Kein gelbes flauschiges Osterküken, plump und vielversprechend. Eine federlose Kreatur, mit blauer Haut, die sich über den Tisch schleppte. Bei der Vorstellung wurde ihr übel. Sie wollte mit der Faust auf das Küken schlagen, es zerdrücken, die weichen Knochen und die Haut zerquetschen, die blöde Haut, das wässrige Blut über den ganzen Tisch schmieren.

Sie rieb sich mit der Hand übers Bein, wischte eingebildete

Eingeweide an ihrem Oberschenkel ab. Sie konnte noch nicht nach Hause.

Draußen in der Fußgängerzone eilten Einkäufer in Gruppen oder allein vorbei. Rose betrachtete ihre Füße und hasste sie. Sie hatten echte Menschen, zu denen sie gehörten. Echte Familien und Freunde, die sie wahrscheinlich gar nicht leiden konnten. Sie machten sich nicht nützlich, um zur Familie zu gehören, sie wurden nicht draußen vor der Tür des Art Club stehen gelassen und durften erst später rein.

Julius hat Sie geliebt, hatte Atholl bei der Trauerfeier gesagt. *Sie haben ihm so viel bedeutet.* Aber das hatte sie nicht. Julius hatte sie benutzt, um Atholl mundtot zu machen. Und am Ende, ganz am Ende, hatte er das Band zwischen ihnen beiden zerrissen und Robert vom geheimen Safe erzählt, ihm den Code gesagt, als ob alles, was sie zusammen aufgebaut hatten, überhaupt nichts bedeutete.

Ein Lästermaul, dieser Atholl. Ein höhnisches Arschloch. Inzwischen war ihr klar, was er gemeint hatte. Julius hatte sie gerne bei sich gehabt. Sie war so nützlich, und das nicht nur, weil sie sich um seine Geschäfte gekümmert und seine Botengänge erledigt hatte oder weil sie sich um Robert gekümmert und alles von ihm ferngehalten hatte. Wut war besser als diese traurige Übelkeit. Sie konnte aufschauen und sah etwas anderes als das Küken oder die Fotos.

An einem weiter entfernten Tisch saß eine Frau, allein. Sie hatte noch die Wollmütze auf, obwohl es warm im Café war, und ordnete gedankenverloren die Zuckerpäckchen auf dem Tisch in Reihen. Ihre Handbewegungen waren ruckartig, ihr Mund stand offen und ihre Bluse war falsch zugeknöpft, so dass über ihrem Herzen eine Lücke klaffte. Die Frau griff in ihre Tasche und holte ein Fläschchen Desinfektionsgel heraus, ein durchsichtiges Fläschchen mit einem Pumpspender. Sie drückte mit ihren nervösen Fingern auf den Spender, einmal, zweimal, und verrieb das Gel mit den Händen, lange und gründlich, zu lange. Dann packte sie das Fläschchen wieder in ihre Tasche.

Rose beobachtete sie halb verdeckt durch die Pflanze und schloss die Augen. So etwas machte sie nicht. Sie war keine Verrückte, die versuchte, sich in einem Café zu waschen. So schlimm war es noch nicht.

Sie hob die Tasse an den Mund, aber dann fiel ihr das Küken wieder ein, gerade als sie den Kaffee an den Lippen spürte. Sie konnte nichts in den Mund nehmen. Sie setzte die volle Tasse wieder ab und wischte sich mit dem Ärmel über den Mund.

Sie schauderte vor Ekel. Wer hatte die Fotos von ihr gemacht? Es spielte keine Rolle. Nicht McMillan, das wusste sie. Es ging nicht einmal um sie. Es ging um die Männer auf den Fotos. Sie war nur ein Körper. Auf einem Bild sah man nicht einmal ihr Gesicht. Doch die Gesichter der Männer waren gut zu erkennen. Kein Blitzlicht. Vielleicht wussten sie nicht einmal, dass es die Bilder gab. Aber Atholl wusste es. Deshalb hatte er gesagt, dass nichts im Safe war. Er hatte schon immer von der Existenz der Fotos gewusst.

Ohne das Foto hätte sich Rose nie an Atholl erinnert. Es war eine von vielen Partys mit betrunkenen Männern, Sammy brachte sie hin, und die Männer nahmen sie einer nach dem anderen mit ins Nebenzimmer – normalerweise war es ein anderes Zimmer, aber nicht immer. Eine Party von vielen. Sie sah sich die Gesichter nicht an.

Aber Atholl wusste es. Jedes Mal, wenn sie miteinander geredet hatten, hatte er das Foto gesehen, so wie sie jetzt das Küken vor Augen hatte. Sie hielt einen Moment lang den Atem an, weil sie befürchtete, sich gleich übergeben zu müssen.

Sie hielt weiter den Atem an.

Und weiter.

Als sie ausatmete, merkte sie, wie sie zu einem Tisch mit lachenden Teenagern hinübersah, zu einer Mutter mit ihrem Baby, einem Mann im Anzug, der ein dickes Stück Kuchen aß. Es war ihnen scheißegal. Niemand scherte sich um sie.

Irgendwo in der Stadt wurde gerade ein Kind missbraucht, und hier saßen die Leute, tranken Kaffee und aßen Kuchen oder Kekse. Sie kauten und schluckten, Zucker, Sahne, Schokolade und Kaffee.

Es war ihnen scheißegal, aber anschließend wollten sie alles darüber erfahren. Sie würden sich um den Fernseher drängen und altklugen Frauen zuhören, die erzählten, wie es damals gewesen war. Sie hörten Leuten zu, die darüber hinweggekommen waren, die Filmstar oder Schachmeister geworden waren. Das wollten sie hören, Erfolgsgeschichten von denen, die es weggesteckt hatten, denn dann konnten sie ungestört weiter essen und trinken und herumsitzen und sich über ihre Ehemänner beklagen, über ihre Wohnung, ihre Schuhe und die Regierung.

Die Frau mit dem Desinfektionsgel war kein Filmstar oder irgendein Siegertyp. Rose war kein Star. Das wollte niemand hören. Sie holte tief Luft, sah das Küken, die nackte Haut, einen Körper, der auf noch nicht ausgebildeten Knochen umhertorkelte, die Augen so vorgewölbt, dass die Lider nicht ausreichten. Sie sah das Küken straucheln und fallen, spürte den Luftzug an den noch nicht ausgebildeten Federn, als es auf die Seite kippte.

Rose schaute sich in dem klebrigen Café mit den Bänken aus Kunstleder und den Fenstern um, an denen das Kondenswasser hinunterlief, und wieder sah sie das Küken, aber jetzt war es kein namenloser Fremder in einer warmen Stadt in Amerika, der grinsend, den Kopf auf die Tischplatte gestützt, zusah, wie das Küken um sein Leben kämpfte und starb, sondern es war Julius.

Julius. Er liebte sie nicht, er war nicht ihr Freund. Er hatte sie die ganze Zeit benutzt. Er hatte sie nie angerührt, aber trotzdem hatte er sie missbraucht. Er hatte sie nicht geliebt. Aber sie hatte ihn geliebt.

Ein Telefon klingelte; sie hörte das Summen, brachte es aber zunächst nicht mit ihrem eigenen Handy in Verbindung. Wahrscheinlich Francine, der es schlecht ging und die fragte, wo sie blieb.

Rose holte das Telefon aus der Tasche und schaute aufs Display. Es war nicht Francine. Es war genau der Mann, mit dem sie auf keinen Fall reden wollte. Auf dem Display stand BB – der Code für Anton Atholl.

Sie schaute auf ihr Telefon und ließ es weiter vibrieren, wusste nicht, ob sie drangehen sollte, weil sie nicht sicher war, ob sie überhaupt ein Wort herausbrachte. Zur Hölle mit ihm, dachte sie und ging dran.

»Bist du das?«, fragte er.

»Hm«, sagte sie und hoffte, dass er etwas Neues über Robert wusste.

»Wir müssen uns treffen.«

»Nein.«

»Es ist wich…«

Sie legte auf und schaltete ihr Handy aus. Auf der anderen Seite des Cafés sah sie die verrückte Frau mit der falsch zugeknöpften Bluse. Sie hatte wieder das Fläschchen in der Hand. Mit nervösen, ungeschickten Bewegungen pumpte sie das Gel auf die Handfläche. Rose konnte das Desinfektionsmittel riechen.

Plötzlich stand Rose neben der Frau. Der Geruch des Desinfektionsmittels war stechend scharf und sauber. Sie sagte: »Entschuldigen Sie, könnte ich auch etwas davon haben?«

Die Frau sah sie an und blinzelte langsam. »Sicher.«

Sie sprach schleppend, die Lippen waren feucht, aber Rose sah nicht auf ihr Gesicht, nicht auf die Bluse, wo der Stoff an ihrem Herzen auseinanderklaffte.

Sie pumpte vier Portionen des Mittels in ihre linke Hand und schloss die Finger um den kostbaren Inhalt.

»Vielen Dank.« Sie ging zurück zu ihrem Mantel und ihrem Kaffee.

Unter dem Tisch, wo niemand sah, was sie tat oder wie seltsam sie sich verhielt, verteilte Rose den Alkohol auf ihren Händen und spürte, wie er den Dreck und den Schmutz wegbrannte. Sie hob die Hände, schloss die Augen und rieb das Desinfektionsmittel über ihr Gesicht.

Reglos, mit geschlossenen Augen saß sie da und spürte, wie sich der Schmutz mit dem Alkohol verflüchtigte. Sie konnte es nicht noch einmal tun. Sie konnte Atholl nicht töten. Aber sie konnte ihn auch nicht am Leben lassen.

20

Die Läden in Bridge of Allan waren bescheiden und funktional: Ein Co-op-Supermarkt und eine Drogerie, dazwischen Floristen und Grußkartenläden, Geschenke und Outdoor-Kleidung. George Gamerros Zeitschriftenladen lag am Ende der Hauptstraße.

In einem Fish-and-Chip-Imbiss saßen Studenten der nahegelegenen Universität, es war die Art von italienischem Café, die in Nord-London florieren würde und total angesagt wäre, aber hier war die Ausstattung nicht retro, sondern echt. Ins Schaufenster war ein mit Filzstift geschriebenes Schild gelehnt, das mit verblassten Buchstaben prahlte: *Schottlands beste Fish & Chips*. Die Studenten standen in Grüppchen vor dem Lokal und aßen dampfende Pommes frites. Sie trugen Schals und dicke Pullover, hatten eine unglaublich reine Haut und die optimistische Ausstrahlung, dass eine wunderbare Zukunft vor ihnen lag. McCarthy parkte den Wagen vor dem Laden.

»Wissen Sie was?«, meinte Morrow. »Warum warten Sie nicht hier und ich gehe allein rein?«

Das war eigentlich gegen die Vorschriften, aber ihnen war klar, dass ein ehemaliger Polizist die Regeln kannte und wusste, dass seine Aussage vor einem einzelnen Beamten nicht verwendbar war. Sie dachte, Gamerro würde eher reden, wenn sie mit ihm allein war.

»Sicher?«, fragte McCarthy.

Morrow war sich nicht sicher. Sie schaute zum Zeitschriftenladen und überlegte, ob das clever war oder einfach nur verzweifelt. Sie hatte das Gefühl, dass sie sich selbst eine Falle stellen wollte, sich dazu bringen wollte, das Richtige zu tun. Wenn Michael Brown damals seinen Bruder nicht getötet hatte, hätte sein Leben ganz anders verlaufen müssen. Er hätte nicht zu einer lebenslangen Haftstrafe verurteilt werden dürfen, wäre vielleicht nicht straffällig geworden, als er auf Bewährung frei kam, und jetzt nicht wieder in Haft. Sie steuerte auf die kostspielige Wiederaufnahme eines alten, abgeschlossenen Falls zu, die zur Folge haben würde, dass ein ruinierter, unsympathischer Mann frei kam, der innerhalb eines Jahres wegen einer anderen Straftat erneut verhaftet und verurteilt werden würde, und das in einer Zeit der Umstrukturierung, in der nur Managertypen und die Polizeibeamten eine Zukunft hatten, die ihr Budget einhielten.

»Weiß nicht …«

Sie blieben im Auto sitzen; Morrow ging noch einmal ihren beruflichen Selbstmord durch, McCarthy wartete auf ihre Entscheidung.

Studenten schlenderten an ihnen vorbei, gingen zurück zum Campus. Morrow schaute auf den Laden.

Das Schaufenster war mit Werbung für verschiedene Zeitschriften zugehängt. Ein ganzes Fenster war mit einer Skyline von Glasgow in Schwarzweiß beklebt. Vor dem Laden standen der Mülleimer einer bekannten Eismarke und der Aufsteller einer Tageszeitung.

»Was soll's«, sagte sie schließlich. »Warten Sie hier.«

Im Laden war es dunkel. Morrows Augen brauchten einen Moment, um sich an das schummerige Licht zu gewöhnen. Eine pummelige junge Frau las auf die Theke aufgestützt in einer Klatschzeitschrift. Ihr Lippenstift war pink, und sie kaute Kaugummi. Als sie die Tür hörte, schaute sie kurz auf, doch da Morrow kein Kind war und wahrscheinlich nichts klauen würde, las sie weiter.

»Entschuldigen Sie«, sagte Morrow, »ich suche George Gamerro.«

Das Mädchen musterte sie. »Weswegen?«

»Ich muss mit ihm reden.«

Sie nickte. »Haben Sie etwas zu verkaufen? Sind Sie Vertreterin?«

»Nein, ich bin eine alte Kollegin von der Polizei.«

»Oh.« Ihre Miene hellte sich auf. »Moment.« Sie kam hinter der Theke vor und ging zwei Stufen zu einer Tür im hinteren Teil des Ladens hinauf. Dahinter befand sich ein enger Lagerraum, voll gestopft mit Getränkekisten und Schachteln voller Chipstüten, die Regale reichten bis zur Decke. An einer Wand führte eine schmale Holztreppe, steil wie eine Leiter, zu einem Loch in der Decke.

Während das Mädchen die Augen weiter auf den Laden gerichtet hielt, rief sie zum Loch hinauf: »Hey, Opa! OPA!«

Von oben war ein dumpfes Klopfen zu hören. Sie lächelte Morrow zu. »Jetzt ist er sauer. Achtung: OPA!«

Ein weiteres Klopfen, gefolgt von einer Reihe gemurmelter Flüche. Das Mädchen lachte leise in sich hinein. »Er schäumt vor Wut.« Sie ging zurück zur Theke und ließ Morrow allein an der Treppe stehen.

Ein Fuß erschien in dem Loch, dann noch einer, der vorsichtig nach der nächsten Stufe tastete. George Gamerro wirkte riesig, wie er durch das kleine Loch herunterstieg. Als er schließlich vor Morrow stand, stellte sie fest, dass er tatsächlich riesig war. So groß wie die Tür und trotz seines Alters immer noch muskulös. Sein Gesicht wirkte alt, eine zerknitterte Landkarte voller Runzeln und Falten, aber sein Körper war gut in Form. Er stand aufrecht wie ein Schutzmann alter Schule, die Schultern gestrafft, die Hände entspannt an der Seite, die Füße fest auf dem Boden.

»Hallo?«, sagte er. In der winzigen Abstellkammer ragte er vor ihr auf wie ein Riese.

Morrow streckte die Hand aus. »George Gamerro? Ich bin DI Alex Morrow.«

George musterte sie argwöhnisch. Er schaute auf ihre Hand, ergriff sie aber nicht. »Aus Strathclyde?«

Sie lächelte. »Woher wissen Sie das?«

Er erwiderte ihr Lächeln nicht. »Was machen Sie hier, ohne zweiten Beamten?«

Dass Morrow ohne Begleitung kam, hatte eigentlich freundlich und kollegial wirken sollen. »Ich … ähm …, mein Kollege ist draußen im Auto. Können wir Sie kurz sprechen?«

George steckte die Hände in die Taschen. »Warum ist er im Auto?«, flüsterte er und schaute über ihren Kopf hinweg zur Tür. Ein Zucken am Kinn verriet seine Panik. »Wer ist er?«

»Mit wem rechnen Sie denn?« Sie wollte, dass er einen Namen nannte, ihr sagte, vor wem er Angst hatte, aber er verstand ihre Frage als Drohung.

Er sah ihr in die Augen und knurrte: »Und wenn ich nicht mitkomme?«

Sie schüttelte den Kopf, machte einen Rückzieher. »Das wäre in Ordnung. Ich bin allein gekommen, weil ich dachte, das wäre entgegenkommend, sie sind schließlich ein ehemaliger Detective Sergeant, aber das ist eindeutig nicht so rübergekommen …«

George behielt den knurrigen Zug um die Mundwinkel bei, doch sein Blick sagte ihr, dass er Zweifel hatte, dass er Angst davor hatte, wer oder was ihn auf der Straße erwartete, dass er mittlerweile zu alt für solche Sachen war.

Unaufgefordert legte sie ihm die Hand auf den Unterarm.

»Gamerro, kommen Sie mit und gehen Sie mit mir und meinem DS Fish and Chips essen. Und keine Angst: Ich lade Sie ein.«

Die Besitzerin des Lokals war eine einfache, rundliche Frau mittleren Alters. Man merkte sofort, dass sie Gamerro mochte. Als sie ihn sah, kam sie hinter der Theke hervor, wischte sich die Hände ab und drängte sich durch die Schlange, um ihn herzlich zu begrüßen. Sie führte sie zu einem Vierertisch, wobei sie den übergangenen Kunden in der Schlange erklärte, Gamerro, Morrow und McCarthy hätten reserviert.

Sie erkundigte sich nach seiner Frau, nach dem Laden, gingen die Geschäfte gut? Und wie ging es Holly? George Gamerro sagte, sie kümmere sich um den Laden, woraufhin die Besitzerin nur mit den Augen rollte. Ihre Enkel wollten nicht im Café arbeiten, erklärte sie, sie hätten an der Uni zu viel zu tun. Das war ein versteckter Seitenhieb gegen George, und Morrow merkte, dass sie sich an seiner Stelle gekränkt fühlte.

Sie bestellten dreimal Fisch und etwas zu trinken: Tee für Morrow und McCarthy, ein Glas Milch für George. Die Besitzerin ging mit einem leisen Schmunzeln im Gesicht davon.

Als George sah, dass Morrow sich ärgerte, und darüber lächelte, erkannte sie, was für ein gutaussehender und warmherziger Hüne er war. Er erklärte, Mrs. Fratini sei sehr stolz darauf, dass ihre Enkel studierten und müsse es einfach jedem erzählen.

Eine gestresste Kellnerin brachte die Getränke und legte das in Papierservietten gewickelte Besteck an das Kopfende des Tisches.

»Also«, fragte George mit gesenktem Blick, »von welchem Revier sind Sie?«

»London Road, CID«, sagte McCarthy.

»Ah«, sagte George.

»George, wir haben einen Typen namens Michael Brown, er steht gerade vor Gericht. Seine erste Verhaftung, an der Sie beteiligt waren ...«

»Kann mich nicht erinnern.«

»Sie erinnern sich nicht? Ein junger Kerl, er wurde verhaftet, weil er seinen Bruder erstochen hatte, in einer Gasse, die von der Sauchiehall Street abgeht?«

»Nein.«

»In der Nacht, als Diana starb.«

Da wusste er, dass es lächerlich war zu lügen. Jeder erinnerte sich daran, wo er gewesen war, als Diana starb. Viele erinnerten sich sogar, wenn es gar nichts zu erinnern gab. George rang einen Moment mit sich selbst.

»Ich war bei der *Verhaftung* nicht dabei«, sagte er bestimmt.

Sie schaute auf. »Was?«

George hob die Hände. »Die Verhaftung. Damit hatte ich nichts zu schaffen.«

»Sie waren der Vorgesetzte.«

George klopfte mit der Handkante sachte auf den Tisch, den Kopf gebeugt, als ob er sich gegen starken Gegenwind stemmen müsste. »Ich war beim Verhör von Michael Brown als Vorgesetzter mit dabei, aber ich war *nicht* an den Vorgängen im Rahmen seiner Verhaftung beteiligt. Das fällt in die Zuständigkeit der Beamten, die ihn aufs Revier brachten und seine Personalien aufnahmen.«

Er redete mit ihnen, als ob sie Anwälte wären. Jeder wollte die heiße Kartoffel schnell weiterreichen, und irgendwie ging es dabei um die Verhaftung.

»Sie waren nicht dabei, als seine Personalien aufgenommen wurden?«

»Nein.«

»Haben Sie danach die Unterlagen kontrolliert?«

»Nein.«

»Haben Sie gesehen, wie seine Fingerabdrücke genommen …«

George zuckte zusammen. »Nein!«

Sie verstand, warum McMahon nicht wollte, dass sie seinen Namen erwähnten.

Die gestresste Kellnerin stellte ihnen wortlos drei Teller mit Fish and Chips hin. Sie steckte die Hand in die Tasche ihres Kittels und förderte mehrere Päckchen Ketchup zutage, ließ sie auf den Tisch fallen und zwinkerte George zu, der zurücklächelte.

Als sie wieder weg war, erklärte er ihnen: »Früher gab es das Ketchup kostenlos, aber die Studenten haben es immer eingesteckt und mitgehen lassen. Jetzt muss man dafür bezahlen. Sie ist nett, sie hat es uns geschenkt.«

Alle schauten zur Kellnerin und lächelten dankbar, als ob sie ihnen eine Flasche Champagner geschenkt hätte. Sie nahmen sich ihr Besteck und begannen zu essen. Alle Oberflächen im Café waren hart, Edelstahl und Marmor, dazu noch ein Steinboden, daher war es im ganzen Raum sehr laut. Das Schweigen zwischen ihnen war deshalb nicht sonderlich drückend. Der Raum war unregelmäßig geschnitten, die Theke für das Eis zum Mitnehmen stand in einem Winkel zur Tür, die Theke für Fish and Chips in einem anderen Winkel.

Morrow aß ihren Fisch und überlegte, wenn das Schild im Fenster stimmte, war es um Fish and Chips in Schottland nicht gut bestellt.

Ganz plötzlich ebbte der Lärm ab, der Andrang ließ nach, für die meisten war die Mittagspause vorbei. Die Kellnerinnen räumten die Tische ab und wischten sie sauber, kratzten die Essensreste in einen Mülleimer und stapelten die Teller auf einem Servierwagen.

George und McCarthy hatten ihre Teller leergegessen und sahen zu Morrow, die nach der Hälfte aufgegeben hatte.

»Schmeckt es Ihnen nicht, Ma'am?«, fragte McCarthy.

»Ach«, sagte Morrow. »Ich habe immer Lust auf Fish and Chips, aber dann ist es mir doch zu fettig.« Sie schaute auf ihren Teller. »Möchten Sie?«

»Oh, ja.« Er tauschte seinen leeren Teller mit ihrem.

Sie sah, dass George darüber lächelte und grinste zurück. »Dünn wie ein Besenstiel und nimmt kein Gramm zu«, sagte sie über McCarthy.

»Dabei bemühe ich mich wirklich«, entgegnete dieser mit vollem Mund.

Morrow schenkte ihnen eine zweite Tasse Tee ein, während George sein Glas Milch leerte.

»Ich möchte Sie nichts fragen, was Sie in Schwierigkeiten bringt, George.«

Er nickte ernst und nagte an seiner Oberlippe. »Worum geht es dann?«

Sie überlegte, wie sie es formulieren sollte: Wer auch immer Pinkie Brown umgebracht hatte, hatte erneut jemanden getötet; Michael Browns Hände hatten sich im Gefängnis selbständig gemacht; all das waren zu viele Informationen. Nach allem, was sie wusste, reagierte George Gamerro so ausweichend, weil er bei irgendetwas die Finger mit drin hatte. Er wusste auf jeden Fall etwas, vielleicht nicht alles, aber was immer es auch war, er hatte deshalb Angst.

»Wo kann ich herausfinden, was passiert ist, als Michael Brown verhaftet wurde?«

»Haben Sie sich die Unterlagen zu seiner Verhaftung angesehen?«

McCarthy kaute am letzten Bissen Fisch im Backteig. Morrow schaute sich um und sagte leise: »Ich bin davon ausgegangen, dass die Unterlagen völlig in Ordnung sind.«

»Da haben Sie wahrscheinlich Recht.«

»Daraus werde ich nicht viel erfahren.«

»Stimmt.«

»Selbst wenn relevante Informationen enthalten wären, wäre es schwierig, das herauszufinden. Wenn es eine Unregelmäßigkeit gegeben hat, hat der Verantwortliche meiner Erfahrung nach sicher dafür gesorgt, dass sein Name nicht darin auftaucht.«

»Das nehme ich an.«

McCarthy schaute zur Eistheke. »Habe ich noch Zeit für ein Eis?«

Auf der Theke thronte ein übergroßer Eisbecher aus Gips mit einer gigantischen Portion Eis mit Himbeersauce und einer eingesteckten Waffel, die aussah wie der Haarkamm einer spanischen Tänzerin.

»Klar«, sagte Morrow, »gehen Sie und bestellen Sie sich eins.«

Er stand auf, und als er drei Schritte Richtung Theke gemacht hatte, hörte Morrow, wie George einen Namen murmelte, den sie bislang noch nicht gehört hatte.

Sie starrte ihn an. »Sagen Sie das noch mal.«

George sah sich ängstlich um und sagte den Namen noch einmal deutlich. »Monkton.«

»Vielen Dank.« Sie drückte seinen Arm, ein bisschen zu fest, stand auf und nahm ihr Portemonnaie aus der Tasche.

Sie zahlte gerade an der anderen Theke, als McCarthy sie sah: »Kann ich mir trotzdem mein Eis holen?«

»Kein Problem, wenn Sie Ihre doppelte Portion auch bei Tempo 110 essen können.«

21

Dieses Mal schloss Rose sich selbst auf. Es war noch nicht spät, gerade einmal Teezeit, und anstelle der gedämpften Stille, die sie von Atholls »Villa der einsamen Herzen« gewohnt war, hörte sie leises Poltern und dumpfes Rufen, eine Andeutung von summenden Waschmaschinen und Fernsehern. Mit gesenktem Kopf ging sie die Treppen zu Atholls Wohnung im dritten Stock hinauf.

Die Wohnungen hatten alle einen Blick hinaus auf den Clyde. Vom Treppenhaus gab es keine Aussicht auf den Fluss. Die Baugesellschaft konnte dafür mehr verlangen, deshalb war das Flusspanorama den Wohnungen vorbehalten. Die Treppenhausfenster gingen hinaus auf die Straße.

Rose hatte die dritte Treppe zur Hälfte erklommen, als sie hörte, wie ein Stockwerk unter ihr eine Tür aufging. Sie drückte sich an die Wand, blieb reglos stehen und lauschte, wie die Tür wieder ins Schloss fiel und einrastete. Sie hörte ein schwaches Zischen aus einem Kopfhörer, dessen Besitzer die Treppe nach unten nahm und die Haustür öffnete. Sie wartete, bis sie sicher war, dass sich niemand mehr im Treppenhaus befand. Dann schlich sie die letzten Stufen zu Atholls Wohnung hoch.

Sie hatte einen Schlüssel, weil sie die Wohnung für ihn gemietet hatten. Das war ein Teil des Deals zwischen McMillan und Atholl gewesen. Er hatte es als Vorschuss für zukünftige Leistungen als Anwalt bezeichnet. Rose konnte sich nicht erinnern, wann Atholl zum letzten Mal offiziell für sie gearbeitet hatte. Falls die Abmachung auf Gegenseitigkeit beruhte, wusste sie nicht, was sie dafür bekamen.

Sie schloss auf, trat in die leere Diele und schloss leise die Tür hinter sich. In der Wohnung war es dunkel und still. Sie stand im Flur und lauschte, hörte den Fluss durch ein offenes Fenster rauschen, hörte ein Kind auf der Straße rufen.

Sie überlegte nicht, was sie tat, dachte auch nicht darüber nach, was sie getan hatte. Sie stand einfach im Flur, die Hände in den Taschen, und wartete, bis Atholl nach Hause kam.

Sie musste nur eine Stunde warten.

Atholl kam mit viel Getöse herein. Die Wohnungstür ging auf, eine Tasche wurde fallengelassen, und Atholl grunzte, außer Atem vom Treppensteigen.

Er ließ seine Aktentasche im Flur auf den Boden plumpsen, hielt die Tüte aus dem Alkoholladen jedoch weiter an die Brust gedrückt, während er die Tür zumachte. Als er sich im schwach beleuchteten Flur umdrehte, sah er sie.

Er erschrak. Die Tasche rutschte ihm aus den Armen. Seine Hand bekam noch die Wodkaflasche zu fassen, aber nicht den Tetrapak Orangensaft, der aus der Plastiktasche fiel und auf dem Boden landete, mit der Ecke zuerst. Der Karton platzte jedoch nicht auf. Atholl schaute von ihr zu dem zerbeulten Tetrapak und versuchte ein Lächeln.

Sie lächelte nicht zurück.

»Hallo Rose.«

Er streckte die Hand nach dem Lichtschalter aus, hielt aber inne, als sie flüsterte: »Ich war am Safe.«

Als er das hörte, änderte er seine Meinung und verzichtete auf Licht. Er senkte den Blick, die Flasche glitt ihm nun doch aus der Hand und landete mit einem dumpfen Geräusch auf dem Teppich. Sie sah, wie sich seine Zunge im Mund bewegte, wie er Entschuldigungen ausprobierte. Sein Kinn zitterte.

Sie zischte: »Ich prügel dir die Seele aus dem Leib, direkt hier im Flur, wenn du es wagst, jetzt loszuheulen, Atholl.«

»Ah, ja, ich habe angerufen …« Er weinte, seine Augen weinten, aber er versuchte, das Thema zu wechseln. »Ich weiß, wo Robert ist. Er hat sein Handy eingeschaltet.«

Alles, was er sagte, war eine Falle. Das hatte er ihr nicht erzählen wollen. Er wusste bestimmt, dass sie über iCloud nachschaute und es sowieso herausfand. Er hatte sie wegen etwas anderem angerufen. Er redete, als ob er sie herbestellt hätte, warf ihr Köder hin, wollte, dass sie anbiss. Sie ging nicht darauf ein.

»Willst du wissen, wo er ist?«, fragte er fröhlich.

Doch seine Augen, nur die Augen, starben vor Kummer. Er senkte das Kinn bis zur Brust und schaute auf die Wodkaflasche auf dem Boden. Sie lag auf der Seite, wie ein totes Küken. Rose stand ihm im Licht, das von der anderen Seite des Flusses kam und sich in den Tränen fing, die ihm aus den Augen tropften, durch die Luft trudelten und vom Teppich geschluckt wurden.

Atholl bückte sich langsam und packte die Flasche am Hals, hielt sie vor sich und murmelte: »Eine kleine Erfrischung vielleicht, vor dem Dinner …«

Er stolperte auf sie zu und bog dann nach links Richtung Wohnzimmer. Rose trat einen Schritt zurück, um ihn vorbeizulassen.

Er ließ sich in einen Sessel fallen. Rose folgte ihm ins Wohnzimmer. Tränen rollten ihm über die Wangen, während er die Flasche aufschraubte, deren Verschluss metallisch über das Glas knirschte.

»Oh ja«, sagte er zur Flasche, »das wäre großartig, danke. Vielen, vielen Dank.«

Er setzte die Flasche an die Lippen und trank. Das Licht vom

Fenster fing sich im Strudel des Wodkas, ließ die Flüssigkeit in der blauen Flasche aufleuchten wie Tränen.

Er setzte die Flasche wieder ab. Seine Augen verdrehten sich ekstatisch und die Schultern entspannten sich.

Rose beobachtete ihn mit ausdrucksloser Miene. Sie hörte ihr eigenes flaches Atmen. Atholl starrte auf die Flasche, die er sich zwischen die Knie geklemmt hatte. Seine traurigen Augen füllten sich erneut mit zitternden Tränen. Dann sah er sie an und sagte leise: »Rose, ich habe dich damals nicht gekannt.«

»Aber du kennst mich jetzt.«

Seine Stimme war jetzt sehr leise. »Bist du hier, um mich zu töten?«

»Wie kommst du darauf?«

»Du hast Aziz Balfour getötet, Rose, das weiß ich.«

Sie war geschockt, ihre Gedanken überstürzten sich: Wie konnte er das wissen? Niemand wusste, dass Aziz Julius gestoßen hatte und dieser dabei so schwer gestürzt war, dass seine Lungen kollabierten. Niemand hatte sie mit Aziz gesehen, niemand. Es gab kein Motiv, keine Zeugen.

Er konnte das unmöglich wissen.

Wütend nahm Rose die Hände aus den Taschen ihres Kapuzenpullovers. In jeder Hand hielt sie ein Plastikfläschchen Paracetamol. Sie machte einen Schritt vor, stellte beide auf den kleinen Couchtisch und trat wieder zurück.

Atholl schaute auf die Fläschchen. Dann sah er Rose verwirrt an.

Sie wusste nicht, wie sie es sagen sollte: Ich kann es nicht ertragen, dass du lebst. Ich kann nicht dieselbe Luft atmen, die du atmest. Ihr seid doch alle gleich, Sammy, Wuornos, ihr eigener Vater und der Mann mit den Küken.

»Warum sollte ich?«, fragte er.

»Wenn ich dich umbringe, wird man fragen, warum. Die Polizei wird ermitteln. Sie wird das Foto finden. Wenn du Selbstmord begehst, wird es heißen, du hättest es getan, weil du deine Frau und deine Kinder vermisst. Du hast die Wahl.«

Atholl schaute lange auf die Tablettenfläschchen. Sie sah, wie er an die Zukunft dachte, wie seine Söhne sich auf die eine oder andere Art an ihn erinnern würden. Er versuchte, nicht zu weinen, aber sie glaubte nicht, dass er den Tränen nahe war, weil er schon bald tot sein würde. Sie hatte das Gefühl, dass er fast erleichtert darüber war. Er kämpfte mit den Tränen, weil er die besten Absichten gehabt hatte, sein Leben aber ziemlich scheiße gelaufen war. Er weinte um sich selbst. Er holte tief Luft und sagte dann:

»Ich weiß von einer gerichtsmedizinischen Untersuchung, dass es damit vier Tage dauert, bis man tot ist. In den ersten vierundzwanzig Stunden gibt es oft keine typischen Symptome ... dann ... Leberversagen.«

Er schaute auf die Tabletten. Er schaute auf den Wodka, und sie wusste, dass er mit dem Gedanken spielte, sie damit hinunterzuspülen. Er sah von den Tabletten zum Wodka, ging das Für und Wider einer Überdosis durch.

Er begann wieder zu weinen. »Wenn ich sie nehme, wirst du das Foto verbrennen?«

Sie hatte die Stelle mit ihrem Gesicht weggekratzt. Als sie allein in der Wohnung gewesen war, bevor er kam, hatte sie das Foto hinter den Putzmitteln in Atholls Küchenschrank versteckt. Sie wollte, dass es nach seinem Tod gefunden wurde.

»Ja.«

»Versprichst du es?«, fragte er mit hoher Stimme wie ein Kind.

»Ich verspreche es. Ich verbrenne es.« Würde sie nicht.

Er schaute wieder auf die Tabletten.

»Mach schon«, sagte sie.

»Rose«, er konnte jetzt vor lauter Tränen kaum noch sprechen, »ich habe nie, *nie* wieder so etwas gemacht, ich schwöre es. Es war eine einmalige Sache.« Aber er hatte selbst sein Leben lang Ausreden und Erklärungen für Verbrechen gehört und wusste, dass das alles nur leere Worte waren.

Sie hielt die Augen auf die Tabletten gerichtet. »Es ist vorbei, Atholl. Du nimmst sie.«

Er sah sie an. Sein Blick fragte, ob es wehtun würde, sagte ihr, dass er Angst hatte.

Sie wollte ihn nicht trösten und sagte nichts, nickte nur kaum merklich zu den Tabletten. Atholl folgte ihrem Blick und griff zum ersten Fläschchen. Er hielt es seltsam verkehrt herum zwischen Daumen und Zeigefinger geklemmt, betrachtete es wie eine exotische Tierart. Dann sah er wieder zu ihr.

»Versprichst du, dass du es verbrennst?«

»Ich versprech's.«

Sein Gesicht verzog sich zu einem dankbaren Lächeln. Mit ausgestrecktem kleinem Finger, als würde er sich eine Delikatesse gönnen, entfernte er die Plastikummantelung um den Deckel. Er drehte das Fläschchen um, hielt es aber immer noch seltsam, als ob er die Seite nicht anfassen wollte. Dann drückte er den Deckel herunter und drehte ihn gleichzeitig, um die Kindersicherung zu lösen.

Er hatte das Fläschchen in der linken Hand, einen Finger auf dem Deckel, einen unter dem Boden, als ob er Rose so ekelhaft fände, dass er das Fläschchen nicht dort anfassen wollte, wo sie es berührt hatte.

Sie nickte, damit er weitermachte, und er nahm das Fläschchen, sah ihr in die Augen und kippte den Inhalt in den Mund, kaute auf den Tabletten herum, als ob es TicTac wären. Sie schmeckten bitter. Er verzog den Mund und schraubte die Wodkaflasche auf. Wieder war das grelle Knirschen von Metall auf Glas zu hören. Es erinnerte sie an die Wohnungen in der

Red Road, an den Wind und an das Messer, das durch Fleisch schnitt. Sie hatte sich übergeben müssen, wäre neben Aziz' Leiche fast ohnmächtig geworden und hatte sich an einem Stahlträger festgehalten, um nicht umzukippen.

Jetzt wurde ihr wieder übel. Am liebsten wäre sie zu ihm hingerannt und hätte ihn geohrfeigt, bis er die Tabletten wieder ausspuckte. Sie spürte, wie sie ausatmete, aber sie rührte sich nicht von der Stelle. Das war etwas anderes. Das war schlimmer. Hier ging es nicht ums Geschäft.

Atholl sah sie immer noch an, während er die Wodkaflasche ansetzte und den Großteil der bröseligen Tabletten hinunterschluckte. Er schloss die Augen, und sie spürte das Kratzen in ihrem eigenen Hals. Mit geschlossenen Augen nahm er das Fläschchen und kippte sich weitere Tabletten in den Mund. Dieses Mal kaute er weniger entschlossen, sondern eher mechanisch. Er ließ die leere Tablettendose fallen und nahm noch einen Schluck Wodka.

Als er die Augen wieder aufschlug, wirkte er mit einem Mal ruhig und entspannt. Er schaute auf das zweite Tablettenfläschchen, und Rose nickte. Er schraubte den Deckel auf, hielt es wieder wie zuvor zwischen zwei Fingern, kaute widerwillig, aber beharrlich noch eine Portion und spülte alles mit Wodka hinunter.

Er schmatzte mit den Lippen und sah sie an: »Tja, ich werde gerade ziemlich betrunken. Vielleicht gehe ich ins Krankenhaus und lasse mir den Magen auspumpen, wenn ich allein bin. Bleibst du den ganzen Abend bei mir? Um mich davon abzuhalten, meine Meinung zu ändern?«

Rose schüttelte den Kopf. Sie glaubte nicht, dass er seine Meinung ändern würde. Ein Teil von ihm wollte sterben. Sie schaute auf das Tablettenfläschchen in seiner Hand und merkte, dass sie sich besser fühlte, sauberer. Sie hatte das Gefühl, dass sie jetzt wieder nach Hause zurückkehren konnte.

Plötzlich fiel ihr auf, dass er nicht mehr so bekümmert war. Der Alkohol hatte seine Stimmung gehoben und verändert. Seine Augen verengten sich zu schmalen Schlitzen, und für einen kurzen Moment sah sie in seinem Blick den Mann, der eine verschreckte Vierzehnjährige vor anderen Männern vergewaltigte. Sie war froh, dass sie bis jetzt geblieben war und ihn noch so sah.

»Rose, was ist die Hölle?« Er nahm noch mehr Tabletten und hob fragend die Augenbrauen. Sie wartete, bis er zu Ende gekaut hatte, rechnete mit einem schlechten Witz.

»Die Hölle, meine Liebe«, er verzog das Gesicht zu einer Grimasse, »sind unbeantwortete Fragen.«

Er streckte die mit weißem Pulver bedeckte Zunge vor und kratzte die Tablettenkrümel an den Zähnen ab, eine Schneewehe aus Paracetamol. Dann schüttete er sich weitere Tabletten in den Mund und spülte sie hinunter.

»Glaubst du an ein Leben nach dem Tod, Atholl?«

Er zuckte mit den Schultern und mühte sich, ein Würgen zu unterdrücken. »Du?«

»Früher schon.«

Wieder schmatzte er mit den Lippen und grinste sie an. »Als ich dich vorhin anrief, ging es nicht um Robert. Ich wollte dich warnen, dass die Polizei herausgefunden hat …«

Sie sahen einander an. Unten auf der Straße rief ein Mann nach seinem Hund. Sie starrten sich mindestens eine Minute lang an. Atholl lächelte sanft. Rose merkte, dass sie den Atem anhielt.

Sie gab nach: »*Was* herausgefunden hat?«

Atholl holte tief Luft, grinste und brach dann in Gelächter aus. Er ließ die zweite Paracetamoldose auf den Teppich fallen. Sie rollte in ihre Richtung.

»*Was* hat die Polizei herausgefunden?«

Atholl lachte erneut, zuckte dann aber zusammen, als ihm klar wurde, was er da tat. Panik trat in seine Augen, Entsetzen, die Augen traten hervor, als ob er sich gleich übergeben würde, aber er beherrschte sich. Rose hielt sich am Türrahmen fest, um nicht zu ihm zu stürmen und ihn zu schlagen. Ein harter Schlag, und er würde sämtliche Tabletten wieder hochwürgen.

Atholl lächelte und schloss die Augen. Er rührte sich nicht mehr.

Sie würde ihn nicht bitten. Sie würde auch das Foto nicht verbrennen.

»Wenn du in drei Tagen nicht tot bist, bringe ich dich um.«

Er antwortete nicht.

Sie beschloss zu gehen und drückte sich vom Türrahmen weg. Atholl sah sie an. In seinem Mundwinkel hatte sich weißer Schaum gebildet.

Sie hatte sich schon zur Tür gedreht, als sie ihn hinter sich etwas murmeln hörte. Rose griff nach der Klinke, ging hinaus und schloss die Tür. Sie war schon im Treppenhaus, als die Worte, die Anton Atholl gesagt hatte, in ihrem Ohr zu einem Sinn zusammenfanden.

Wir sehen uns da unten.

22

Die Straße draußen vor dem verglasten Bürogebäude, in dem Menschen zwischen grauen Trennwänden an ihren Computern saßen und arbeiteten, war dunkel. In der Investmentfirma arbeitete man offenbar bis spät abends, denn es war schon fast acht Uhr, aber über die Hälfte der Schreibtische war noch besetzt.

Mina Balfour leitete die gesamte Etage. Am Empfang musste man sie über ihr Kommen verständigt haben, weil sie Morrow und DC Daniel bereits an der Tür zu ihrem repräsentativen Glaswürfel erwartete, der ihr Büro darstellte. Sie sah aus, als wäre sie schon weiter in ihrer Schwangerschaft als im siebten Monat, was aber daran lag, dass sie so groß und dünn war. Im Stehen stand ihr Bauch in einem lächerlichen Winkel von ihrem schmalen Körper ab, wie bei einer Hollywoodschauspielerin mit einer Schwangerschaftsbauchattrappe. Sie trug ein enges Jackett, keine Umstandskleidung, und einen kurzen schmalen Rock. Sie hatte lange, unglaublich glatte schwarze Haare, die ihr fast bis zur Hüfte reichten und unter der hellen Deckenbeleuchtung glänzten.

Auf beeindruckenden Absätzen, die fast acht Zentimeter hoch und bleistiftdünn waren, kam sie graziös auf sie zu.

Aus der Nähe sah Morrow, dass Mina hübsch, aber nicht schön war, und ungewöhnlich viel Make-up trug. Üppige Rougeflecken, dick aufgetragene Foundation, glänzender violetter Lippenstift und ein breiter schwarzer Lidstrich. Mit der einen Hand hielt sie die Tür, während sie sich vorstellte und ihnen ernst die Hand gab; sie hörte aufmerksam zu, als sie ihre Namen nannten, nickte steif und forderte sie dann auf, in ihr Büro zu kommen.

»Ich habe aber nur etwa zwanzig Minuten, dann ist eine Telefonkonferenz mit New York angesetzt«, sagte sie, sicher auch für das Fußvolk um sie herum, das kein so komfortables eigenes Büro hatte. »Wenn wir das also kurz halten könnten …«

Sie schloss die Tür, setzte sich an ihren Schreibtisch und winkte ihnen, sich auf die Stühle mit dem Rücken zu den anderen Mitarbeitern zu setzen. Von ihrem eigenen Bürostuhl aus hatte sie, wie Morrow auffiel, das gesamte Großraumbüro wie eine Aufseherin genau im Blick.

Morrow begann: »Ich bewundere Sie, dass sie noch arbeiten, nach allem, was Sie durchgemacht haben.«

»Ich muss immer etwas tun, ich bin ein aktiver Typ.« Minas Blick wanderte zu den Schreibtischen hinter der Glasscheibe.

»Das mit Ihrem Mann tut mir sehr leid.«

Mina Balfour biss die Zähne zusammen, leckte sich über die Oberlippe und sah Morrow dann angestrengt an. »Das ist sehr nett von Ihnen, herzukommen und mir das zu sagen.« Innerlich kochte sie vor Wut.

»Ich bin hier, weil ich mir aus den Akten kein richtiges Bild machen kann, wie Aziz war …«

»Sorry, Moment, halt.« Mina deutete mit dem Finger nacheinander auf sie und Daniel. »Wer sind Sie? Ein Typ namens Wainwright hat mit mir gesprochen und gesagt, dass er den Tod von Aziz untersucht.«

Daniel schaute zu Morrow.

»Das stimmt«, sagte Morrow vorsichtig. »Aber die Fingerabdrücke, die wir am Tatort gefunden haben, tauchen auch in einem Fall auf, in dem ich ermittle …«

»Sind Sie Wainwright unterstellt?«

»Nein.«

»Seine Vorgesetzte?«

»Nein. Ich habe den gleichen Rang wie DI Wainwright, aber ich arbeite in einer anderen Abteilung.«

Das schien ihr zu gefallen. »Das heißt, dass zwei DIs daran arbeiten?«

»Ja. Und zwei Abteilungen.«

Sie nickte und überlegte kurz, wobei sie sich mit der Zunge über die Zähne fuhr.

»Was arbeiten Sie hier, Mina?«

»Wir verwalten Pensionsfonds.«

»Finanzdienstleistungen?«

»Wir sind die schottische Niederlassung einer großen Firma unten im Süden.«

»Machen Sie das schon lange?«

»Seit der Uni, ja. Ich habe Buchhaltung studiert, wollte das aber nicht beruflich machen.«

»Wie lautet Ihr Mädchenname?«

»Ibrahim.«

»Von den Ibrahims in Queen's Park?«

»Nein«, sagte Mina entschieden, musste aber ein bisschen grinsen. »Die Ibrahims aus *Lenzie*.«

Lenzie: gute Gegend, Mittelschicht, ruhig. Morrow lächelte ebenfalls leicht. »Ein ziemlicher Unterschied.«

Mina schien etwas überrascht, dass Morrow den Unterschied kannte. Die Ibrahims aus Queen's Park waren Gauner. Morrow hatte noch nie von den Ibrahims aus Lenzie gehört, daher konnte sie davon ausgehen, dass es sich um anständige Leute handelte; Anwälte und Buchhalter, die ihren Rasen pflegten und ihre Autos wuschen und regelmäßig zu den Elternabenden ihrer Kinder an der Privatschule gingen.

»Ja«, lächelte Mina jetzt unverhohlen, »ein *ziemlicher* Unterschied.« Sie hatte regelmäßige, überkronte Zähne. Morrow erkannte in Mina nun die Prinzessin aus Glasgow, die sie war. Morrow selbst war auf der Südseite des Clyde zur Schule gegangen, wo die Jungs von Mädchen wie Mina träumten, sich aber am Ende mit einem Mädchen wie ihr zufrieden gaben.

»Wie haben Sie Aziz kennengelernt?«

Mina drehte die rechte Schulter zu einer Art Schulterzucken, das jedoch alles Mögliche bedeuten konnte. »Familie.«

»Er kannte Ihre Familie?«

Sie verdrehte die Augen, ein freundlicher Tadel: »Ziz kannte *jeden*.« Aber dann musste sie an ihn denken, und ihre Brust hob sich zu einem abrupten Schluchzen, als ob man ihr auf den Rücken gehauen hätte. Sie blinzelte heftig und bemühte sich, ruhig zu atmen.

Morrow wurde klar, warum Mina so stark geschminkt war: Sie hatte ihr Make-up den ganzen Tag über immer wieder erneuert. Als sie sprach, klang ihre Stimme rau. »Er war ein netter Kerl, verstehen Sie? Er war einzigartig. Humorvoll …«

Dann wurde sie vom Schmerz überwältigt, und sie saß erschöpft da, die Hände schlaff auf dem Tisch. Morrow versuchte sie abzulenken. »Können Sie mir etwas über seine Arbeit erzählen?«

»Ja, das war eine gute Arbeit, er sammelte Spenden, organisierte Veranstaltungen, solche, bei denen richtig Geld floss. Er kannte jeden, und jeder liebte ihn. Sehr gesellig …« Sie brach ab, fiel wieder in sich zusammen.

»Wofür waren die Spenden?«

»Er sammelte Geld für die Opfer der Erdbeben von 2005 und 2008. Viele leben immer noch in Zelten. Kein Wasser und so weiter, Sie wissen schon. Die Leute gaben ihm gern ihr Geld. Es wurde schon viel gespendet, aber Ziz wusste, dass nichts davon bei den Opfern angekommen ist. Dort ist alles so korrupt, aber Ziz kannte Wege, das Geld an den offiziellen Kanälen vorbei ins Land zu bringen. Die Regierung streicht sonst die Hälfte davon für sich ein. Die Leute wussten, dass das Geld, das sie Aziz spendeten, wirklich ankam und nicht dazu genutzt wurde, Luxuswohnungen in Dubai für die hohen Tiere beim pakistanischen Militär zu finanzieren.«

Mina hatte das eindeutig schon einmal erzählt, wahrscheinlich Wainwright, und erwartete daher kein großes Interesse. Sie brach ab und griff nach einer Flasche Mineralwasser auf ihrem Schreibtisch.

»Was für *Wege*?«

Mina trank und hielt dabei die Augen auf die Mitarbeiter im Büro gerichtet. »Oh, Sie wissen schon, Netzwerke, Familie, sichere Wege. Die Leute vertrauten ihm.«

»Hat er Hundi-Kuriere genutzt?«

Mina hielt inne. Ihr Blick huschte nervös über den Boden der Büroetage.

»Ähm, also, ich weiß nicht …«

»Sie wissen nicht, was Hundi-Kuriere sind oder wer die Männer sind?«

»Ich weiß nichts darüber …«

Morrow räusperte sich und beugte sich auf ihrem Stuhl ein wenig vor. »Ich verstehe ja«, sagte sie in vertraulichem Ton, »warum die Leute das machen. Ich weiß, dass die Banken dort nicht zuverlässig sind und der Wechselkurs … aber Sie müssen verstehen, Mina, dass mit diesen Leuten nicht zu spaßen ist. Bei den Geldsummen, die sie umschlagen, sind sie verwundbar, aber sie können es sich nicht leisten, verwundbar zu sein, deshalb kaufen sie sich Waffen, und außerdem sind Hilfsorganisationen nicht die einzigen, die diese Wege nutzen …«

»*Das weiß ich.*«

»Nein, ich glaube nicht. Ich glaube nicht, dass Sie wissen, wie die Hundi-Leute ihr Geld verdienen oder mit wem sie arbeiten. Ich glaube, Aziz wusste es oder er fand es heraus. Vielleicht wurde er deshalb umgebracht.«

Mina hielt ihrem Blick nicht stand und ließ sich langsam auf ihrem Stuhl zurücksinken, das Kinn zur Decke. Es sah aus, als ob sich ihr schwangerer Bauch langsam heben würde. Morrow und Daniel dachten, sie hätte einen Anfall oder würde das Bewusstsein verlieren, daher sprangen sie hastig auf und beugten sich über sie. Aber sie weinte, die Tränen liefen ihr über die Schläfen. Sie sah zu Morrow hoch und wischte sich mit den Fingern vorsichtig übers Gesicht. »Wimperntusche«, flüsterte sie, nahm ein Papiertaschentuch aus ihrem Ärmel und tupfte sich das wässrige Schwarz von den Schläfen. Es dauerte eine Weile, bis die Tränen versiegten.

Morrow stand über sie gebeugt wie eine wohlwollende Zahnärztin. »Mina, es tut mir furchtbar leid.«

»Würden Sie bitte aufhören, mich dauernd beim Namen zu nennen, verdammt noch mal?«, flüsterte Mina. »Sie machen mich noch wahnsinnig.«

»Sorry«, sagte Morrow, bevor ihr einfiel, dass das wahrscheinlich genauso nervig war. »Ich setze mich wohl lieber wieder.«

Mina schaffte es, sich aufzurichten, beide Hände auf den Bauch gelegt. »Haben Sie Kinder?«

Morrow nickte. »Zwillinge.«

Mina war beeindruckt und strich über ihren Bauch. »Ach du scheiße. Sie müssen sich gefühlt haben wie ein Monster.«

»Ich war ein Monster«, erwiderte Morrow. »Am Schluss war ich so breit wie hoch.«

Mina lächelte mit einem Schnauben und fragte mit einem Anflug von Panik in den Augen: »Sind sie gesund?«

»Sie sind wunderbar.«

»Ich mache mir Sorgen, wissen Sie, denn das ist nicht gut.« Sie zeigte auf ihr tränenüberströmtes Gesicht und fing fast wieder an zu weinen.

Wenn sie eine andere Art von Frau gewesen wäre, hätte Morrow ihr die Hand gedrückt und ihr eine nette Lüge erzählt, ihr gesagt, dass alles in Ordnung kommen würde und es völlig problemlos sei, ein Kind zu bekommen. Aber stattdessen sagte sie etwas, von dem sie wusste, dass es stimmte.

»In unserem Job sehen wir vieles, bei dem einem die Haare zu Berge stehen. Sie sind eine nette Frau aus guter Familie. Ihr Kind hat mehr Glück als die meisten.«

Mina nickte in Richtung Computer. »Zumindest muss es nicht im Zelt leben …«

»Können Sie sich nicht ein bisschen frei nehmen?«

»Nicht bei der Wirtschaftslage«, flüsterte Mina. »Das traue ich mich nicht. Sie haben keine Ahnung, wie es in der Privatwirtschaft zugeht, und ich bin bald alleinerziehend. Mir steht bei unserer Firma Mutterschaftsurlaub zu und in meiner Position bekomme ich den sogar. Aber sie brauchen nur irgendeinen Vorwand …«

Morrow nickte. »Erzählen Sie mir von den Hundi-Leuten, mit denen Aziz zu tun hatte. Ich möchte Ihnen nichts anhängen. Wir sind nur hinter den Leuten her, die Aziz getötet haben.«

»Sie halten meinen Namen raus?«

»Ihr Name wird in dem Zusammenhang nicht erwähnt werden. Wir untersuchen einen Mordfall.«

Mina zögerte. »Die ganzen Geldgeschäfte liefen über einen kleinen Anwalt namens Julius McMillan. Ich sage Ihnen das nur, weil er gestorben ist.«

»Ich weiß.«

»Etwa vor einer Woche, eines natürlichen Todes.«

»Ich weiß, wie Julius McMillan starb.«

»Ich wusste jedes Mal, wenn Ziz bei ihm gewesen war, weil er nach Zigaretten stank, wenn er heimkam, und ich sagte dann immer: ›Du *stinkst!*‹«

»Wann hat er McMillan zum letzten Mal gesehen?«

Mina sank in sich zusammen. »Am Abend, bevor er starb. Er ging mit drei großen Taschen voller Geld aus dem Haus. Kam ohne Geld wieder. Und *stank.*« Sie starrte auf ihren Schreibtisch, war völlig in ihren Gedanken versunken. »Er stank nach Qualm. Und war wütend. Er hatte jemanden dort gesehen … Draußen vor dem Büro. Und hatte sich deshalb mit McMillan gestritten … Er war total sauer. Hatte sich an der Hand verletzt … sagte, er hätte sie sich am Schreibtisch angehauen, aber das glaube ich nicht. Ziz ging einem Streit nie aus dem Weg. Da ist etwas anderes passiert.«

»Was ist denn Ihrer Meinung nach mit seiner Hand passiert?«

»Ich glaube, dass er Dawood geschlagen hat.«

Morrow hielt den Atem an. »Dawood McMann?«

»Ja.«

»Bei McMillan?«

Mina sah sie an. »Oh ja. Der zwielichtige Dawood. Mr. Glasgow. Ziz redete einen Tag lang über nichts anderes.« Sie richtete sich auf, war jetzt ruhiger. »Dawoods offizielle Geschäfte sind nur Tarnung, aber das wissen Sie ja.« Das wusste Morrow nicht. »Er bringt Drogen aus Pakistan ins Land. Jeder weiß das. Daheim richtet er damit ein wahres Blutbad an; er finanziert die Leute, die die Kanäle offen halten. Pakistan könnte ein reiches Land sein, wissen Sie, ein sicheres Land. Mit dem Geld, das weltweit nach dem Erdbeben gesammelt wurde, hätte man für jede obdachlose Familie drei Häuser bauen können, aber trotzdem leben die Leute dort noch in Zelten und die Kinder verhungern oder erfrieren. Und schuld daran sind Kriminelle wie Dawood. Aber man kann ihm nichts nachweisen, weil er nie direkten Kontakt damit hat, weil das Geld bei jemand anderem lagert, und die Drogen wieder bei jemand anderem, und die Waffen und alles andere auch. Wenn man jemanden erwischt, nimmt er sich eben einen anderen Handlanger, der sich für ihn die Hände schmutzig macht. Ziz wollte nicht, dass das von ihm gesammelte Geld für diese schmutzigen Geschäfte genutzt wurde.«

»Und deshalb eine Prügelei mit Dawood. Was ist dann passiert?«

»Ich dachte, nichts wäre passiert.« Sie zuckte mit den Schultern. »Am nächsten Tag bekam er einen Anruf aus McMillans Büro, es gäbe ein Problem mit dem Zugangscode. Es war schon spät am Abend, aber wir wussten nicht, dass McMillan da bereits tot war. Ziz ging noch einmal in sein Büro, um sich mit jemandem zu treffen. Er kam nie zurück.«

»Das Büro liegt ganz in der Nähe der Wohnblocks an der Red Road?«

»Ja«, sagte sie mit einem traurigen Lächeln. »Von seinem Büro aus schaute er direkt hinüber. Sah die Helme und Warnwesten, die dort alle tragen. Er sagte immer, wenn das in Pakistan wäre, würden dort Familien leben.« Sie sah auf. »Haben Sie die Wohnblocks gesehen?«

»Ja, ich war oben.«

»Ach du scheiße.«

»Oh ja. Entsetzlich. Ich dachte, man müsste mich mit dem Hubschrauber wieder da runter holen.«

»Ziz machte das nichts aus.«

»Nein?«

»Nein, er gehörte zu den Rettungsmannschaften nach dem Erdbeben 2008. Er ist in den eingestürzten Gebäuden herumgeklettert und all das.«

»Die ermittelnden Beamten sagen, er wäre dort hochgerannt und jemand wäre ihm gefolgt.«

»Ja, er hätte sicher versucht, sich nach dort oben zu flüchten. Dachte wohl nicht, dass jemand so mutig wäre, ihm zu folgen.«

»Aber der Mörder folgte ihm.«

Mina nickte langsam, den Blick fest auf den Schreibtisch gerichtet. »Ja.«

Draußen im Auto schaute Morrow auf ihr Handy und fand eine Sprachnachricht von Anton Atholl. Er klang betrunken. »Ich muss Ihnen etwas Wichtiges sagen. Treffen Sie mich bitte zum Frühstück um sieben im Le Pain Provençal in der Argyle Street.« Er sprach den Namen des Cafés mit einem starken, gutturalen französischen Akzent aus.

23

Rose stand am Fenster und rührte mit einem Holzlöffel in einem Topf mit Dosenspaghetti. Hinter ihr saßen die Kinder am Tisch und spielten »Wer ist es?«

Sie wusste, dass ein Abendessen mit Dosenspaghetti auf Toast ein Seelentröster war, und zwar weniger für die Kinder als für sie. Normalerweise verachtete sie solche Kindermädchen, dicke Nannys, die ihre Schützlinge mit Kuchen, Keksen und Süßigkeiten vollstopften, um sie ruhigzustellen, und ihnen das versprachen, was sie selbst gern wollten. Gemütlich im Sessel sitzen. Eine DVD anschauen. Aber es war in Ordnung. Es war in Ordnung, sowas manchmal zu machen. Immerhin erwärmte sie die Nudeln in einem Topf und nicht in der Mikrowelle, machte den Topf schmutzig, rührte darin herum, um sich selbst das Gefühl zu vermitteln, sie würde sich doch ein bisschen Mühe geben. Ein schöner Topf, klein und bauchig; er wirkte heimelig und abgenutzt und trug damit zu der Lüge bei, die sie sich selbst auftischte.

Nudeln auf Toast. Keinerlei Nährwert. Gebackene Bohnen wären wenigstens noch ein Gemüse. Die Kinder waren begeistert. So begeistert, dass sie sich beim Spielen nicht einmal stritten.

Rose schaute zum Fenster hinaus und sah ihr eigenes Spiegelbild, das vor sich selbst zurückschreckte. Sie rührte schneller. Ein olivgrünes Badezimmer. Keuchendes Atmen in einer nach Pisse stinkenden kleinen Gasse. Sie schloss fest die Augen und hielt die Luft an. Die Erinnerungen kamen nun immer schneller und dichter. Es wurde schlimmer und schlimmer. Staub auf ihrem Gesicht in der Red Road, in ihrer Nase, in den Ohren und Haaren. Sie machte die Augen auf. Die Soße klebte am Topfrand, verwandelte sich beim Trocknen in ein tiefes Blutrot. Ihr Magen krampfte sich zusammen, aber sie schaffte es, nicht darauf zu reagieren. Vorsichtig griff sie nach unten und schaltete den Gasherd aus.

Hinter ihr hatten die Kinder angefangen zu zanken. Jessica und Angus stritten mit Hamish über ihre Frage, Haare, hat es Haare?, und in den Haaren klebte Kotze, getrocknete Kotze, aber er fickte sie weiter, obwohl sie in ihre Haare gekotzt hatte und ihm zu sagen versuchte, dass sie gekotzt hatte, aber er pumpte immer weiter, schob sie auf dem dreckigen, unglaublich verdreckten Bett herum, und sie konnte ihre kindlichen Hände auf dem Bett sehen, Jessicas Hände, Kinderhände, und den blöden billigen Ring, den Sammy ihr aus einer Laune heraus oder warum auch immer geschenkt hatte.

Ihr Körper zuckte plötzlich so heftig, dass sie mit dem Löffel gegen den Topfrand stieß und der Topf umkippte und sich die Nudeln über die ganze Herdfläche ergossen, die so schwer zu putzen war.

»Scheibenkleister!« Sie griff nach den Nudeln, verbrannte sich die Finger. »Scheibenkleister!«

Die Kinder hinter ihr verstummten, ihre ganze Aufmerksamkeit galt plötzlich nur noch ihr.

Sie weinte, sie konnte sich jetzt nicht zu ihnen umdrehen.

»Oh je«, sagte sie und hob wie bei einer Pantomime theatralisch die Hände. »Oh je oh je. Jetzt habe ich ein bisschen was verschüttet.« Aber ihre Stimme klang falsch und angestrengt und brach weg. Die Kinder wussten, dass etwas ganz und gar nicht stimmte. »Oh Scheibenkleister.«

Immer noch weinend fasste sie in die heiße Masse, nahm die anbrennenden Nudeln mit den bloßen Fingern und warf sie zurück in den Topf. Die Hitze hielt sich gut in der zuckerhaltigen Soße und verbrühte ihr gnadenlos die Finger. Als der Toast aus dem Dualit-Toaster sprang, klang es wie ein Gewehrschuss, und sie zuckte vor Schreck zusammen. Schluchzend stand sie am Herd.

Nicht einmal im Gefängnis hatte sie diese Gedanken und Erinnerungen gehabt, die ihr auflauerten und sie heimsuchten. Nach der ersten Panik hatte sie im Gefängnis gewusst, wohin sie wann zu welcher Zeit gehen musste, wo sie schlafen musste und wie lange. Meistens war sie wie betäubt gewesen. Niemand fasste sie an. Sie bekam Besuch und wusste, dass alles bald vorbei sein und Julius McMillan sich um sie kümmern würde. Man hatte ihr angeboten, eine Therapie zu machen, aber sie hatte abgelehnt, weil sie Mr. McMillan hatte, das reichte, darum würde er sich kümmern. Und er kümmerte sich um sie. Jetzt gab es niemanden mehr, der sich zwischen sie und ihr eigenes Selbst stellte. Sie hob die schmerzende Hand an ihr Gesicht und ließ sie dort. Die Soße war zwar inzwischen etwas abgekühlt, aber immer noch heiß genug. Sie presste die Hände auf die zarten Augenlider und die weichen Lippen. Sie stand am Herd, spürte das Brennen und schluchzte, wusste kaum, wo sie war oder wie alt sie war.

Eine Hand auf ihrem Arm, klein und ruhig. Na komm, sagte eine dünne Stimme, na komm. Sie hätte selbst diejenige sein können, die sie da zum Spülbecken führte. Ganz ruhig, sagte sie zu sich, alles wird gut. Sie dachte, das wäre sie selbst, weil sie solche Sachen auch sagte, na komm und ganz ruhig, sie sagte das. Dann wurde der Wasserhahn aufgedreht, nicht hektisch spritzend, sondern ganz ruhig. Sie machte die Augen auf und sah, dass das Wasser so kalt und sauber war wie das Wasser bei einer Taufe. Kleinere Hände hielten ihre Hand unter den Wasserhahn, und das wunde Gefühl wurde weggewaschen.

Na komm, alles wird gut. Die brennende Soße wurde weggewaschen, und dann musste sie sich übers Spülbecken beugen, und die kleine Hand schaufelte ihr Wasser ins Gesicht, um das Rote und Brennende wegzuwaschen. Na komm, komm.

Ein Geschirrtuch, um ihr die Augen trockenzutupfen. Tupf tupf. Tupf tupf. Sie öffnete die Augen, nur ein bisschen, und sah, dass das nicht sie selbst war, sondern Jessica, und Jessica hatte Angst um sie und war traurig für sie und besorgt. Sie tat nicht nur so als ob; Rose hatte sie schon bei diesem Spiel beobachtet, wenn sie neben einem weinenden Mädchen bei einer Party stand und sie teilnahmslos tröstete, sich selbst in das Drama einbrachte, ohne etwas zu empfinden. Aber jetzt fühlte sie mit Rose, obwohl Rose das nicht wollte. Sie wollte mehr für Jessica als dieses allmähliche Aufopfern für andere. Sie wollte, dass sie selbstsüchtig blieb und sorglos und von diesen anderen Dingen nichts wusste.

»Weinst du, weil Oma das zu dir gesagt hat?«

»Hm?«

»Bei der Trauerfeier; weinst du, weil Oma gesagt hat, du sollst warten und erst nach uns reinkommen? Hamish hat gesagt, dass das gemein war, stimmt's Hamish?«

Hamish saß am Tisch, die Hände steif auf dem Schoß, und nickte ernst.

»Er hat gesagt, dass dir das wehtut, weil es gemein war und sie dich beleidigt hat. Weil du unsere Angestellte bist, aber auch zur Familie gehörst und Oma dich deswegen beleidigt hat.«

Rose stand auf und nahm Jessica das Geschirrtuch aus der Hand. »Ja«, sagte sie, während sie das Tuch sorgfältig zusammenfaltete, obwohl sie wusste, dass es in die Wäsche musste.

»Ja«, sagte sie, und stellte beim Falten die Ordnung wieder her, »das hat mich gekränkt.«

»Ich möchte Oma in den Penis treten«, sagte Hamish gehässig.

»So etwas sagt man nicht«, murmelte Rose.

»Außerdem hat sie gar keinen Penis«, sagte Jessica.

»Nein, ich weiß.« Hamish musterte aufmerksam Rose' Gesicht. »Sie ist ein Monster.«

Rose wies die Kinder an, den Tisch zu decken, Hamish sollte Besteck und Servietten hinlegen, Jessica die Gläser holen und Angus die Teller. Sie machte das Beste aus den restlichen Spaghetti, gab extra viel Butter auf die Toastscheiben als Ausgleich für die wenigen Nudeln auf jedem Teller und stellte ein Schälchen mit geriebenem mildem Käse in die Mitte des Tisches.

Sie setzten sich, und Hamish sprach mit großem Ernst das Tischgebet: »Wir sitzen beisammen, der Tisch ist gedeckt, wir wünschen einander, dass es uns schmeckt.«

Rose' Teller war leer, was den Kindern natürlich auffiel. »Ich bin nicht so hungrig«, erklärte sie.

»Aber *wir* müssen essen, auch wenn wir keinen Hunger haben«, wandte Angus ein, doch Jessica brachte ihn zum Schweigen.

Sie zeigten sich von ihrer besten Seite, klapperten so wenig wie möglich mit dem Besteck und steckten sich nach der Hälfte des Essens eilig die Serviette in den Kragen, weil es ihnen erst jetzt eingefallen war. Sie bettelten nicht einmal um Strohhalme für die Getränke.

Rose saß zusammengesunken vor ihrem leeren Teller und war mit den Gedanken bei Atholl, wie er die Tabletten zerkaut und geschluckt hatte. Er wusste das von Aziz, wusste, was sie getan hatte, und die Polizei musste es auch wissen.

Sie spürte, wie sich die Schlinge immer enger zog, aber es war ihr völlig egal.

24

Robert saß am Küchentisch und hatte den Fuß auf einem Stuhl abgelegt. Sein Knöchel schmerzte nicht mehr, wenn er ihn hochlegte, es prickelte nur ein bisschen im Fuß, die Haut ziepte, aber das lag daran, dass sie über dem geschwollenen Fleisch spannte. Er schaute auf den kalten Aga-Herd in der dunklen Küche und rechnete. Man brauchte mit dem Auto etwa eine Stunde von der Fähre bis zum Schloss; die letzte Fähre hatte vor gut einer Stunde angelegt. Er saß schon eine ganze Weile am Tisch, den Blick aufs Fenster gerichtet, und erwartete jeden Moment ein blendend weißes Licht in seinem linken Auge, einen heftigen Stoß an seiner linken Schläfe, denn links von ihm war die Terrassentür. Er saß schon so lange, dass der Henkelbecher in seiner Hand mittlerweile kalt war und seine Fingerkuppen schmerzten, weil er den Becher so fest umklammert hielt. Er löste die Finger, streckte sie auf dem Tisch aus und zog zum ersten Mal seit Tagen die Möglichkeit in Betracht, dass er womöglich nicht sterben würde.

Er hatte sein Telefon wieder eingeschaltet, er wusste, dass der Empfang hier im Schatten der Berge ohnehin schlecht war. Während er langsam und unbeholfen den Hang hinuntergehumpelt war, hatte sein Handy E-Mails, SMS und Sprachnachrichten empfangen. Er hatte sie nicht angesehen, wusste aber, dass das Telefon Informationen empfing und sendete. Sie konnten ihn über das Handy aufspüren, sie wussten, wo er war, aber sie waren nicht gekommen.

Er ging noch einmal die Gründe durch. Der Bericht an die SOCA und die dunkle Nacht auf der Intensivstation bei seinem Vater. Er hatte ehrlich gedacht, Julius habe sich ihm in diesen letzten Stunden anvertraut. Er dachte, es wäre das Morphium oder eine andere chemische Substanz gewesen, die der Körper am Ende seines Lebens ausschüttete, bevor er die wichtigsten Funktionen einstellte. Man sagte doch, dass die Nahtodvisionen mit dem Licht am Ende des Tunnels chemisch bedingt seien. Vielleicht waren Beichten am Totenbett das auch. Robert wünschte, er hätte draußen vor dem Zimmer gewartet. Er wünschte, die schwache, leberfleckige Hand hätte ins Leere gegriffen, als sie über die sorgfältig geglättete Decke kroch, auf der Suche nach der Berührung des geliebten Menschen.

Er war auf der Intensivstation bei seinem Vater, weil er versuchte, etwas für den alten Mann zu empfinden. Sie hatten sich nie wirklich verbunden gefühlt. Robert bedauerte, dass der Blick seines Vaters ihm immer ausgewichen war, dass er es nie zu den Sportveranstaltungen an der Schule oder zu Geburtstagspartys oder zu seinen kurzen (und nicht eben glorreichen) Einsätzen in der Fußballmannschaft der Schule geschafft hatte. Sein ganzes Leben lang hatte er gedacht, sein Vater würde Margery bedauern, würde sich schuldig und hilflos fühlen, dass die Frau, die er sich ausgesucht hatte, klinisch depressiv war und die ganze Zeit im Bett lag oder vor dem Fernseher saß und Wein trank. Zumindest hätte Robert an Julius' Stelle so empfunden. Jetzt verstand er, dass sein Vater ihn gemieden hatte, weil er ihn noch weniger schätzte als Margery.

Auf der knochigen Hand zeichnete sich an der Stelle, wo die Kanüle auf die Vene traf, ein roter See mit einem gelben Ufer unter der Haut ab. Julius hatte versucht, die Kanüle herauszuziehen, als es ihm besser ging, und die Krankenpfleger hatten sie mit einem glänzenden wasserfesten Plastikband befestigt, das so fest um seine Hand gezogen war, dass die Haut Falten warf. Seine gelbliche Raucherhaut verströmte immer noch einen schwachen Teergeruch, als die Finger über die Bettdecke krochen und nach Roberts ausgestreckter Hand griffen.

Robert versuchte, etwas zu fühlen, Verzweiflung, Verlust. Es war ihm peinlich, wie wenig er für diesen Mann empfand. Als die Krankenschwestern ihn mit leeren Phrasen trösteten, senkte er den Blick und nickte. Eine sehr schwere Zeit, ja. Die Hoffnung nie aufgeben, er weiß, dass Sie da sind, ja. Denken Sie auch an sich, Sie brauchen genügend Schlaf, ja.

Und so saß er mit kaltem Herzen am Bett und hoffte, dass irgendwo in ihm Emotionen schlummerten und er bald große Gefühle hätte. Dann kam die Hand, kroch auf ihn zu wie das Meer bei Flut, und die trockenen Lippen unter der Sauerstoffmaske versuchten sich zu bewegen.

Robert schob seine Hand unter die von Julius, und sein Vater griff danach. So gut das eben ging mit dem festen Band um seine Handfläche. Julius konnte die Hand nur ausgestreckt lassen, aber seine Finger krümmten sich nach unten wie zu einem festen, bedeutungsvollen Händedruck. Unter den trockenen Knochen seines Vaters wirkte Roberts Hand fleischig und rosa. Beim Anblick der alten Hand musste er an Francine denken und daran, wie sie für die Hochzeitsliste Besteck ausgesucht hatten. Das ist aus weicherem Metall, sagte irgendeine Verkäuferin. Ja, Gebrauchsspuren sind dann schon zu sehen, immer wenn das Besteck benutzt wird, bleiben Spuren, eine Erinnerung an jedes Ereignis. Das will ich nicht, sagte Francine. Es soll immer neu aussehen. Was ist mit diesem da? Julius' Hand hatte Narben, Falten und Runzeln, dicke Knöchel, Altersflecken, kreuzgerippte, wettergegerbte Haut.

Die blauen Lippen unter der Maske bewegten sich, *bab bab bab*. Wie aus dem Nichts hob sich Julius' linke Hand von der

Seite des Bettes und fiel auf die Maske, wo sie kurz liegen blieb, ein erschöpfter Bergsteiger auf dem Gipfel. Die Hand drückte die weiche Maske, bekam sie zu fassen und zerrte sie zur Seite, legte Julius' Mund zur Hälfte frei. Die Maske war mit einem elastischen Band an seinem Hinterkopf befestigt, deshalb konnte er sie nicht ganz wegziehen. Robert stand auf, hielt immer noch die andere Hand, und beugte sich vor.

Seine Augen tränten vom Sauerstoff, der in die Maske zischte. Er drehte das Gesicht weg, brachte das Ohr näher an die Lippen seines Vaters.

Ich liebe dich, mein Sohn. Das hatte er erwartet, als ob Julius die herzerwärmenden romantischen Komödien gesehen hätte, die Francine so mochte, und das Drehbuch gekannt hätte. Aber stattdessen sagte er: »Der hintere Safe. Vergiss nicht: linke Ecke hinten im Safe … Knopf … Drück …«

Julius brach ab. Robert dachte, er hätte das Bewusstsein verloren und wollte ihm die Maske wieder übers Gesicht ziehen, aber Julius' linke Hand schlug sie weg.

»Die linke Ecke ganz hinten. Greif rein. Einmal drücken. Zähl bis acht, noch einmal drücken. Der Code: *dein Geburtstag.*«

Robert sah zu seinem Vater. Julius hatte die Augen geschlossen. Er wirkte ganz ruhig. Zögernd nahm Robert die Maske und schob sie wieder über den Mund seines Vaters. In dem Moment sagte Julius seinen Text, diese wichtigen vier Silben: Ich liebe dich.

Robert ließ sich zurück auf seinen Stuhl fallen. Das hatte er nicht erwartet. Nach all der Zeit und angesichts der großen Distanz zwischen ihnen. Er begann zu schluchzen und vergrub das Gesicht in den Händen, und in dem Moment ging der Alarm an den Geräten los und die Krankenschwestern eilten herein. Robert wurde an die Wand gedrängt und stand schließlich draußen auf dem Flur. Und irgendwann landete er in der Cafeteria im Erdgeschoss, trank Tee und wartete auf Informationen von der Intensivstation. Es war 2.15 Uhr morgens, als sie es ihm sagten. Eine schlechte Nachricht, tut uns leid.

Robert erinnerte sich nicht einmal mehr, wie er ins Büro gekommen war. Er war nicht dort, und auf einmal war er doch dort. Im Krankenhaus hatten sie ihm gesagt, er solle nach Hause fahren und ein bisschen schlafen, aber er hatte Angst davor, nach Hause zu fahren, weil er wusste, dass er schlafen würde, tief und fest. Er blieb wach, überzeugt, dass diese schwindlige Müdigkeit einer intensiven Empfindung am nächsten kam und er zu mehr nicht in der Lage war.

Der Safe. Der Knopf. Die Rückwand des Safes öffnete sich zu einem schmalen, beleuchteten Durchgang.

Robert kletterte in der festen Überzeugung hinein, dass er die üblichen Sachen finden würde, die ein Anwalt im Safe aufbewahrt: umstrittene Papiere, Beweise, die zu alten Fällen gehörten und die man besser nicht fand, aber trotzdem aufheben sollte. Ein bisschen Schmuck zur sicheren Aufbewahrung, weil er wertvoll oder gestohlen war und nicht verkauft werden konnte, vielleicht auch ein bisschen Bargeld. Aber in Julius' Safe musste etwas Besonderes sein, weil es sich um einen zweiten Safe handelte, einen geheimen Safe. Und weil Julius diesen Raum dafür hatte bauen lassen, unter der Straße.

Es war ein schäbiger kleiner Safe. Er gab die ersten vier Ziffern seines Geburtstags ein. Der Safe öffnete sich nicht. Er versuchte es mit den letzten vier Ziffern, den mittleren, nichts funktionierte. Ratlos setzte er sich auf den Boden. Warum hatte sein Vater ihn hergeschickt? Und dann begriff er. Ihm wurde schlecht vor Eifersucht, als es ihm klar wurde. Sein Vater hatte die Augen geschlossen, als er »Ich liebe dich« gesagt hatte. Er war fast bewusstlos gewesen. Diese letzten Worte galten nicht Robert. Julius dachte, er würde mit Rose sprechen.

Leise weinend streckte Robert die Hand aus und gab die letzten vier Ziffern von Rose' Geburtsdatum ein. Der Safe ging auf.

Er legte die Hände vors Gesicht und weinte. Da war immer etwas Besonderes zwischen ihnen gewesen, zwischen Rose und Julius. Immer. Sein Vater hatte Rose immer wieder ihm gegenüber bevorzugt.

Schließlich hörte Robert auf zu weinen, aber nicht, weil er weniger traurig war, sondern weil ihm die Kraft ausging. Er zog die Safetür auf und schaute hinein.

Bündel mit Bargeld, in Folie eingeschweißt. Ein richtiger Klotz. Aber selbst wenn jedes Bündel fünftausend Pfund wert war, hatte er damals gedacht, selbst wenn zehntausend in einem Bündel wären, lagen dort insgesamt doch nur acht Bündel. Der Safe war sehr klein. Robert nahm das Geld und fand darunter ein hellrotes Kassenbuch, dessen abgewetzte Buchdeckel mit einem dicken Gummiband zusammengehalten wurden. Der Buchrücken lag in seine Richtung, an den abgeschabten Kanten trat grauer Karton hervor. Er nahm das Buch und schlug es auf der Seite mit den letzten Einträgen auf.

Sechs Spalten: Zuerst ein Name, alle wohl indisch oder pakistanisch; sein Vater kannte viele Pakistanis von hier. Dann eine Zahl: 40, 20, 0,9. Der Name einer Stadt, einige Städte kannte er: Quetta, Karatschi, Rawalpindi. Dann in einer Spalte mit der Überschrift *Zugangscode* eine lange Kombination aus Zahlen und Buchstaben. In der nächsten Spalte standen immer nur zwei oder drei Buchstaben, viele tauchten mehrfach auf. Und in der letzten Spalte ein Kreuz oder ein Häkchen, man sah, dass sie später mit einem anderen Stift ausgefüllt worden war. Die Gesamtsumme stand am Fuß der Zahlenspalten jeder Seite und war mit einem Plus oder Minus versehen. Alles durchgestrichen. Alles bezahlt.

Robert blätterte im Kassenbuch herum. Monat für Monat,

die Einträge reichten weit zurück, etwa fünfzehn Jahre. Alle Seiten waren zur Hälfte ausgefüllt, die zunehmend exorbitanten Summen standen am Ende der Seite. Wer immer dahinter steckte, hatte dem Besitzer dieses Buches im Lauf der Jahre enorme Summen gezahlt.

Robert besah sich die Handschrift: Es war die von Julius, sie begann in Bleistift, wechselte manchmal zu Kugelschreiber, dann zum Füller, als die Zahlen größer wurden. Manchmal hatte er für die Endsumme einen roten Kugelschreiber genommen. Manchmal war er beim Füller geblieben. Auf den letzten zehn Seiten wirkte die Schrift weniger sicher, weniger fest. Schwache Bleistiftstriche. Er war schon vor dem Sturz krank gewesen. Sie wussten, dass seine Gesundheit stark angegriffen war.

Robert ließ das Buch in seinen Schoß fallen. Das war nicht gut, was immer es war. Gar nicht gut. Sein Vater hatte auf inoffiziellen Wegen illegal Geld nach Pakistan geschleust. Was hatte Julius von Rose gewollt, was hatte sie tun sollen?

Dann wurde es Robert klar: Julius wollte, dass Rose das Kassenbuch verbrannte. Die Zahlungen waren illegal, und Rose hatte es die ganze Zeit gewusst. Sie hatte es gewusst, er nicht. Julius hatte sie ausgesucht, hatte sie eingeweiht, nicht Robert.

Warum immer sie? War sie zuverlässiger als er? Klüger? Oder waren die beiden an etwas noch Illegalerem beteiligt gewesen, etwas Kriminellem, mit dem Robert nie einverstanden gewesen wäre? Er war immer ehrlich gewesen, moralisch und ehrbar. Die beiden etwa nicht? Während er über die Gründe nachgrübelte, wanderte sein Blick zurück zum Safe. Auf dem Boden lag ein kleiner Umschlag.

Träge griff er danach und öffnete ihn. Er dachte noch immer an das Kassenbuch, als er bereits die Fotos in der Hand hielt. Da erkannte er, dass die beiden an Sachen beteiligt gewesen waren, an denen er sich nie beteiligen könnte, Erpressung und andere üble, hässliche Geschäfte. Robert war besser als das. Er war ein besserer Mensch. Er konnte nicht glauben, dass sie so tief gesunken waren. Von dieser erhabenen Warte aus hatte er den Entschluss gefasst, bei der Polizei anzurufen. Er wurde zur Abteilung zur Bekämpfung des organisierten Verbrechens durchgestellt, und eine Frau mit gelangweilter Stimme sagte ihm, dass er illegale Geldtranfers nur melden könne, wenn er ein Formular ausfülle und es ihnen per E-Mail zuschicke. Eine andere Möglichkeit gebe es nicht.

Die Erinnerung an diesen Augenblick, wie er mit den Fotos in der Hand dasaß und ihm der Atem stockte, brachte ihn wieder zurück in die kalte Küche auf der Isle of Mull. Er saß schon seit über einer Stunde hier. Beim Gedanken an die Bilder zog er den Fuß vom Stuhl und stampfte wütend auf. Zaghaft, aber doch so fest, dass es schmerzte.

Er zuckte zusammen und kniff die Augen zu. Hoffte, wenn er sie wieder öffnete, wäre das Bild von Rose' jungem Gesicht verschwunden.

Beim Anblick des Hippies erschrak Robert heftig. Er stand dicht hinter der Scheibe, sein Gesicht von einem der Sprossenfenster wie von einem Bilderrahmen umfasst, der ein groteskes Bild zeigte.

Als der Hippie sah, dass er Robert erschreckt hatte, hob er grüßend die Hand. Sie füllte eine weitere Scheibe.

»Komm rein«, sagte Robert und winkte, falls er ihn nicht hörte.

Der Hippie trat durch die Terrassentür und brachte einen Schwall Kälte mit. Er setzte sich an den Tisch und sah Roberts Knöchel.

»Autsch«, sagte er.

»Hast du auch einen Namen?«, fragte Robert und klang vor Schmerz etwas kurz angebunden.

»Oh.« Er schaute wieder auf den Knöchel. »Simon.«

Robert streckte die Hand aus, und er schlug ein. »Hallo Simon.«

»Ja.« Simon zeigte auf den geschwollenen Knöchel, den Robert wieder hochgelegt hatte.

»Autsch. Und dein Gesicht.«

»Ich war spazieren und bin gestürzt.«

»Oh.«

In der Küche wurde es immer dunkler. Plötzlich war es Zeit, das Licht anzumachen. Simon stand auf und setzte seinen Hut auf.

»Kommst du mit auf den Hügel, mit dem Quad? Wir rauchen was, schauen zu, wie die Flut reinkommt, und beobachten Delfine. Wir können sie von dort oben sehen.«

Robert lächelte. Das klang nach einer großartigen Idee. »Ist auf dem Quad Platz für mich?«

Simon war bereits im Flur. »Wir brauchen dicke Pullover.«

Der Regen hatte aufgehört und die Sonne ging gerade unter, ein flammendes orangefarbenes Leuchten am meerblauen Horizont. Sie saßen auf einer Plastikplane und sahen in ihren vielen dicken Pullovern aus wie Michelinmännchen. Am Horizont erkannte man die Isle of Coll als tiefschwarze Silhouette mit weißen Lichtern am Ufer, jedoch so wenige, dass es auch abgestürzte Sterne sein könnten.

Der Wind blies hier oben ziemlich kräftig. In der Höhe wuchsen keine Bäume mehr, der Hügel war nur mit spärlichem grünem Gras bewachsen, das in den Böen trotzig hin und her schwang.

Simon hatte das Quad sechs Meter weiter unten in einer felsigen Nische geparkt. Der Wind, hatte er gesagt und den Hang hinauf gezeigt, könnte es umkippen, wenn sie nicht darauf saßen. Es könnte den ganzen Hügel hinunterrollen. Den restlichen Weg gingen und humpelten sie den Hügel hinauf, die Gesichter dem Wind entgegengestemmt.

Ein so starker Wind, überlegte Robert, könnte eine Seele von der Erbsünde reinigen.

Jetzt lag sein geschwollener Knöchel vor ihm, bequem auf einen Stein gestützt. Er nahm die Tüte von Simon entgegen, schützte die rotglühende Spitze mit der Hand, damit der Wind sie nicht ausblies, und nahm einen tiefen Zug. Es kratzte bis tief hinunter in den Hals, ein Gefühl, das ihm noch von letzter Nacht vertraut war. Jetzt erinnerte er sich, dass sie unten geraucht hatten, zumindest sein Hals erinnerte sich. Das war also passiert. Er war sehr betrunken gewesen, hatte einen Blackout gehabt, hatte Gras oder was auch immer geraucht und es nicht mehr gewusst, deshalb wirkte alles so vernebelt und verrückt.

Simon saß im Schneidersitz, die Hände in seinem Tweed-Umhang vergraben. Er schaute aufs Wasser, wartete auf die Delfine. Die Haare hatte er zu einem rattenschwanzdünnen Pferdeschwanz zusammengebunden, der durch den Wind waagrecht von seinem Kopf abstand und ihm gelegentlich ins Gesicht peitschte. Er hatte den Hut abgesetzt, damit er nicht weggeweht wurde.

Robert spürte, wie ihn die brennende Hitze durchströmte und wie sich das Kribbeln in seinem geschwollenen Knöchel in eine angenehme Wärme verwandelte, ein leichtes Kitzeln auf der Haut. Er stellte sich vor, dass sich die Haut immer weiter und weiter dehnte, wie bei einem Ballon, bis die Poren so groß waren wie die Spitze eines Kugelschreibers, wie in einem Comic. Er stellte sich Hamish und Angus als Männer vor, die seinen Knöchel hielten, wenn er starb, und die Narben dieses besonderen Abenteuers auf seiner Haut sahen. Das war ein gutes Gefühl. Sie fehlten ihm, seine Jungs. Jessica fehlte ihm.

Simon beugte sich vor, berührte den Boden mit der Stirn, als ob er sich vor der untergehenden Sonne verbeugen würde. Robert musste lächeln. Aber der Hippie blieb unten, seine Stirn ruhte auf der Plastikplane.

»DU BIST ABER BEWEGLICH«, rief Robert über den Wind hinweg.

Und Simon blieb unten, als ob er es bestätigen wollte, blieb völlig reglos.

»SIMON: ICH SAGTE: ›DU BIST ABER BEWEGLICH.‹«

Wahrscheinlich macht er Yoga, dachte Robert. Da fiel ihm der schwarze Schatten auf, der sich unter Simons Gesicht ausbreitete.

»MACHST DU …« Ein greller, blendend weißer Blitz löschte abrupt die Welt aus, als die Kugel Roberts Kopf durchschlug. Er hatte nicht einmal Zeit, sich zu wundern, bevor er zur Seite kippte, mit dem Gesicht auf Simons Rücken fiel und sein Blut über ihm verströmte.

25

Morrow rannte durch den düsteren graublauen Morgen und duckte sich unter dem heftig prasselnden Regen, bis sie den Eingang des Cafés erreichte. Sie war viel zu früh auf, um sich gut zu fühlen, und war sogar regelrecht wütend auf Atholl. Wahrscheinlich war er noch gar nicht da, dachte sie, hatte womöglich vergessen, dass er sie überhaupt angerufen hatte. Und selbst wenn er es nicht vergessen hatte, es war eine Frechheit, sie so früh herzubestellen, als ob sie keine anderen Verpflichtungen hätte, als den Einladungen eines Earls Folge zu leisten.

Das Café hatte nur rein theoretisch schon geöffnet. Durch die Glastür sah sie die Angestellten in ihren steifen weißen Schürzen; einer reichte Backbleche mit aufgetauten Croissants über die Theke nach hinten. Hinter der Theke waren Backöfen, die den Duft von frischem Gebäck hinaus auf die Straße trugen, um Passanten anzulocken. Die Möblierung sollte ländlich französisch wirken, geschrubbte Kiefernholztische und ein Steinboden, was insgesamt so schlecht zum feuchten Glasgower Schmuddelwetter passte, dass es schon fast sarkastisch wirkte.

Sie öffnete die Tür und ging hinein, stellte sich den Blicken der Kellner, deren morgendliche Gesichter so roh wirkten wie die ungebackenen Croissants.

Atholl saß zusammengesunken in einer entfernten Ecke, die Augen auf die Tür gerichtet, um Ausschau nach ihr zu halten. Er sah aus, als bewege er sich zwischen zwei Welten: Die eine Körperhälfte gehörte zu einer warmen provençalischen Küche, die andere lehnte am regenüberzogenen Fenster. Sein Blick war verschwommen, die Augen noch stärker gerötet als sonst. Offenbar hatte er sich die Haare gebürstet, vielleicht für sie, was ihr jedoch höchst suspekt erschien. Als er sie sah, hob er den Kopf und versuchte zu lächeln, schaffte es aber nicht. Stattdessen hob er grüßend die Hand.

Völlig verkatert. Morrow schlängelte sich zwischen den leeren Stühlen zu seinem Tisch hindurch und dachte daran, dass Brian ihr am Vorabend ein Glas des geschenkten Weins angeboten hatte, sie dann aber beide beschlossen hatten, lieber eine Tasse Tee zu trinken. Sie legte sich bereits die passenden Worte zurecht für den Fall, dass Atholl nicht mehr wusste, warum er sie hergebeten hatte.

Er versuchte, zur Begrüßung aufzustehen, aber seine Knie gaben nach und er ließ sich wieder auf seinen Stuhl zurückfallen.

»Waren Sie heut Morgen schon joggen?«, fragte sie.

Dieses Mal funktionierte sein Lächeln. »Ob's regnet oder schneit. Alte Gewohnheit aus meiner Soldatenzeit.«

Sie setzte sich ihm gegenüber, schälte sich aus dem nassen Mantel und fragte sich, warum sie ihn eigentlich mochte.

Atholl hatte einen kleinen Stapel cremefarbener Umschläge aus Pergamentpapier vor sich auf dem Tisch liegen, zugeklebt und mit der Rückseite nach oben, quadratisch wie Einladungskarten, keine Geschäftsbriefe. Die Farbe der Umschläge passte zu seinen Augäpfeln, die so gelb und trocken waren, dass Morrow ihre körnige Struktur sehen konnte.

»Mein Gott, Sie sehen furchtbar aus.« Ihr fiel auf, dass ihr Akzent deutlicher zu hören war als sonst. »Haben Sie überhaupt geschlafen?«

Atholl lächelte gequält. »Ich habe mir anscheinend einen Virus eingefangen, irgendwas mit dem Magen. Mir ging es nicht gut …«

Sie waren nicht bei Gericht. Sie waren nicht einmal im Gerichtsgebäude, deshalb hatte sie das Gefühl, dass sie es sagen konnte: »Sie müssen aufhören zu trinken. Sie bringen sich damit noch um; mir kommt es so vor, als würde ich Ihnen dabei zusehen.«

Er grinste.

»Was ist daran so komisch?«

Er lachte nur keuchend.

»Haben Sie das schon öfter gehört?« Sie beugte sich über den Tisch zu ihm hinüber. »Schon hundertmal, ich weiß, aber ich sehe doch, wie Ihre Augäpfel austrocknen, verdammt noch mal.«

Atholl gluckste immer noch vor sich hin und strich dabei mit den Händen über den Holztisch. »Ah, Alex Morrow.« Er sah ihr ins Gesicht. »Alex. Alexandra.« Seine Augen waren nicht mehr trocken, sondern feucht, aber er wirkte nicht traurig. Morrow erwiderte seinen Blick und las für einen flüchtigen Moment den Verlauf einer Beziehung darin ab, die sie vielleicht gehabt hätten, wenn die Dinge anders verlaufen wären: Lachen und Streiten und ein Meer von Zärtlichkeit. Plötzlich fiel ihr Brian wieder ein, und sie senkte den Blick.

Atholl schob seine Hand in ihr Blickfeld und ließ sie dort liegen. Sie rührte sich nicht. Er zog die Hand zurück.

»Kaffee?«

»Ja«, sagte sie wieder mit ihrer eigenen Stimme. »Also, legen Sie los.«

Atholl hob die Hand, und der Kellner hinter der Theke stellte das Backblech ab. »Nein, nein«, rief Atholl, »Sie brauchen nicht zu kommen. Zweimal Kaffee bitte.«

»Möchten Sie etwas frühstücken?«, fragte der Kellner. »Bio-Croissants? Müsli? Französischen Orangensaft?«

Morrow sah, wie Atholls Blick zu den ungebackenen Croissants wanderte, er sich auf die Lippen biss und den Kopf schüttelte. »Nur Kaffee.«

Der Kellner ging los, um den Kaffee zu holen, und Atholl wandte sich wieder Morrow zu. Er war jetzt ganz der Anwalt. »Wie dem auch sei. Guten Morgen und vielen Dank, dass Sie gekommen sind.«

Sie war froh darüber. »Was kann ich für Sie tun?«

»Also«, Atholl zögerte, »da wären verschiedene Dinge …«

Seine Gedanken schienen abzuschweifen. Er schaute zum Fenster hinaus und griff nach den Umschlägen auf dem Tisch.

Morrow dachte an Brian, daran, dass sie die Schicht bei den Zwillingen hatte tauschen müssen, um hier zu sein.

»Atholl, was wollen Sie mir sagen?«

»Ja«, sagte er und blinzelte. Seine Gedanken wanderten schon wieder in eine andere Richtung. Seine Haut wirkte bläulich.

»Nehmen Sie Medikamente?«, fragte sie. Ihr war klar, dass sie diese Frage oft stellte, normalerweise aber Leuten, gegen die Anklage erhoben wurde.

Atholl lehnte den Kopf an die Scheibe. Seine Haare klebten am Kondenswasser fest, während sein Kopf langsam nach unten rutschte.

»Ich würde es niemandem sagen«, versicherte sie ihm.

Der Kellner kam mit zwei Tassen und einem Kännchen heißer Milch. Während er die Sachen abstellte und dann den Kaffee holte, überlegte Morrow, dass Atholl nicht irrational wirkte, sondern völlig von seinen eigenen privaten Gedanken vereinnahmt.

Der Kellner brachte den Kaffee, schenkte ihnen ein und kehrte dann zu seinem Platz hinter der Theke zurück. Morrow goss sich Milch ein.

»Nett, Sie außerhalb des Gerichts zu sehen.« Atholl sagte das so ernst, dass es klang, als ob er sie deshalb hergebeten hätte.

Er lächelte auf seine Tasse hinunter, während er ein wenig

Milch in den Kaffee kippte und zwei Stück braunen Zucker dazugab. »Wo sind Sie aufgewachsen, DI Morrow?«

»Southside.« Sie wollte das nicht vertiefen. »Und Sie?«

»Wiltshire.«

Ihr war klar, dass auch er nicht mehr dazu sagen wollte.

Er lächelte schief. »Wir sind uns nicht gerade ähnlich, oder?«

»Das genaue Gegenteil voneinander.« Morrow hob die Tasse an den Mund und trank. Der Kaffee war dickflüssig und schokoladig.

Als sie wieder aufschaute, weinte Atholl. Er schluchzte nicht, sein Atem hatte sich überhaupt nicht verändert, aber dünne Tränen rannen ihm aus den Augen. Er nahm ein schönes Stofftaschentuch aus der Hosentasche und tupfte die Tränen weg.

»Epiphora«, erklärte er. »Meine Ärzte tun ihr Bestes.«

Er log. Es konnte gut sein, dass das eine Bezeichnung für tränende Augen war, aber Atholl sprach das Wort so aus, als hätte er es noch nie zuvor benutzt. Plötzlich wünschte sie sich weit weg von ihm.

»Warum haben Sie mich hergebeten?«

Er holte tief und ein wenig zitternd Luft. »Michael Brown ist einverstanden, dass Sie ihm heute Morgen noch einmal die Fingerabdrücke abnehmen.«

»Er hat also seine Meinung geändert?«

Atholl nickte entschieden, schaute aber dabei auf den Tisch.

»Wann hat Brown Ihnen das gesagt?« Die Häftlinge durften sich beim Verlassen des Gerichts nicht mit Ihren Anwälten treffen, und Brown konnte ihn gestern Abend nicht angerufen haben. Und heute Morgen hatte er ihn bestimmt noch nicht gesehen.

Atholl schüttelte den Kopf. Er gab nichts preis.

»Warum haben Sie mich drei Stunden, bevor Ihr Arbeitstag anfängt, hierher bestellt?«

Während er seinen Kaffee austrank, legte er sich eine Lüge zurecht. »Ich dachte, es wäre nett, sich zum Frühstück zu treffen ...«

Seine Augen fingen wieder an zu tränen, aber er griff nicht zum Taschentuch. Er lächelte seiner Tasse kläglich zu. Draußen fuhr ein Mülllastwagen vorbei und tauchte die Fenster in orangefarbenes Licht.

»Da wo ich aufgewachsen bin ...«, er hob die Augenbrauen, »... dort ist alles üppig grün, viele Bäume. Dann hab ich geheiratet. Bin meiner Frau hier hoch gefolgt ... Ging ans Gericht ...«

Sie hatte das Gefühl, dass er ihr seine Lebensgeschichte erzählen wollte, aber er hasste es, als ob sie bei einer schlecht geplanten ersten Verabredung wären, früh am Morgen, in brutalem Licht, und ihm tropften dabei die Tränen vom Kinn.

Sie stand auf. »Also, das war ein guter Kaffee.«

Er schaute auf, hoffnungslos und ausgezehrt. »Ich denke, Sie werden das Richtige tun.«

Morrow stand neben ihm und sah ihn an. Atholl war betrunken, überlegte sie. Wahrscheinlich gehörte er zu der Sorte von Alkoholikern, die den Pegelstand hoch halten mussten und so daran gewöhnt waren, ihre Trunkenheit zu verbergen, dass man ihren Zustand erst bemerkte, wenn sie mit dem Auto eine Gruppe Schulkinder an der Bushaltestelle über den Haufen fuhren.

»Alex, ich glaube nicht, dass Sie die Fehler gemacht hätten, die ich gemacht habe.«

»Ich muss los.« Sie griff nach Tasche und Mantel.

»Ich möchte, dass Sie mal bei mir vorbeikommen.«

»Ich muss jetzt wirklich los«, sagte sie. »Wir sehen uns in zwei Stunden vor den Arrestzellen.«

»Sicher.« Er nahm einen der Umschläge. »Eine Einladung. Für Sie.«

Er hielt sie ihr flehend hin. Auf dem Umschlag standen ihr Name und ihr Revier, in derselben schönen Handschrift wie auf dem Zettel mit der Nachricht zu Michael Browns Fingerabdrücken.

Morrow wollte den Umschlag nicht. Sie nahm ihn nur, weil sich das Gespräch noch mehr in die Länge ziehen würde, wenn sie ablehnte. Sie steckte den Umschlag in die Tasche.

»Was immer Sie über mich hören …«, sagte er, sein Selbstmitleid in voller, üppiger Blüte.

Morrow wurde plötzlich sehr wütend. Sie hätte ihm am liebsten gesagt, dass er ein anmaßendes Arschloch war. Sie wollte sagen, wie wenig es sie beeindruckte, dass er ein Earl war, dass sie einen super Ehemann und zwei wunderbare Kinder hatte, bei deren Anblick sie dahinschmolz. Sie wollte ihn anschreien, dass er ihr scheißegal war. Aber sie war bei beruflichen Begegnungen schon manchmal sehr direkt geworden, und es war nie etwas Gutes dabei herausgekommen.

»Leben Sie wohl«, sagte er einfach.

Sie ging und war draußen im Regen, noch bevor sie ihren Mantel angezogen hatte. Vor der Tür kämpfte sie mit dem Ärmel ihres Mantels, während der Regen auf sie herunterprasselte.

Sie hasste Atholl dafür, dass er mit ihr flirtete, dass er Brian damit indirekt beleidigte, dass er betrunken war und sie so früh am Morgen hierher bestellt hatte.

Jetzt war sie müde, schlecht gelaunt und musste in zwei verdammten Stunden den verdammten Michael Brown treffen, der vor ihr die Hosen heruntergelassen und seinen Schwanz präsentiert hatte.

Auf dem Weg zum Auto rief sie Riddell an und hinterließ eine Nachricht, dass sie heute Morgen bei Brown Fingerabdrücke nehmen würden. Die Anklage von 1997 sei nicht stichfest. Ob er die Staatsanwaltschaft informieren könne, dass Browns Fall neu aufgerollt werden müsse, damit man dort überlegen könne, wie man weiter vorgehen wolle. Er würde sehen, wie früh sie angerufen hatte. Zumindest dafür würde sie Fleißpunkte bekommen.

Als sie das Telefon wieder in die Tasche steckte, lugte eine Ecke von Atholls Umschlag hervor. Am liebsten hätte sie die Einladung in den nächsten Mülleimer geworfen.

26

Atholl kam nicht. Morrow und McCarthy warteten mit dem mobilen Fingerabdruck-Scanner vor den Arrestzellen. Während sie im unbestuhlten Empfangsbereich herumstanden, kam ein Sicherheitsbeamter und fragte, was sie hier wollten.

»Wir haben einen Termin, wir wollen bei Michael Brown Fingerabdrücke nehmen.«

»Haben Sie seine Referenznummer?«

Morrow hatte seine Akte nicht dabei, und auch nicht seine Nummer. »Nein, wir treffen uns hier mit Anton Atholl, er nimmt uns mit rein. Atholl ist sein Anwalt.«

Der Sicherheitsbeamte nickte und verschwand im hinteren Büroraum. Morrow und McCarthy sahen sich an. Das war seltsam. Atholl sollte längst hier sein, außerdem hätte er die Beamten informieren sollen, bevor sie kamen.

Der Beamte kam zurück. Er wollte ihre Ausweise sehen. Dann notierte er sich die Telefonnummer ihres Reviers und ging zurück in sein Büro. Er machte die Tür hinter sich zu und beobachtete sie durch ein kleines Fenster, während er auf dem Revier anrief und ihre Angaben überprüfte. Das schien ihn zufriedenzustellen, denn er kam zurück, griff unter die Theke, und gleich darauf wurde sein Gesicht von einem Bildschirm angestrahlt.

»Irgendetwas stimmt hier nicht«, sagte er, die Augen weiter auf den Bildschirm gerichtet.

»Ja«, antwortete Morrow. »Atholl sollte uns hier mit Brown treffen. In fünfundzwanzig Minuten beginnt die Verhandlung.«

»Wir haben Brown unten«, sagte der Beamte zum Bildschirm, »aber Atholl ist nicht hier.«

»Hat er sie informiert, dass wir kommen?«

»Nein«, sagte der Beamte und tippte etwas in den Computer, »da ist nichts eingetragen …«

Sie musterten einander über die Theke hinweg, und Morrow wurde klar, dass sie nicht reingelassen werden würde.

»McCarthy, Sie warten hier«, sagte sie und machte sich bereit, wieder hinaus in den Regen zu gehen. Sie stellte den Kragen hoch und wartete vor den zwei verschlossenen Türen, die hinaus zur Laderampe führten. Beide Male musste sie hoch zur Kamera schauen, ihr Gesicht zeigen und ihren Ausweis präsentieren, bis die jeweilige Tür endlich summend aufsprang.

Draußen auf der Straße umrundete sie das Gebäude und ging, mittlerweile klatschnass, zurück zu den Rauchern und durch den Vordereingang in die Eingangshalle.

Dexie winkte sie an der Schlange vorbei und direkt zu sich. Aber er hatte Atholl den ganzen Morgen noch nicht gesehen, und auch der Mann am Empfang, ein dicklicher Kerl mit unendlicher Geduld, wusste nicht, wo er steckte. Als er sah, wie verzweifelt sie war, rief er oben in den Räumen der Anwälte an und wartete, während jemand nach ihm suchte. Atholl war nicht da. Mittlerweile waren es nur noch zehn Minuten bis zum Beginn der Verhandlung.

Morrow wusste nicht, was sie noch tun konnte. Ratlos stand sie da und überlegte, wie sie Riddell beibringen sollte, dass sie einen Fehler gemacht hatte. Da sah sie die Anwältin, die bei der Verhandlung neben Atholl gesessen hatte. Sie kam gerade aus den Toiletten, die im Schatten der Treppe lagen.

»Entschuldigung?«, rief sie und eilte hinüber. »Entschuldigung, erinnern Sie sich an mich?«

Die Frau sah sie an, zuerst misstrauisch, aber dann entspannte sie sich, als sie in Alex die Polizistin aus dem Zeugenstand wiedererkannte. »Ja.«

»Atholl wollte mich heute Morgen am Empfang vor den Arrestzellen treffen.«

»Atholl kommt nicht, wir haben vertagt.«

Sie sagte das so gelangweilt, dass Morrow ihr am liebsten gegen die Schienbeine getreten hätte.

»Warum kommt er nicht?

»Er ist krank.«

Morrow stellte sich vor, wie er an seinem Schreibtisch eingeschlafen war. »Wir müssen bei Michael Brown heute Morgen die Fingerabdrücke nehmen«, sagte sie. »Atholl hat es genehmigt. Könnten Sie an seiner Stelle mitkommen?«

Sie konnten die Abdrücke nur im Beisein eines Anwalts nehmen. Die Frau hätte auch einfach nein sagen können. Aber offensichtlich wusste sie das nicht. »Hat Atholl ...«

»Atholl hat gesagt, wir sollen ihn am Empfang vor den Arrestzellen treffen. Michael Brown *möchte*, dass wir noch einmal seine Fingerabdrücke nehmen.«

»Okay«, sagte die Anwältin. »Gut, wir treffen uns dort.« Sie verschwand durch eine Tür im hinteren Teil des Gerichtsgebäudes.

Morrow eilte durch den Haupteingang wieder hinaus in den Regen und um das Gebäude herum zur Rückseite. Wieder präsentierte sie den Kameras am Eingang zu den Arrestzellen ihr Gesicht und ihren Ausweis. Als sie wieder neben McCarthy stand, klebten ihr die Haare vor Nässe am Kopf. Sie merkte erst, dass sie außer Atem war, als sie die Anwältin zusammen mit dem Beamten im hinteren Büro sah.

Er hob eine Klappe an der Rezeptionstheke und kam zu ihnen raus.

»Okay«, sagte er. »Ich muss Sie jetzt bitten, wieder zurück

zum Haupteingang und dort durch die Sicherheitskontrolle zu gehen. Warten Sie an der Empfangstheke, Mrs. Toner wird sie dort abholen.«

»*Zurück?*«, wiederholte Morrow.

»Wir haben hier kein Röntgengerät, und Sie dürfen ohne Kontrolle keine Geräte mit hier reinbringen, es könnte ja eine Bombe sein.« Er deutete mit der Hand zum Ausgang. Morrow wusste, dass er in diesem Ton auch mit den Häftlingen sprach: ausdruckslos, etwas zu laut und keine Einwände duldend.

Morrow und McCarthy gingen noch einmal hinaus in den Regen, durch die beiden Türen, um das Gebäude herum und in die mittlerweile leere Eingangshalle des Gerichtsgebäudes. Dexie winkte sie durch, schob den Fingerabdruck-Scanner durch das Röntgengerät und betrachtete den Inhalt auf dem Bildschirm. Danach öffnete er die Tasche, schaute hinein und stocherte an den Seiten mit seinem Stift hinein. Schließlich schloss er den Deckel und gab die Tasche McCarthy.

Dexie lächelte: »Das letzte Handy, das so alt war, wurde von einer Nonne benutzt.«

McCarthy lächelte zurück, aber an Morrow prallte der Witz einfach ab.

Während sie am Empfang im Eingangsfoyer warteten, tupfte sich Morrow die Haare mit einem Papiertaschentuch trocken. Von der Decke hing ein Bildschirm, auf dem wie die Abflüge an einem Flughafen die Verhandlungen in den einzelnen Sälen angezeigt wurden: Her Majesty's Advocate versus Hancock – tätlicher Angriff mit Körperverletzung: in Verhandlung; HMA versus Mullolo – Raub: in Verhandlung; HMA versus Brown: vertagt.

Sie warteten. Morrows Blick schweifte zu dem Buchstabenfries an den Wänden. Manche Buchstaben waren tiefer eingemeißelt als andere, manche waren größer, manche kleiner. Mit einem Mal erkannte sie, dass dort nicht stand:

WORTE SCHÖN ZU FORMEN
RÄTSELHAFTES

Sie hatte das damals nicht richtig gelesen, nur mit halbem Auge hingesehen und die Worte zu einem erzwungenen Muster zusammengefasst, dabei aber den Sinn verzerrt. Wenn man es richtig las, stand da:

SIE VERSTEHT, DIE WORTE SCHÖN ZU FORMEN
UND RÄTSELHAFTES
ZU DEUTEN

»Was ist das?«, fragte sie den Mann am Empfang.

Er schaute auf. »Das ist aus dem Buch der Weisheit. Sie wissen schon, Salomo, aus der Bibel.«

Morrow kannte das Zitat nicht, las es aber jetzt:

SIE KENNT DAS VERGANGENE
UND ERRÄT
DAS KOMMENDE

Als sie den Blick wieder nach unten ins Foyer wandte, sah sie Finchley mit seiner Aktentasche aus Saal 4 kommen. Als er sie entdeckte, blieb er mit leicht geöffnetem Mund stehen. Er senkte den Kopf, kam auf sie zu und gab ihnen beiden die Hand.

»Verhandlung vertagt?«, fragte Morrow.

»Atholl ist im Krankenhaus.«

Ihr erster Gedanke war, dass sie froh darüber war, aber sie schalt sich selbst dafür und log: »Oh nein, das ist ja schrecklich.«

»Leberversagen. Ziemlich ernst. Sie haben ihn vor einer Stunde eingeliefert.«

»Aber ich habe ihn doch noch heute Morgen zum Frühstück

getroffen«, sagte Morrow. »In diesem französischen Café, die hatten gerade erst aufgemacht.«

»Warum haben Sie sich getroffen?«, fragte Finchley misstrauisch.

»Wegen eines anderen Falles.« Sie sah ihm an, dass er ihr nicht glaubte, aber die Staatsanwaltschaft durfte erst erfahren, dass die Anklage gegen Brown möglicherweise in sich zusammenfiel, wenn das tatsächlich der Fall war. »In welchem Krankenhaus ist er?«

»Im Royal.«

»Ach je.«

Finchley befeuchtete die Lippen. »Ein anderer Fall?«

Sie würde ihn in einer Stunde oder so anrufen und ihm sagen, dass sie gelogen hatte. Daher wollte sie es nicht übertreiben und brummte nur zustimmend.

Finchley nickte ihr zu, presste die Lippen zusammen und ging nachdenklich weiter.

Unter der Treppe begegnete er Atholls Anwältin, die unterwegs zu ihnen war.

»Sind Sie soweit?«

Morrow und McCarthy folgten ihr ins Innere des Gebäudes. Die Sicherheitsvorkehrungen waren streng. Sie mussten durch drei verschiedene verschlossene Türen und zwei Treppen hinunter, um zu den Arrestzellen im Untergeschoss zu kommen.

Am Empfang saßen jetzt zwei Sicherheitsbeamte. Sie behielten eine Reihe Überwachungsmonitore im Auge, die fischäugige Ansichten jeder einzelnen Zelle zeigten. Die Auflösung war nicht sonderlich gut, die Farbe matt. Graue Schatten saßen auf Bänken oder lehnten an der Wand. Einer stand auf seinem Bett und versuchte, aus einem tief in die Wand eingelassenen Fenster direkt unter der Decke nach draußen zu schauen.

Die Anwältin nannte ihren Namen, zeigte ihren Ausweis,

ließ ihre Tasche an der Rezeption zurück und erklärte Morrow, dass sie zuerst kurz allein mit Brown sprechen müsse. »Das mit Atholl muss ich ihm sowieso sagen.«

Sie verfolgten auf den Monitoren, wie sie einen Gang entlang ging und auf einem anderen Monitor auf sie zukam. Dann sahen sie ihren Kopf, während sie neben der Zellentür darauf wartete, dass der Wärter für sie aufschloss.

Ein Schatten, Michael Brown, stand von seinem Bett auf und stellte sich neben die Tür, während der Wärter durch eine Klappe mit ihm sprach. Der Schatten streckte die Hände aus, und der Wärter trat in die Zelle, tastete ihn ab, fand nichts und wies ihn an, sich hinzusetzen. Die Anwältin trat ebenfalls in die Zelle. Sie redete ein paar Minuten mit Brown, die Hände vor dem Körper verschränkt. Brown sah Richtung Kamera. Selbst bei der schlechten Auflösung konnte Morrow erkennen, dass er verwirrt war. Die Anwältin ging wieder hinaus, und die Tür wurde verschlossen. Brown vergrub den Kopf zwischen den Händen und krümmte sich zusammen.

Die Anwältin erschien im Gang vor ihnen.

»Er sagt, Atholl habe ihn nie nach seinen Fingerabdrücken gefragt. Er hört heute zum ersten Mal davon und will wissen, worum es geht.«

Atholl hatte ihn nie gefragt. Das hieß, dass er sich nicht einverstanden erklärt hatte, aber auch, dass er nie abgelehnt hatte. Morrow wusste nicht, was sie davon halten sollte.

»Seine Fingerabdrücke sind am Tatort eines Mordfalls aufgetaucht …« Die Anwältin reagierte amüsiert und ungläubig, weil sie dachte, sie würden von Brown verlangen, dass er sich in einem weiteren Mordfall selbst etwas anhängte. Doch Morrow erklärte: »Der Mord wurde *letzte Woche* begangen.«

Die Anwältin nickte, während sie das verdaute. »Oh.«

»Wir brauchen so schnell wie möglich Klarheit.«

»Oh.« Sie dachte einen Moment lang nach und winkte dann dem Wärter, sie noch einmal zur Zelle zu bringen.

Michael Brown stand auf, als Morrow und McCarthy in die Zelle kamen. Er hatte zwar die Fäuste geballt, die Zähne zusammengebissen und das Kinn trotzig vorgereckt, doch Morrow sah sofort, dass er nur noch ein Schatten seiner selbst war.

»Hallo Michael.«

Er nickte kurz.

»Wie geht es Ihnen? Ich habe gehört, sie seien krank.«

»Morbus Crohn«, sagte er bitter.

»Atholl geht es nicht gut, haben Sie das gehört?«

»Liegt im Krankenhaus.«

»Das hat man mir auch gesagt. Das hier ist DC McCarthy, ihn haben Sie ja auch schon kennengelernt.«

Brown beachtete ihn gar nicht. »Die Leber, haben sie gesagt.«

»Ja, muss übel sein.« Sie forderte McCarthy mit einem Nicken auf, das Gerät für die Fingerabdrücke auszupacken. »Sie kennen sich schon lange, oder?«

»Seit ich ein kleiner Junge war. Er hat mich bei meiner ersten Verhandlung verteidigt.«

»Ja, das habe ich in Ihren Unterlagen gelesen.«

McCarthy hatte das Gerät ausgepackt und schaltete es ein. Die Scannerfläche leuchtete rot auf. Brown murmelte »Mein Bruder …« und wandte seine Aufmerksamkeit dann dem Gerät zu. »Soll ich mich dafür hinsetzen?«

»Wie es Ihnen passt, Michael.«

»Ich glaube, ich setz mich lieber …« Er schleppte sich mit unsicheren Schritten zum Bett, die Knie gebeugt wie ein alter Mann. Sie hatte Mitleid mit ihm, wegen seines verkorksten Lebens und seiner schlechten Gesundheit. Er griff nach hinten, tastete nach dem Bett, stützte sich ab und ließ sich langsam hinabsinken. »Also, dieser Mord ...?«

»Bei den Fingerabdrücken gab es eine Übereinstimmung mit Ihren Abdrücken, Michael, oder zumindest eine gewisse Ähnlichkeit. Wir wissen noch nicht viel, aber wir müssen Ihre Abdrücke noch einmal nehmen, um Sie als Täter ausschließen zu können, auch wenn keine Möglichkeit besteht, dass Sie die Tat überhaupt begangen haben könnten.«

»Die Computer für die Fingerabdrücke spinnen also?« Er grinste zu ihr hoch, versuchte frech zu wirken, aber sein Zahnfleisch sah schlimm aus, ganz blass, mit Adern durchzogen und so stark eingeschrumpft, dass die Zahnhälse sichtbar waren. Von ihm ging keine Bedrohung mehr aus, und das lag nicht nur daran, dass er krank war und zehn Kilo abgenommen hatte. Michael Brown hatte sich seinem Schicksal ergeben.

»Aye, wir werden sehen«, sagte sie und ließ ihn glauben, dass die Polizei in Schwierigkeiten war.

McCarthy hielt Michael das Gerät hin und wies ihn an, zuerst den Daumen der rechten Hand auf den Scanner zu legen, dann den Zeigefinger. Vielen Dank. Dann den Mittelfinger und jetzt den Ringfinger und den kleinen Finger, danke. Jetzt die linke Hand.

Sie arbeiteten so schnell wie möglich, allerdings hatte der Scanner Probleme mit Browns linkem Ringfinger. Das Gerät wurde immer langsamer, weil es versuchte, eine WLAN-Verbindung herzustellen.

»Tja«, sagte Morrow zu Brown, »dann haben Sie Atholl auf dem Höhepunkt seiner Karriere kennengelernt?«

»Was?«

»Damals, Ende der neunziger Jahre, da zählte er doch zu den ganz Großen, oder?«

»Hat mir ja wohl nicht viel gebracht.«

Das Gerät blinkte, und sie beugte sich vor, um das Display zu erkennen. Verbindung fehlgeschlagen. »Versuchen Sie es noch einmal«, sagte sie zu McCarthy.

»Wer war damals Ihr Anwalt?«

»Julius McMillan. Er starb ...«

»Oh, das habe ich gehört. Erst vor kurzem. Schade um ihn.«

»Aye.« Brown schaute auf den Boden und wirkte müde. Sie sollten gehen. Die Verbindung wäre oben ohnehin besser. McCarthy sah immer wieder zu Morrow; er fragte sich, warum sie noch hier waren.

»Wurden Ihnen damals zum ersten Mal die Fingerabdrücke genommen?«

»Ja.« Brown klang erschöpft.

»War das damals anders?«

»Das war auf *Papier*. Das war anders.«

»Die Fingerabdrücke kamen auf Karteikarten?«

»Ja, damals gab es auf dem Revier noch keine Computer. Das lief über die Karten und wurde dann alles in die Maschine eingegeben.«

Demnach wäre die Manipulation in der Datenbank gar nicht feststellbar. Die Fingerabdrücke waren vertauscht worden, bevor sie überhaupt eingegeben wurden.

»Wer hat die Abdrücke genommen, die auf den Karten?«

Brown sah auf und begegnete ihrem Blick. Er war erschöpft, begriff aber, dass sie ihn etwas Wichtiges fragte. »David Monkton. Schon einmal von ihm gehört?«

»Ich glaube nicht.«

»Scheißkerl«, sagte er so leise, dass es klang wie ein Seufzen.

Morrow erinnerte sich an das Foto von dem Jungen in dem schmutzigen T-Shirt und sah auf den Michael von heute. Er würde freikommen. Wenn das alles ans Licht kam, würden sie ihn bis zur Wiederaufnahme des Verfahrens schleunigst entlassen, um für die ungerechte Verurteilung nicht noch rechtlich zur Verantwortung gezogen zu werden. Sie sah, wie krank er war, dabei hatte Atholl gesagt, dass er medizinisch behandelt werde. Wenn er entlassen würde, käme das einem Todesurteil gleich.

Das Gerät verkündete erneut, dass die Verbindung fehlgeschlagen war.

»Wir machen das besser oben«, sagte Morrow.

Michael ließ sie gehen. »Sie sagen es mir, ja?«, sagte er zuerst zu Morrow, doch dann wandte er sich schnell zu der Anwältin, weil er eine Polizistin nicht um einen Gefallen bitten wollte.

»Wir werden Ihnen das Ergebnis mitteilen«, sagte die Anwältin.

Sie verließen nacheinander die Zelle, der Wärter zuletzt.

Ganz nach der altehrwürdigen Knasttradition wartete Brown, bis die Tür sicher verschlossen war, um Morrow hinterherzubrüllen, sie sei eine verdammte Fotze, und er wisse, wo sie wohne, und ihre Kinder seien die Kinder einer verdammten Fotze, und er werde sie schon noch kriegen.

Morrow blieb stehen und wandte sich zurück zur Tür. Michael Brown war in die Mühlen des Systems geraten und zerrieben worden, und jetzt würde sie dafür sorgen, dass das System ihn wieder ausspuckte.

»Okay Michael«, sagte sie, eine Hand schuldbewusst an die Tür gelegt. »Das ist schon in Ordnung, Junge.«

Perplex hielt er inne und rief: »Wir sehen uns auf jeden Fall noch!«

»Aye«, sie klopfte sachte mit dem Handrücken gegen die Tür, »wir sehen uns.«

27

Das Royal Hospital war ein großes Lehrkrankenhaus im ehemaligen Stadtzentrum. Es lag in Nachbarschaft zu einem viktorianischen Friedhof, dessen kunstvolle Grabmale für wichtige Persönlichkeiten im Tod ebenso miteinander wetteiferten wie die Menschen einst im Leben. Doch mittlerweile wurden sie von den modernen Anbauten des Krankenhauses überragt. Ein architektonischer Geltungswettbewerb, den die Medizin mühelos gewann. Die brandneue Entbindungsstation zog mit ihrer Fassade in mattem Grau und glänzendem Stahl das Licht von dem dunklen Hügel auf sich.

Morrow und Daniel gingen zur Intensivstation und fanden Atholls Namen auf einer Tafel. Aber die Krankenschwester wollte sie nicht zu ihm lassen. Atholl war bewusstlos. Er war operiert worden. Offenbar hatte er eine Überdosis genommen, die Nieren waren massiv geschädigt. Die Krankenschwester machte ein ernstes Gesicht und sagte, sie könnten jetzt nur noch warten. Sie nickte mit dem Kopf zu einer Frau, die auf einem Stuhl in der Nähe saß.

Morrow wusste sofort, dass sie Atholls Frau war. Sie war schlank, hatte unordentliche, blond gefärbte Haare und grüne Augen. Sie hatte das passende Alter für Atholl, wirkte beherrscht und war mit ihrer weiten anthrazitfarbenen Leinenhose und einem kurzen grauen Pullover mit V-Ausschnitt bewusst lässig gekleidet. Der Diamant, den sie am Ringfinger trug, war so groß, dass er aussah wie eine Fälschung.

Mrs. Atholl hatte rote Augen und wirkte sehr angespannt; sie hatte die Arme um den Körper geschlungen und die Beine umeinander gewickelt. Morrow fragte sich, ob sich ihre Gliedmaßen je wieder voneinander lösen ließen.

Die Frau sah den Gang hinunter zu Atholls Zimmer, einer von Glaswänden umgebenen Nische, bei der ein Vorhang halb vorgezogen war. Das helle weiße Licht im Innern flackerte immer wieder und geriet durch die Bewegungen einer Schwester in Bewegung.

Morrow sagte Daniel, sie solle warten, und ging zu der Frau hinüber.

»Sind Sie Mrs. Atholl?«

Die Frau schaute auf, musterte kritisch Morrows Kleidung, überlegte, ob sie eine Affäre mit ihrem Mann hatte, verwarf die Idee wieder und sagte schließlich: »Ja, warum, wer sind Sie?«

Morrow lächelte. »Ich bin DI Alex Morrow. Ich hatte mit dem Fall zu tun, den er gerade bei Gericht verhandelt.«

Mrs. Atholl nickte und rutschte auf ihrem Stuhl etwas beiseite, damit sich Morrow auf den Stuhl neben sie setzen konnte.

»Sie haben ihn zum Frühstück getroffen, nicht wahr?« Sie klang misstrauisch.

»Im Le Pain Provençal morgens um sieben. Sie hatten noch nicht einmal die Croissants fertig.«

Die Frau nickte. »Er mochte …« Die Vergangenheitsform schockierte beide. »Anton hat die Tabletten gestern genommen. Hat er Ihnen irgendetwas gesagt?«

Morrow ging in Gedanken noch einmal das schreckliche Treffen durch. »Wir tranken Kaffee. Er sagte, ich könnte einen seiner Klienten treffen. Und er sagte, er habe Fehler gemacht …«

Mrs. Atholl warf ein »Hm« ein, um Morrow zu unterbrechen, und sah weg. »Sie waren befreundet.« Sie meinte eindeutig etwas anderes als »befreundet«, sagte es jedoch ohne Verbitterung.

»Nicht wirklich.«

Sie schaute Morrow wieder an, offenbar erfreut. »Keine Freunde?«

»Nein, wir kannten uns vom Gericht, er hatte mich als Zeugin befragt, und ich bat ihn um einen Gefallen in Bezug auf seinen Klienten. Er wollte sich heute Morgen mit mir treffen …«

»Wann hat er Sie darum gebeten?«

»Gestern Abend. Sehr spät. Er hinterließ eine Nachricht auf meiner Mailbox.«

»Nachdem er die Tabletten genommen hatte.« Mrs. Atholl nickte, versuchte anscheinend, seine letzten Stunden zu rekonstruieren. »Zumindest meinen das die Ärzte.« Sie zog beim Sprechen die Wörter in die Länge und hatte einen englischen Akzent, weich und leicht, ohne Morrows kehlige Rauheit.

Sie passten zueinander, die Ehefrau und der Ehemann. Smart, intelligent und charismatisch. Anton Atholl hatte Morrow beunruhigt. Sie hatte sich seinetwegen gefragt, ob sie Gefahr lief, sich in eine Affäre zu stürzen, mit ihm oder jemand anderem. Das verunsicherte sie und gab ihr das Gefühl, dass sie womöglich den Halt verlieren und mit jemand anderem ins Bett gehen und dadurch alles kaputtmachen würde, was sie mit Brian und den Jungs hatte. Aber als sie nun hier neben Antons Frau saß, die eine weibliche Version von ihm war, erkannte sie, dass sie ihn einfach nur gemocht hatte.

»Fehler …«, murmelte seine Frau.

»Fehler«, echote Morrow.

Inmitten der summenden und piepsenden Geräte und blinkenden Lämpchen verfielen sie in ein angenehmes Schweigen, bis Morrow fragte: »Wie geht es ihm?«

»Er … hm …« Sie musste heftig blinzeln. »Seine Organe versagen eins nach dem anderen. Er wird es nicht überleben. Das einzig Gute ist, dass er nicht bei Bewusstsein ist.«

Sie schaute wieder den Flur entlang zu seinem Zimmer, reckte den Hals in seine Richtung, flehte um etwas, einen schnellen Tod, eine wundersame Heilung, Morrow konnte es nicht sagen.

»Haben Sie Kinder?«

Morrow nickte.

»Anton und ich haben drei Jungs. Wir haben uns getrennt. Die Jungs sind schrecklich wütend auf ihn. Ich habe ihnen gesagt: ›Daddy hat eine Überdosis genommen‹, und der Älteste meinte: ›Gut‹. Was für eine Belastung für ein junges Leben ...«

Sie hob die Hand zum Mund und presste sie fest auf die Lippen. Morrow wollte etwas Tröstendes sagen, aber es gab nichts.

»Kinder können Unglaubliches verkraften, das habe ich schon erlebt.« Das war dumm und banal, aber Atholls Frau klammerte sich daran fest.

»Wirklich?«

»Oh, jeden Tag.« Morrow suchte vergeblich nach einem Beispiel. »Jeden Tag.«

Die Frau sah sie an, wartete darauf, dass ihr ein sinnvolles Beispiel einfiel.

»Es sind die tagtäglichen Sachen, die den größten Schaden anrichten«, sagte Morrow. Sie konnte der Frau diesen, wenn auch banalen, Trost einfach nicht verweigern. »Nicht die großen Sachen. Nicht wirklich.«

Mrs. Atholl nickte Morrow im Dunkeln zu. Morrow hatte erwartet, dass sie zynischer wäre, mehr wie Atholl. »Zumindest nehme ich das an.«

Sie blickte wieder in die Richtung, wo er lag. »Sein Trinken. Deshalb habe ich ihn gebeten auszuziehen. Die Stimmungsschwankungen. Bei uns lebte jeden Abend ein anderer Mann. Und der Tod von Julius hat alles nur noch schlimmer gemacht. Er lag eine Station weiter.«

»Julius McMillan?«

»Ja.«

»Was ist mit Julius passiert?«

»Oh.« Sie schüttelte sanft den Kopf. »Julius … er rauchte wie ein Schlot, er stand immer am Rande des Todes, seit zehn Jahren. Wenn man ihn husten hörte, klang das, wie wenn nach Öl gebohrt werden würde.« Sie ahmte nach, wie jemand fast am Schleim erstickt, leise, aber doch mit einer komischen Note. »Ziemlich ekelhaft. Er ist gestürzt, und seine Lungen sind kollabiert. Das war keine große Überraschung, würde ich sagen. Eigentlich eher, dass das nicht schon früher passiert ist.«

Sie schaute wieder in die Richtung, wo Atholl lag.

»Er ist *gestürzt* und die Lungen sind kollabiert?«

»Hm-m.« Sie sah Morrow an und unterstrich die Aussage, indem sie die Hand flach auf ihr Brustbein legte. »Er stürzte nach vorn, und seine Lungen kollabierten. Wahrscheinlich waren sie eh schon zur Hälfte aus Teer.«

»Wirklich?« Morrow versuchte sich einen Mann vorzustellen, der auf sein Brustbein stürzte, ohne zu versuchen, sich abzufangen, um sein Gesicht zu schützen. »Hat Julius auch getrunken?«

»Nein.«

Atholls Frau reckte immer noch den Hals, um mitzubekommen, wenn sich im Krankenzimmer etwas tat, während Morrow auf das brutale Weiß des beleuchteten Raums gegenüber starrte. Sie wartete, bis ihrer Meinung nach ausreichend Zeit verstrichen war. »Er ist nicht noch einmal aufgewacht? Hat Ihnen irgendetwas gesagt?«

Die Frau blinzelte heftig und schüttelte den Kopf. Ihre Lippen zuckten, dann sagte sie zögernd: »Die Ärzte glauben nicht, dass er …«

Morrow stand auf. »Es tut mir leid. Ich mochte ihn.«

»Ich auch«, sagte seine Frau wehmütig.

Morrow wusste nicht, wie sie sich verabschieden sollte, und holte ihre Karte hervor. »Falls ich irgendetwas für Sie tun kann …«

Die Frau nahm die Karte, ohne sie anzusehen. »Danke.«

Da Morrow und Daniel ohnehin im Krankenhaus waren, klingelten sie an der Station nebenan. Die zuständige Krankenschwester begrüßte sie und führte sie an die Empfangstheke, weigerte sich jedoch, irgendeine Frage zu Julius McMillan zu beantworten, solange sie keine schriftliche Genehmigung von der Krankenhausleitung hatte, über den Fall zu sprechen. Die Familie müsse zustimmen, erklärte sie. Morrow war sich nicht sicher, ob sie sich überhaupt an Julius McMillan erinnerte. Sie hatte vielmehr den Eindruck, dass die Schwester an einer Fortbildung zur vertraulichen Behandlung von Patientendaten teilgenommen hatte und das jetzt als spontanen Testlauf sah.

»Wir sind von der Polizei«, erklärte sie.

Die Krankenschwester ließ sich trotzdem nicht umstimmen. Die Patientenakten würden zentral gespeichert, und sie sei nicht in der Position, Details über den Zustand oder die Behandlung eines Patienten preiszugeben.

Sie stand mit trotzig verschränkten Armen vor ihnen, das Gewicht nach hinten verlagert. Hinter ihr ordnete ein junger Arzt gerade eine Akte ein und verdrehte die Augen. Kein gutes Betriebsklima.

»Vielen Dank für Ihre Hilfe«, sagte Morrow und verließ mit Daniel im Schlepptau die Station.

Sie warteten gerade auf den Aufzug, als der junge Arzt sie einholte. »Ich brauche ein Brötchen mit Speck«, sagte er und lächelte freundlich.

Er war groß und drahtig und trug die blaue Kleidung eines Assistenzarztes, halb Uniform, halb Pyjama, mit deutlichen Bügelfalten. Er stand hinter ihnen und nickte, mied jedoch ihren Blick, bis sie im Fahrstuhl waren und sich die Türen geschlossen hatten. »Was wollten Sie über Mr. McMillan wissen?«

Morrow kam gleich zur Sache: »Er ist *hingefallen*, und seine Lungen kollabierten?«

Der Arzt berührte mit den Fingerspitzen sein Brustbein, genau wie Atholls Frau. »Er fiel auf etwas drauf, die Schreibtischecke oder so. Er hatte hier einen Bluterguss.« Er spreizte die Finger.

»Ist das möglich?«

»Wenn er hart genug aufprallte, ja.«

Er lächelte sie an und beantwortete die unausgesprochene Frage: »Mein Onkel ist bei der Polizei in Caithness.«

Genau in dem Moment ging die Fahrstuhltür auf, und ein älteres Ehepaar half sich gegenseitig hinein. Der junge Mann sagte nichts mehr und stieg auf der Etage aus, wo sich die Cafeteria befand, ohne sich noch einmal nach ihnen umzublicken.

Morrow lag schlafend im Bett, als ihr Handy klingelte. Sie hatte es am Ohr, noch bevor sie richtig wach war. Es war die Nachtschicht vom Revier in der London Road, die ihr mitteilte, dass Anton Atholl gestorben war.

Sie ließ sich zurück aufs Kissen sinken und sah zu Brian hinüber. Er schnarchte, sein Mund stand offen, die oberen Schneidezähne waren deutlich zu sehen, und unter seinem schlaffen Kiefer wackelte ein Doppelkinn. In der warmen Dunkelheit tastete sie über der Bettdecke nach ihm und legte ihre Hand in seine, genoss die Wärme, die seine Handfläche abstrahlte.

28

Morrow hatte ihr Team informiert und ein ausführliches Gespräch mit Riddell über Michael Browns irrtümliche Verurteilung vermieden. Er würde freikommen, sobald sie die falsch zugeordneten Fingerabdrücke erklärte, aber die Entlassung würde sein Todesurteil sein. Sie ging ihrem Chef aus dem Weg, bis er zu einem Meeting musste.

Alle arbeiteten angestrengt. Fingerabdrücke. Alles drehte sich um die Fingerabdrücke, denn Michael Brown hatte seinen Bruder nicht umgebracht, sondern jemand anderes. Der Täter lief immer noch frei herum. Morrow fragte sich, ob er oder sie Michael Browns Verurteilung verfolgt hatte, mitbekommen hatte, dass er ins Gefängnis kam und seine Strafe abgesessen hatte, ob er oder sie irgendetwas dabei empfand.

Sie hatte noch mit niemandem über Atholls Tod gesprochen und war auch beim Briefing ihres Teams nur kurz darauf eingegangen, indem sie sagte, dass Browns Verhandlung vertagt werde, bis ein Ersatzanwalt gefunden sei. Sie wusste nicht, wie sie darüber reden sollte. Sie und Atholl hatten rein beruflich miteinander zu tun gehabt, und doch war sein Tod eher etwas Persönliches und hatte keinerlei Verbindung zu irgendwelchen Ermittlungen.

Morrow saß an ihrem Schreibtisch, und ihre Gedanken kehrten immer wieder zu ihm zurück – Atholl ist tot, dachte sie, und dann fiel ihr ein, dass das irrelevant war. Polizeilich betrachtet spielte sein Tod keine Rolle.

Sie machte sich einen Kaffee und schaute bei ihrem Team vorbei, prüfte, wie weit ihre Leute waren, und sah nach, was sie gerade machten, wer was im Fall des Autohändlers herausgefunden hatte.

Der Tag fühlte sich formlos an, als ob sie ihn nicht richtig zu fassen bekäme. Sie ging zurück in ihr Büro, ließ jedoch die Tür offen, damit sie nicht schon wieder an Atholl dachte. Dann fiel ihr seine Einladung ein, die immer noch in ihrer Handtasche steckte.

Sie schloss die Tür, holte den Umschlag heraus, setzte sich an ihren Schreibtisch und schob die Tastatur ihres Computers beiseite.

Ein quadratischer gelblicher Umschlag, pockennarbig von getrockneten Regentropfen. Morrow legte die Hand vor den Mund und starrte auf den Umschlag. Dann nahm sie die Hand wieder weg, sah aber weiter auf den Umschlag.

Sie schob einen Kugelschreiber in den Falz, schlitzte ihn auf und schüttelte die Karte heraus.

Auf der Karte stand in dunkelgrünem Prägedruck sein Name. Darunter keine Titel, keine Berufsbezeichnung. Eine nüchterne Schriftart ohne Schnörkel.

Sie ließ den Blick kurz auf seinem Namen ruhen und holte dabei tief Luft, dann las sie die handschriftliche Nachricht:

Liebe Detective Inspector Alexandra Morrow,

ich hoffe sehr, dass Sie in meine Wohnung gehen. Bitte werfen Sie einen gründlichen Blick auf die beiden weggeworfenen Fläschchen Paracetamol. Ich habe mich bemüht, die Seiten nicht anzufassen, um die Fingerabdrücke nicht zu verwischen.

Es tut mir sehr leid, dass ich Sie in diese unangenehme Geschichte hineinziehe, aber genau genommen ist Mord ja Ihr Geschäft.

Ich finde Sie wundervoll. Ich wünschte, ich wäre ein besserer Mensch gewesen.

Hochachtungsvoll
Anton Atholl

Es war seltsam. Sie saß volle fünf Minuten da und sah in dem ganzen Brief nur einen Satz: *Ich finde Sie wundervoll.*

Die Worte wirbelten in ihrem Kopf herum und wärmten sie. Im Café hatte er gewusst, dass er sterben würde. Sie wünschte, er würde noch leben, wünschte, sie würden zusammen in der Stadt alt werden und sich im Laufe der Jahre immer wieder begegnen. Sie wünschte, er würde weiterleben, um sie durcheinanderzubringen.

Sie legte die Karte auf den Schreibtisch und lehnte sich zurück. Dann stand sie auf und öffnete genau in dem Moment die Tür, in dem McCarthy vorbeiging.

»McCarthy.« Er schaute sie fragend an. »Besorgen Sie mir die Adresse der Wohnung, in der Anton Atholl zuletzt gelebt hat.«

Er nickte und ging.

Sie blieb stehen, lehnte sich an die Wand und schaute zurück auf ihren Schreibtisch mit dem Umschlag. Im Café hatten drei Briefe auf dem Tisch gelegen. Der Brief an sie war einer davon gewesen.

29

McCarthy schaute zu ihr herein. »Ma'am: Wallace Street. Tradeston. Im Süden.«

»Wen kennen wir im Süden?«

»Tamsin Leonard ist jetzt dort.«

»Rufen Sie sie an.«

Leonard hatte im Süden nicht ganz so viel Einfluss wie Wainwright im Norden. Morrow musste auf die Erlaubnis des Vorgesetzten von Leonards Vorgesetzten warten, bevor sie sich in der Wohnung umsehen durfte.

Es war die perfekte Wohnung für einen Mann mittleren Alters, um dort Selbstmord zu verüben. Sie lag an den alten Docks, ein düsteres Viertel mit anonymen Luxuswohnungen am Flussufer. Danny hatte früher am gegenüberliegenden Ufer gewohnt. Morrow mochte die Gegend nicht. In der Wohnung selbst gab es kaum Möbel. Man hätte meinen können, dass er hier als Hausbesetzer gelebt hatte. Der einzige Sessel stand mit dem Rücken zum Fenster, von dem man eine Aussicht auf den Fluss hatte. Auf dem Boden fand sich eine bunte Sammlung leerer Flaschen. Die Paracetamol-Fläschchen lagen auf dem Teppich: eins neben dem Sessel, das andere neben der Fußbodenleiste.

Morrow hatte erklärt, dass Atholl ein Earl und Anwalt war und unter ungeklärten Umständen zu Tode gekommen war. Anscheinend war es ein ruhiger Tag auf dem Revier, denn Leo-

nards Detective Inspector hatte gleich eine komplette kriminal-
technische Durchsuchung der Wohnung und die Sicherung der
Fingerabdrücke angeordnet.

Viel gab es nicht zu durchsuchen: ein paar Kleidungsstücke,
einen Abholzettel von der Wäscherei, die nötigsten Toiletten-
artikel. Keine Lebensmittel. Keine Akten. Kein Adressbuch.
Sie durchsuchten seine Schränke und fanden ein Polaroid von
Anton Atholl bei einer Orgie. Morrow wollte es eigentlich gar
nicht ansehen. Sie merkte, wie sie blinzelte, um sich selbst davon abzuhalten, das Bild richtig wahrzunehmen. Er wünschte,
er wäre ein besserer Mensch gewesen.

Sie holte Luft, schaute zum Fenster hinaus und zwang sich,
das Bild zu betrachten.

Atholl und drei andere Männer, die hinter ihm eine Mauer
bildeten. Anton fickte eine Frau, die sich in Richtung der Kamera nach vorn beugte. Morrow hielt sie zuerst für einen Jungen: Sie war so dünn, dass sie kaum Brüste hatte. Dann fügte
sich das Bild in ihrem Kopf zusammen, und sie begriff, dass das
keine dünne Frau war, sondern ein junges Mädchen. Atholls
Gesicht war verzerrt und hochrot. Die Männer hinter ihm waren nur unscharf zu erkennen, ihre Gesichter am Kinn oder an
der Nase abgeschnitten.

Morrow hob die Hand. »Danke, das genügt«, sagte sie zu
dem Beamten, der ihr das Bild hinhielt.

Die Fingerabdrücke auf den Tablettenfläschchen wurden
erfasst und an ihre Abteilung geschickt. Noch während sie in
der Wohnung waren, kam das Ergebnis: Ein Teil stammte von
Atholl. Doch es fand sich noch ein anderer, ganz deutlicher Abdruck. Morrow wusste es, noch bevor McCarthy sie anrief: Sie
waren identisch mit den Fingerabdrücken, die neben Aziz Balfours Leiche gefunden worden waren.

Beim Hinausgehen erklärte ihr der Kriminaltechniker, dass

die Abdrücke auf dem Polaroid dieselben waren wie auf den Paracetamol-Fläschchen.

Morrow stieg langsam durch das kahle, seelenlose Treppenhaus hinunter und überlegte, dass Indizien heutzutage in Minutenschnelle bearbeitet werden konnten, sie aber womöglich ein Leben lang brauchen würde, um die Zusammenhänge zu durchschauen. Sie wusste so viel, konnte aber nicht einmal die Hälfte davon erklären.

Auf dem Weg zurück zum Revier klingelte ihr Handy. Eine unbekannte Nummer.

»Hallo? Ist da DI Morrow?«

»Ja, wer spricht?«

»Greta.« Die Stimme der Frau klang rau und weit entfernt, Morrow erkannte sie nicht. »Von gestern Abend?« Sie hielt inne und schniefte heftig.

»Tut mir leid«, sagte Morrow, »ich weiß nicht …«

»Greta Atholl. Lady Greta Atholl. Antons Frau. Heute in der Post war ein Brief von ihm. Ich dachte, ich sollte … jemanden anrufen.«

Anton hatte einen Brief an seine Frau und einen an seine Söhne geschrieben.

Die Umschläge lagen mit der Vorderseite nach unten auf der Arbeitsfläche am anderen Ende der Küche, die Karten waren herausgezogen und gelesen worden. Auf dem glitzernden schwarzen Granit sahen sie aus wie tote Albino-Insekten.

Morrow saß mit Greta am Tisch und starrte zusammen mit ihr auf die Briefe, während Daniel im Wohnzimmer wartete. Greta bot ihnen weder Tee noch Kaffee an und drückte ihnen auch keine Teller mit Plätzchen in die Hand. Das Haus stand unter Schock, und Greta bewegte sich, als ob sie Angst hätte zu zerbrechen: langsam, vorsichtig und froh, als sie sich setzten.

Sie saßen an einem kleinen Tisch neben der Terrassentür, die auf einen großen, gepflegten Garten hinausblickte. Die weite Rasenfläche war mit wettergegerbten Rugbybällen und zerkautem Hundespielzeug gesprenkelt. Am Ende des Gartens standen alte Bäume, die ihm Farbe und Struktur verliehen, während die Blumen in den Beeten bereits verblüht waren und auf den Winter warteten.

Das Haus war traumhaft. Groß, rechteckig und georgianisch lag es in der Nähe von Hamilton mitten auf dem Land, aber nahe genug an der Autobahn, damit man schnell in Edinburgh oder Glasgow war, wenn man etwas Abwechslung haben wollte. Um das Haus herum gab es weite Pferdeweiden und Wildblumenwiesen.

Bei der Anfahrt hatte sich Morrow vorgestellt, wie Anton und Greta hier eingezogen waren, ein gutaussehendes Paar mit drei prächtigen Kindern und einem großen Hund. Greta öffnete ihnen die Tür und führte sie ins Haus, nahm ihnen in der mit Teppichen ausgelegten Eingangshalle die Mäntel ab und hängte sie an eine Garderobe, die fast unter dem Gewicht von Schals, Blazern und Teenager-Jacken zusammenbrach.

Doch im Haus war es still. Auf dem Weg in die Küche kamen sie an verschiedenen Räumen vorbei, einem Fernsehzimmer, einem Wohnzimmer sowie einem schönen alten Esszimmer mit einem Tisch und zehn Stühlen, und Morrow stellte sich vor, wie die beiden im Laufe der Jahre Möbel, Vorhänge und Teppiche gekauft hatten.

Doch als sie in der Küche saßen und auf die Briefe auf der Arbeitsplatte starrten, spürte sie den langsamen Abstieg in die Hölle mit gegenseitigen Schuldzuweisungen, Auseinandersetzungen, Trennungen und Paracetamol. Von Anton fand sich im Haus kaum eine Spur. Keine Mäntel, keine Schuhe, kein überfütterter Hund. Als ob er hier nur ein Gedanke gewesen wäre.

Die Briefe waren für die Ermittlungen kaum von Bedeutung. Er schrieb seiner Frau, dass er sie immer geliebt habe, dass sie zu gut für ihn gewesen sei und dass sie ihn vergessen und wieder heiraten solle. Tränen hatten die Schrift verschmiert. Der Brief an seine Söhne war ähnlich nichtssagend, aber Morrow war froh darüber. Plattitüden waren vielleicht nicht sonderlich tröstlich, aber sie suchten einen auch nicht noch jahrelang heim.

»Geht es Ihren Jungs einigermaßen?«

Greta zuckte mit den Schultern. »Es hat sie nicht wirklich getroffen«, sagte sie entschuldigend, und ihr Blick schweifte wieder zu den Briefen auf der Arbeitsplatte.

»Möchten Sie, dass ich sie mitnehme?«

Greta nickte.

»Ich bringe sie Ihnen wieder.«

»Ich möchte sie nicht zurückhaben«, sagte Greta.

30

Um sich die fünfundvierzig Minuten Fahrt nach Busby zu sparen, hatten sie die einzige unabhängige Zeugin zu Michael Browns Verhör 1997 gebeten, zu ihnen aufs Revier zu kommen. Doch sobald Morrow Yvonne McGunn im Eingangsbereich des Reviers sah, erkannte sie, dass sie besser zu ihr gefahren wären. Laut Geburtsdatum in den Unterlagen, in denen damals ihre Personalien als begleitende Erwachsene von Michael festgehalten worden waren, war Yvonne Mitte vierzig, aber durch ihre Krankheit wirkte sie alterslos.

Yvonne hatte die Augen geschlossen; ihr Gesicht war aufgeschwemmt und fleckig rot, die dünnen blonden Haare hätten dringend gewaschen werden sollen. Die Knöchel, die unter dem Saum ihres blaugeblümten Kleides hervorlugten, waren rot und so dick angeschwollen wie der Oberschenkel eines Mannes. Sie trug schwarze Cordslipper mit Klettverschluss. Als Morrow zu ihr trat, öffnete sie die Augen.

Morrow stellte sich und Wheatly vor, und beide drückten ihr die geschwollene Hand.

»Yvonne, es tut mir leid, dass ich Sie hergebeten habe. Ich wusste nicht, dass es Ihnen nicht gut geht.«

Die Frau hob eine geschwollene Hand. »Schon in Ordnung.«

»Es tut mir so leid. Würden Sie bitte mitkommen? Und danach bringen wir Sie selbstverständlich nach Hause …«

Morrow machte eine Pause, damit Yvonne Einwände erheben konnte, aber das tat sie nicht.

Sie war zu sehr damit beschäftigt, aufzustehen. Sie beugte sich vor, schwer auf ihre vierfüßige Gehhilfe gestützt, und stemmte sich mühsam hoch. Der bloße Anblick war eine Qual. Morrow streckte ein paar Mal vergeblich die Hand aus, um ihr zu helfen, bis sie sich schließlich neben Yvonne stellte, sie unterhakte und Wheatly mit einer Kopfbewegung an die andere Seite dirigierte. Sie zählten bis drei und hievten sie gemeinsam auf die Füße. Danach hatte Morrow eine schweißnasse Hand und traute sich nicht, sie unauffällig abzuwischen. Wenigstens war es ihre linke. Wheatly hatte die rechte benutzt.

Morrow hatte vorgehabt, Yvonne im Verhörzimmer einen Stock höher zu befragen, aber der Fahrstuhl war sechzig Meter weit weg, und man musste mehrere verschlossene Türen passieren. Sie konnte sich nicht vorstellen, wie sie das schaffen sollten. Also führte sie Yvonne stattdessen in den kleinen, selten genutzten Verhörraum neben der Empfangstheke. Es gab kein Aufnahmegerät und keine Videokamera, nur einen Tisch und vier Stühle. Sie halfen Yvonne auf den Stuhl, der am nächsten zur Tür stand, und setzten sich ihr gegenüber.

»Also Yvonne, Sie wissen, warum Sie hier sind?«

Yvonne nickte.

»Wir wollten Sie nach der Nacht fragen, in der Diana starb, als Sie im Kinderheim Cleveden House arbeiteten und einen Anruf erhielten wegen eines Jungen …«

»Michael Brown.«

»Genau, Michael Brown. Sie kamen aufs Revier in der Stewart Street und waren als erwachsene Begleitperson bei den Verhören dabei. Können Sie uns davon erzählen?«

»Ja.« Sie sahen sich an. »Ähm, was wollen Sie wissen?«

»Vielleicht könnten wir damit anfangen, dass Sie mir sagen, welche Aufgabe Sie im Heim hatten?«

»Ich gehörte zum Personal von Cleveden House. Mein erster Job nach dem College. Ich bin ausgebildete Sozialarbeiterin.«

»Und wer hat im Heim angerufen?«

»Die Polizei. Sie fragten, ob jemand, der Michael kannte, aufs Revier kommen könnte, eine vertraute Person.«

»Und Sie kannten Michael?«

»Sogar ziemlich gut. Er war eins der ersten Kinder, die nach Cleveden House kamen, als ich anfing. Die Kinder bleiben einem im Gedächtnis, also die, die man als Berufsanfänger kennenlernt. Ich weiß, dass es mit Michael nicht gut ausging, aber damals war er ein liebenswerter kleiner Junge. Er stand seinem großen Bruder John sehr nahe. John hatte den Spitznamen Pinkie.«

Sie lächelte, als sie an die beiden Jungen zurückdachte.

»Warum wurde er Pinkie genannt?«

»Er hatte sich den kleinen Finger gebrochen, den Pinkie eben.« Sie hob die Hand und streckte dabei den kleinen Finger.

»Warum waren die beiden im Heim?«

»Darüber darf ich nicht sprechen.«

Das gefiel Morrow. Das alles war lange her, und Michael Brown würde sie sicher nicht wegen Verleumdung verklagen, aber trotzdem respektierte sie ihn und seine Geschichte.

»Er war damals also ein netter Junge?«

»Entzückend.« Sie blieb dabei. »Ein *lieber* kleiner Kerl. Mochte es, wenn man ihm vorlas oder wenn er Kindersendungen im Fernsehen anschauen durfte. Er war lieb und weinte *viel*, verließ sich auf Pinkie, auf John. Nach Pinkies Tod sah ich Michael lange Zeit nicht mehr, und das, was ich über ihn in der Zeitung las, klang so gar nicht nach dem Jungen von damals. Seltsam, dass sich jemand so verändern kann. Ich habe mich sogar gefragt, ob er vielleicht am Kopf verletzt wurde, weil sich das alles so gar nicht nach dem kleinen Jungen anhörte, den ich kannte. Sehr traurig.«

»Also, am Tag nach Dianas Tod ...«

»Ja, also am Abend rief die Polizei an, und wir erfuhren, dass sie Michael hatten, dass sie ihn zu Pinkies Tod befragten, aber wir dachten uns nichts dabei. Ich meine, Michael vergötterte John, und er hatte auch kein Messer oder sowas, und er brach völlig zusammen, als sie kamen und uns sagten, dass sie Johns Leiche gefunden hatten ...«

»Waren Sie da, als die Polizei kam und es ihm sagte?«

»Ja, ich war da. Die Polizei kam und sagte es uns und fragte, ob sie Michael mit aufs Revier nehmen könnten. Deshalb ging ich später zu seinem Verhör, weil ich dabei gewesen war, als sie ihm sagten, dass Pinkie tot war.«

»Wie hat er reagiert?«

»Total verstört.«

»Aber können Sie beschreiben, wo sie es ihm sagten? Wie sie es ihm erzählten?«

»Na ja ...« Sie schaute zur Decke, versetzte sich zurück an jenen Tag. »Michael kam ins Büro, es war klein und ziemlich unordentlich, voll mit Ordnern und Zeug. Mit einem großen Fenster, damit die Kinder auch mit uns reden konnten, wenn wir arbeiteten. Er kam rein, und die beiden Polizisten waren da, in voller Uniform, und sie sagten, er solle sich hinsetzen. Er wirkte ein bisschen besorgt, aber wahrscheinlich dachte er, es ginge um seine Eltern oder so, er hatte sie schon lange nicht mehr gesehen, also setzte er sich, und ich weiß noch, wie er durch das Fenster nach draußen auf den Flur sah, und ein Junge kam vorbei, und sein Gesicht leuchtete auf, voller Hoffnung oder Freude oder so, und ich glaube, er dachte, der Junge da draußen wäre Pinkie, verstehen Sie?«

»Sie glauben, er wusste gar nicht, dass Pinkie zu dem Zeitpunkt schon tot war?«

»Nein, er wusste es nicht.«

»Und was denken Sie? Wusste er vielleicht, dass Pinkie mit dem Messer angegriffen worden war, aber nicht tot war?«

»Ich glaube, dass er das auch nicht wusste. Ich habe nie geglaubt, dass er seinen Bruder umgebracht hat. Ich war erstaunt, dass sie seine Fingerabdrücke überall am Tatort fanden. Wenn er es war, dann wusste er es nicht mehr, denn als sie ihm sagten, dass Pinkie tot war, brach er einfach zusammen. Er rutschte vom Stuhl. Ich meine, er konnte es nicht begreifen. Er war den ganzen Tag völlig benommen. Er wollte nicht essen. Wir machten Makkaroni mit Käse – das war sein Lieblingsessen –, aber er aß nichts. Ich musste mich neben ihn setzen und ihn dazu bringen, wenigstens ein bisschen Wasser zu trinken. Er war am Boden zerstört. Wenn er es war, dann erinnerte er sich nicht mehr daran.«

»Sie glauben also nicht, dass er es war?«

»Nein. Ich war damals ziemlich naiv. Später wurde ich richtig zynisch, aber ich glaube es immer noch nicht. Er hat Pinkie geliebt. Pinkie war sein Elternersatz, verstehen Sie? Michael konnte weich sein, weil Pinkie ein harter Kerl war. Pinkie hat ihn beschützt, ließ ihn weinen. Er ermöglichte ihm, Kind zu sein, überhaupt eine Kindheit zu haben. Mehr als Pinkie je eine hatte.«

»Und was ist an dem Abend passiert, als Michael verhört wurde?«

»Oh ja, also, die Polizisten kamen und fragten, ob sie mit Michael reden könnten. Er ging mit aufs Revier …«

»Hätte ihn nicht ein Sozialarbeiter begleiten müssen?«

»Na ja, wir waren knapp an Personal und konnten die anderen Kinder nicht mit zwei Leuten alleine lassen, das wäre illegal gewesen. Glauben Sie mir, wir wären gern mitgekommen, aber wir konnten der Polizei ja schlecht sagen, Sie müssen bis morgen warten, weil der oder die heute krank ist. Sie sagten, sie wollten bloß mit ihm reden, ich meine, wir dachten nicht, dass das eine große Sache wäre. Wir konnten uns nicht vorstellen, dass Michael etwas damit zu tun hatte. Und dann erfahren wir, dass Michael ein Tatverdächtiger ist und einer von uns kommen und bei den Verhören dabei sein soll.«

Morrow nickte. Sie wünschte, sie hätte jetzt einen Rekorder – sie musste alles genau klären, damit sie es hinterher noch wusste. »Also, Michael erfährt am Morgen nach dem Mord, dass sein Bruder tot ist. Am gleichen Tag kommen die Polizisten noch einmal vorbei, um ihn für ein formloses Gespräch mitzunehmen. Sie haben ihn nicht beschuldigt oder ihm seine Rechte vorgelesen oder so?«

»Nein, auf gar keinen Fall. Ich war dort, auf dem Revier, als sie ihm seine Rechte vorgelesen haben.«

»Es muss sich also irgendetwas geändert haben, nachdem sie ihn im Heim abgeholt hatten, aber bevor sie ihn auf dem Revier ablieferten?«

»Mir wurde gesagt, er hätte bei einem Polizisten im Auto ein Geständnis abgelegt.« Sie schaute skeptisch.

»Wer hat Ihnen das gesagt?«

»Als die vom Revier bei uns anriefen, da haben sie uns das gesagt. Er hätte auf dem Weg zum Revier im Auto gestanden.«

»Wissen Sie noch, wer Sie anrief und aufs Revier bat?«

»Nein. Ich kann mir keine Namen merken. Wir waren alle ziemlich durcheinander.«

»Sie fuhren also aufs Revier. Und was ist dann passiert?«

Yvonne ging das Verhör noch einmal durch, aber das, was sie erzählte, brachte keine weiteren Erkenntnisse.

»Er hatte Schrammen an der Hand, als ob er jemanden geboxt hätte oder gegen etwas gehauen hätte. Das lief nicht völlig friedlich ab, will ich damit sagen.«

Morrow nickte pflichtschuldig. »Ich verstehe. Haben Sie gesehen, wie bei ihm die Fingerabdrücke genommen wurden?«

»Nein.«

»Hat er mit Ihnen darüber gesprochen?«

»Nein.«

»Erinnern Sie sich an DC McMahon?«

»Ein Polizist?«

»Er war dabei, als Michael verhaftet wurde. Hatte einen dicken Schnauzbart.«

»Nein.«

Morrow wusste nicht, was sie noch fragen sollte. Sie stand auf und öffnete die Tür zum Flur. »Tja Yvonne, also vielen Dank, dass Sie gekommen sind, wir können Sie nach Hause bringen lassen ...«

»Mein Auto steht draußen«, sagte Yvonne und kämpfte mit ihrer Gehhilfe, »das geht schon.«

»Erstaunlich, dass Sie sich an alles so gut erinnern.«

»Das war eine aufregende Nacht, Dianas Tod, die beiden Morde.«

Morrow verzog das Gesicht. »Meinen Sie wirklich, dass Diana ermordet wurde?«

Yvonne lachte über das Missverständnis. »Nein, ich meine die beiden Morde. In der Nacht gab es in Glasgow zwei Morde: Einen vor dem Heim in Turnberry und Pinkie. Ich habe nicht Diana gemeint. Das interessiert mich nicht.«

»Wer wurde noch ermordet?«

»Oh, ein junges Mädchen aus dem Turnberry tötete einen Mann, der sie belästigte, direkt vor dem Heim. Ebenfalls mit einem Messer. Sehr traurig. Es war nicht einmal in der Zeitung. Wegen dem Rummel um Diana, nehme ich an.«

Eineinhalb Stunden später stand Morrow von ihrem Schreibtisch auf. Sie hatte gründlich recherchiert. Das Mädchen, das wegen des Mordes vor dem Turnberry Kinderheim verurteilt worden war, hieß Rose Wilson. Der Mord war in derselben Nacht passiert, in der auch Pinkie Brown erstochen worden war. Morrow ließ McCarthy die Gerichtsakten zu dem Fall herunterladen und ausdrucken. Rose Wilson war von Julius McMillan vertreten worden. Beim Prozess waren keine Beweismittel verwendet worden, keine Fingerabdrücke oder dergleichen, weil Rose sich schuldig bekannt hatte. Ihre derzeitige Adresse war in Milngavie, einem noblen Vorort im Norden der Stadt. Es war die gleiche Adresse wie die von Robert McMillan, ebenfalls Anwalt.

31

Das Haus sah merkwürdig aus. Das einzig durchgängige Element an der Fassade war der weiße Anstrich. Morrow und McCarthy standen vor dem niedrigen Tor und schauten auf die Heckseiten von zwei großen Autos derselben Marke. Die Doppelgarage mit einem Dach, das zum angrenzenden Hauptgebäude passte, war nur sechs Meter entfernt, aber niemand hatte sich die Mühe gemacht, die Autos in die Garage zu stellen. Sie standen draußen wie Preisbullen, die man in ihrem Pferch zurückgelassen hatte.

Das Haus selbst war niedrig und hatte so viele Zierelemente, Säulen hier, Treppenhausfenster dort, Dachvorsprünge und verzierte Steinkamine, dass man nicht einmal mehr erkannte, wie die Stockwerke verliefen. Durch den Vorgarten schlängelte sich in wilden Kurven ein Fußweg zur Haustür, die nicht sonderlich groß war, aber von doppelreihigen Säulen eingerahmt wurde.

»Ich hasse diese neuen Häuser«, sagte McCarthy, als ob alle Neubauten so aussahen.

»Liegt aber in einer schönen Gegend«, erwiderte Morrow und schaute auf die Straße mit ebenso hässlichen Häusern. Drei von fünf standen zum Verkauf. »Nobel.«

»Pleite«, sagte McCarthy und deutete auf ein grelles *Zu-Verkaufen*-Schild am Nachbarhaus.

An der Sprechanlage meldete sich eine weibliche Stimme. Ein rotes Licht blinkte neben der Kameralinse.

Sie nannten ihre Namen, und die Frau bat sie, ihre Ausweise

vor die Kamera zu halten. Das Schloss am Tor öffnete sich lautlos, und das Tor sprang auf.

Sie schwangen es wie ein Weidentor, traten in den von der niedrigen Mauer begrenzten Vorgarten und folgten dem Weg, dessen Steine im Fischgrätmuster verlegt waren. Der Gartengestalter hatte mit dem gewundenen Weg sicher den Abstand zwischen Tor und Haus optisch vergrößern und die Illusion von Weite schaffen wollen, aber das Gras war an den Stellen, an denen der Weg in die falsche Richtung führte, kaum mehr vorhanden. Morrow sah einen kleinen Fußabdruck im Schlamm. Nach den Abdrücken zu urteilen, waren hier Kinder unterwegs, mehr als eins, und sie gingen lieber schnurstracks zum Haus, als dem Weg zu folgen.

An der Tür stand eine junge Frau. Sie hatte die Haare zu einem hohen Pferdeschwanz zusammengefasst, eine tolle Haut und eine gute Figur, die allerdings durch einen ausgeleierten senffarbenen Pullover und Uggs verdeckt wurde. In den Ohren trug sie kleine goldene Ringe, eng am Hals lag eine schmale Goldkette, alles sehr geschmackvoll und obere Mittelschicht, aber Morrow erkannte Rose Wilson trotzdem, sie hatte sie auf den Polizeifotos gesehen. Dieselben breiten runden Wangenknochen und dünnen Lippen wie damals als Kind. Ihre Stirn wirkte unter dem dicken schwarzen Haar niedrig.

»Kann ich Ihnen helfen?«

»Ja.« Morrow streckte die Hand aus. »Zumindest nehme ich das an. Wir möchten Rose Wilson sprechen.«

Die junge Frau zögerte nur ganz kurz und sagte dann: »Ich bin Rose. Möchten Sie nicht hereinkommen.« Keine Frage, sondern eine Floskel, eine automatische Antwort.

Sie trat einen Schritt zurück und verschwand in der Eingangshalle. Ihnen blieb nichts anderes übrig, als ihr zu folgen.

Der Eingangsbereich war groß, ähnlich wie in einem kleinen

Hotel. Rose nahm ihre Mäntel und Schals und hängte sie in einem Garderobenschrank an Haken.

Aus einem Zimmer hörte Morrow eine Stimme, typisch Disney, ein Erwachsener, der wie ein Kind klingen sollte und nach etwas fragte, danach ertönte ein Soundeffekt.

»Haben Sie Kinder?« Sie versuchte, locker und beiläufig zu klingen.

»Nein, ich … ich bin hier die Nanny. Wir haben drei: sieben, achteinhalb und zehn Jahre alt.«

»Nettes Alter«, meinte Morrow, schaute die Treppe hinauf und fragte sich, wo die Mutter der Kinder war.

»Haben Sie selbst Kinder?«

»Zwillinge. Ein Jahr alt.«

»Wow«, sagte Rose matt, »das ist sicher viel Arbeit«

»Wir kommen zurecht.«

Rose führte sie durch die Halle und durch eine Tür in die Küche, an die ein Esszimmer angegliedert war. Die Rückseite des Hauses bestand aus großen, holzgerahmten Glasscheiben, die auf einen langweiligen Garten hinausgingen. Eine Rasenfläche. Eine Mauer am Ende des Grundstücks. Keine Pflanzen, keine Spielsachen, keine Fahrräder, die seitlich auf dem Rasen lagen und im Regen vergessen worden waren. Die Küche war sehr aufgeräumt.

»Tee? Kaffee?«

»Nein danke«, sagte McCarthy.

Morrow betrachtete den Herd. Seltsam, dass im Haus alles so makellos sauber schien, die Herdfläche jedoch mit roter Soße verschmiert war, nur notdürftig aufgewischt, so dass man noch Streifen und Wirbel sah. Sie musste an das blutverschmierte Mädchen auf den Polizeifotos denken und fragte sich, ob Rose auch daran gedacht hatte, als sie das karierte Tuch im Spülbecken liegen ließ. Sie war nicht beim Putzen gewesen, als sie klingelten. Die verschüttete Soße war bereits teilweise eingetrocknet, zumindest an den verwischten Rändern. Sie hatte einfach zu putzen aufgehört und das Tuch fallen lassen. Vielleicht hatten sie eine Putzfrau, die das später machte.

»Also, womit kann ich Ihnen helfen?«

»Okay.« Morrow wandte sich wieder Rose zu. »Könnten wir uns bitte setzen, Rose?«

»Sicher.« Sie saßen um ein Ende des Esstischs, und Rose schaute auf ihre Hände. Vielleicht erwartete sie ein Formular oder so etwas. Morrow holte ihr Notizbuch und einen Bleistift aus der Tasche.

»Wissen Sie, warum wir hier sind?«

»Robert?« Die junge Frau biss sich fest auf die Lippe.

»*Robert?*«

»Haben Sie ihn gefunden?« Rose' Augen füllten sich mit Tränen, und sie fing an zu weinen, suchte in den Taschen ihrer Jeans nach einem Taschentuch, fand schließlich eins und wischte sich die Tränen ab. »Sorry.«

»Robert McMillan?«

»Haben Sie ihn gefunden?« Sie sah Morrow und McCarthy an und begriff plötzlich, dass diese keine Ahnung hatten, wovon sie sprach.

»Deswegen sind wir nicht hier. Ist Robert verschwunden? Seit wann?«

»Oh.« Sie musste ein bisschen um Fassung ringen. »Robert? Er ist verschwunden. Ich dachte, Sie wären deshalb hier …«

»Nein, nein.«

»Wenn plötzlich Polizisten so vor der Tür stehen …«

»Ich weiß«, sagte Morrow. »Wir kommen selten, um mitzuteilen, dass jemand in der Lotterie gewonnen hat.«

Rose lachte, aber immer noch liefen ihr Tränen aus den Augen. »Sorry.«

»Seit wann ist er verschwunden?«

»Gleich nachdem sein Vater starb.« Sie erkannte, dass die beiden Polizisten das vielleicht nicht wussten. »Sorry. Sein Vater starb, und er verschwand. Wahrscheinlich war er völlig durcheinander.«

»Rose, ich wollte mit Ihnen über Julius reden. Er war vor langer Zeit Ihr Anwalt, nicht wahr?« Morrow hatte noch nie gesehen, wie jemand so schnell dichtmachte. Rose richtete sich auf, saß ganz steif und setzte eine neutrale Miene auf. Aber sie musste etwas sagen, und das tat sie auch.

»Julius?«

»Ja. Nachdem Sie Samuel McCaig getötet hatten?«

»Ja, Julius hat mich damals vertreten, ja.«

»Und danach blieben Sie in Kontakt?«

»Ja. Er hat mich im Gefängnis besucht. Wir standen uns sehr nah. Robert war nur etwas älter als ich, und sein Vater brachte ihn immer zu den Besuchen mit. Kurz nach meiner Entlassung habe ich angefangen, für die Familie zu arbeiten.«

»Sie haben einander gemocht?«

»Sehr.«

»Wie einen Vater?«

»Wie einen Großvater.« Aber sie schien an etwas Unangenehmes zu denken und korrigierte sich. »Wie einen *Wohltäter*. Wie in einem alten Film oder so.«

Morrow nickte zustimmend. »Erinnern Sie sich an die Nacht, in der Diana starb?«

Rose blinzelte. »Natürlich.«

»Das war die Nacht, in der Sie Samuel McCaig töteten.«

Sie blinzelte erneut und hielt den Blick auf die Tischplatte gerichtet. »Natürlich.«

»Sie haben sich schuldig bekannt. Er hat Sie angegriffen. Er hatte schon mehrere Mädchen missbraucht.«

»Das habe ich gehört. Danach.«

»Ist in der Nacht sonst noch etwas passiert?«

Auf diese Frage gab es keine offensichtliche Antwort. Rose sah auf. »Diana starb?«

»Pinkie Brown starb.«

Als ob sie vom Himmel gefallen wäre, stand Rose plötzlich wieder in der dunkeln Gasse, mit nassen Händen und fest zusammengepressten Lippen, damit nichts in ihren Mund kam, und ihre jungen Knochen fühlten sich wund an und ihr Unterleib schmerzte und sie war starr vor Entsetzen. Aber sie schaffte es mit zusammengepressten Lippen zu murmeln: »Wer ist das?«

»Pinkie Brown. Ein vierzehnjähriger Junge aus dem Heim, er lebte nicht weit weg von Ihrem Heim, in Clevedon. Ich erinnere mich an diese Heime. Die hielten doch zusammen, die Kinder aus Clevedon und Turnberry, oder nicht? Wenn sie nicht gerade aufeinander losgingen.«

»Ja.«

»Hingen in Gangs herum, oder?«

»Ja.«

»Weil die Heime so nah beieinander lagen.«

»Ja, ja so war das. Aber ich kannte Pinkie trotzdem nicht.«

»Haben Sie je seinen kleinen Bruder Michael getroffen?«

Sie erinnerte sich an ihn, Morrow sah es ihr an, doch dann fiel sie in sich zusammen und ließ die Schultern hängen.

»Nein, nein ich … erinnere mich nicht an einen kleinen Bruder.«

Morrow lehnte sich zurück und holte tief Luft, als ob sie eine Geschichte erzählen wollte. McCarthy neigte den Kopf, hörte zu. Rose starrte auf den Tisch.

»Die Nacht, in der Diana starb, war eine seltsame Nacht, für jeden. Aber jetzt kommt etwas richtig Merkwürdiges: Nur achthundert Meter voneinander entfernt geschehen zwei Morde, und bei beiden wird ein Kind angeklagt. Alle Beteiligten – die Angeklagten, die Ermordeten – haben mit Turnberry oder Cleveden zu tun. Beide Opfer wurden erstochen. Beide wurden mit demselben Messer*typ* getötet. Ein Messer wird gefunden«, sie berührte Rose am Arm, »das, das Sie benutzt haben. Das andere taucht nie auf. Aber – und das ist für mich das eigentlich Seltsame daran – niemand bringt die beiden Morde je miteinander in Verbindung.«

Rose sah sie wie betäubt an. »Ist es wegen Julius?«

»Wie meinen Sie das?«

»Hat er Briefe oder irgendetwas hinterlassen?«

»Ich verstehe nicht, was Sie meinen.«

»Warum sind Sie hier?« Rose schaute sie flehend an, und Morrow verstand nicht warum.

»Michael Brown bekam lebenslänglich. Jetzt ist er gerade wegen einer anderen Sache angeklagt. Er wird den Rest seines Lebens im Gefängnis verbringen. Ich muss wissen, ob das richtig ist.«

Rose kratzte sich am Kinn. »Wie ist er so?«

»Michael ist im Gefängnis aufgewachsen. Vor drei Jahren kam er raus, jetzt ist er wieder drin. Was glauben Sie, wie er ist?«

Rose wandte sich abrupt um und sah zur Tür. Sie machte sich Sorgen wegen der Kinder.

»Rose, wurden Ihnen bei Ihrer Verhaftung Fingerabdrücke abgenommen?«

»Natürlich.«

»Ihre Abdrücke sind nicht registriert.«

Sie runzelte die Stirn. »Das sollten sie aber. Sie haben meine Fingerabdrücke genommen.«

»Wer?«

»Ich weiß nicht, aber man hat sie genommen. Ich hatte noch tagelang Tinte an meinen Fingern, sie ging nicht weg …« Sie rieb sich über die Fingerspitzen.

»Sie sind nicht registriert. Ich habe mir die Fingerabdrücke in Ihrer Akte angesehen. Es sind die von Michael Brown. Sie sind identisch mit seinen Fingerabdrücken *heute*. Die alten Abdrücke, die Abdrücke, deretwegen er für den Mord an seinem Bruder verurteilt wurde, sind nicht seine Abdrücke.«

Rose krallte die Finger in die Handflächen und versuchte zu lächeln. »Woher wollen Sie wissen, dass das nicht meine sind?«

»Weil ich sie durch die Datenbank laufen ließ.«

Rose sah ihr direkt in die Augen. »Warum machen Sie das?«

»Ich bin Polizistin.«

»Das ist doch eine uralte Geschichte«, flüsterte Rose. »Macht es denn irgendeinen Unterschied?«

Ein leises Klingeln im Flur ließ Rose zusammenschrecken. Sie entschuldigte sich, stand auf und ging wie eine Schlafwandlerin zur Tür.

Dort blieb sie stehen und wandte sich um, öffnete den Mund, als ob sie etwas sagen wollte, ließ es dann aber. Sie ging hinaus in die Eingangshalle. Morrow sprang auf und signalisierte McCarthy, Rose nicht aus den Augen zu lassen.

Gemeinsam traten sie in die Eingangshalle und sahen zu, wie Rose die Sprechanlage betätigte, sorgsam das Kamerabild überprüfte und dann die Tür öffnete.

Zwei große Männer füllten den Türrahmen. Morrow sah zum ersten Mal, wie eine Todesnachricht aus der Perspektive der Bewohner eines Hauses wirkte. Die betroffenen, aber ruhigen Gesichter, die Bitte, mit einem Familienmitglied zu sprechen. Geschockt wandte sich Rose um und lief mit gesenktem Kopf die Treppe ins Obergeschoss hinauf. Die Polizisten an der Tür sahen Morrow und McCarthy und erkannten sie.

»Was machen Sie denn hier?«, fragte der eine, das Stirnrunzeln ein Vorbote schlechter Nachrichten.

Morrow erklärte gerade, dass sie einen alten Fall nachbearbeiteten, als Francine McMillan oben an der Treppe erschien.

Sie war wunderschön. Feingliedrig und schlank, beinahe zerbrechlich, mit hellblonden Haaren, die fast silbern wirkten, und blasser Haut. Sie trug einen grauen Seidenpyjama. Rose hielt sie am Arm, um ihr die Treppe hinunterzuhelfen. Mit der anderen Hand hielt sich Francine am Geländer fest.

Obwohl jede Bewegung sie Mühe kostete, schaute sie zu den versammelten Polizisten, lächelte leicht und sagte Hallo.

Am Fuß der Treppe blickte sie etwas verwirrt vom einen zum anderen. »Wer …?«

»Oh«, sagten die Neuankömmlinge, »das sind wir. Möchten Sie sich setzen?«

Francine schleppte sich Richtung Küche. »Ja, ich glaube, das wäre besser.«

An der Schwelle zögerte sie, versuchte weiterzugehen, schaffte es aber nicht. Rose hielt sie am Ellbogen, und Francine sah sie an. Sie lächelten sich zu.

Rose schaute zurück auf die Besucher. »Francine hat …«

»Parkinson«, ergänzte Francine.

Rose lächelte sie liebevoll an. »Türschwellen …«

»Da zögere ich immer«, sagte Francine, schaffte es dann aber doch, ihr rechtes Knie zu heben und das Bein auf den Küchenboden zu stellen.

Morrow und McCarthy sahen zu, wie sie im hinteren Teil des Hauses verschwanden. Sie beobachteten, wie Rose Francine vorsichtig am Tisch platzierte, wie ihr Blick nicht von ihrem Gesicht wich und wie sie sich neben sie setzte. Als die beiden Polizisten ihre Plätze an der anderen Seite des Tisches einnahmen, verdeckten sie den Eingang zur Küche. Morrow und McCarthy hörten nur noch das Stimmengemurmel, als die vernichtende Nachricht überbracht wurde, ein unwiederbringlicher Akt der Zerstörung. Francine kippte langsam vornüber zur Tischplatte. Ihre Wirbelsäule zeichnete sich durch die Seide wie ein perfektes Gebirge ab. Rose legte ihr sanft die Hand auf den Rücken, und Francines schmale Gestalt drehte sich zu ihr und brach in ihren Armen zusammen.

»Vielleicht sollten wir jetzt gehen«, bemerkte McCarthy.

Morrow wollte nicht, aber sie konnte hier nichts mehr tun. Wenn sie mehr Beweise hätten, könnten sie Rose Wilson verhaften und ihre Fingerabdrücke nehmen, aber sie hatten nichts in der Hand. Die Familie hatte gerade den Vater verloren. Es würde wie eine Schikane wirken, wenn sie noch länger blieben.

»Holen Sie die Mäntel«, sagte Morrow.

Kaum hatten sie die Mäntel an und ihre Schals gefunden, fiel Morrow ein, dass sie ihre Tasche in der Küche vergessen hatte. Sie wappnete sich innerlich und ging noch einmal zurück.

Francine schluchzte immer noch in Rose' Armen, während Morrow so unauffällig wie möglich ihre Tasche nahm, als ob das die Sache irgendwie besser machen würde. Sie war schon wieder in der Tür, als Rose Francine liebevoll wegschob und aufstand.

»Dawood hat Robert umgebracht.« Rose sprach mit Morrow, nicht mit den Polizisten am Tisch. »Es war Dawood.«

Francine zerrte Rose am Arm, versuchte weinend und verängstigt, sie zum Hinsetzen zu bewegen.

»Dawood McMann?«, fragte Morrow.

»Ja«, sagte Rose. »Er ließ Robert töten, weil er einen Bericht an die SOCA geschickt hat.«

»An die *SOCA*?«, wiederholte Morrow und fragte sich, woher Rose die Abkürzung kannte. »Ein SOCA-Bericht? Woher wissen Sie das?«

Rose schaute in Francines panisches Gesicht. »Der Bericht

ist auf Roberts Laptop. Ich habe es oben. Das ist schon in Ordnung, Francine.« Rose löste sich sanft aus der Umklammerung ihrer Freundin. »Es ist die einzige Möglichkeit, sie zu kriegen. Sie haben Robert umgebracht. Unseren Robert.«

Francine ließ sie gehen.

Rose eilte zur Treppe, und Morrow folgte ihr, versuchte, mit ihr Schritt zu halten, ohne dass es wie eine Verfolgung aussah.

Ein Bericht an die SOCA würde bestätigen, woher das Geld kam, wohin es ging und wer der Agent war. Mit einem SOCA-Bericht würden sie die Leute finden, die über Michael Brown standen, und könnten die Herkunft der Waffen zurückverfolgen. Sie folgte Rose die Treppe hinauf und dann einen Gang entlang nach rechts, durch zwei Türen in Francines dunkles Schlafzimmer. Rose schob die Türen an einem Kleiderschrank zur Seite, zerrte eine gepolsterte Sitzbank, die am Fußende des Bettes stand, zum Schrank, stellte sich darauf und streckte sich, bis sie das oberste Regal im Kleiderschrank erreichte.

Sie holte ein Laptop hervor, das fast so dünn war wie ein Blatt Papier. Sie sah es an. Dann wandte sie sich um und gab es Morrow.

»Da drauf«, sagte sie. »Es ist seins.«

Morrow nahm es und presste es an sich.

Rose stellte einen Fuß auf den Boden, doch dann ließ sie sich plötzlich wie erschöpft auf die Polsterbank sinken. All ihre Kampflust war verschwunden. Sie saß still da, die Hände schlaff an der Seite, und starrte auf den Teppich.

Morrow setzte sich aufs Bett. Lange blieben sie so sitzen. Schließlich brach Morrow das Schweigen.

»Rose, ich brauche Ihre Fingerabdrücke.«

»Ich weiß. Wegen Aziz. Ich weiß.«

»Und Atholl.«

Rose nickte. »Und Atholl.«

»Wie war das mit Aziz?«

»Er hat Julius gegen die Brust geschlagen. Julius rief mich an, deshalb hat ihn auch die Ambulanz gefunden. Seine Lungen kollabierten.« Sie begann zu schluchzen. »Er lag auf dem Boden, seine Augen waren …« Sie legte die Hände vors Gesicht und rang nach Atem. »Sie haben es versucht … Am nächsten Tag rief ich Aziz an, sagte, wir müssten uns treffen, in seinem Büro. Als er mich sah, lief er weg. Ich kann Ihnen nicht sagen, was mir durch den Kopf ging.«

»Sie hatten ein Messer dabei. Es ist ziemlich offensichtlich, was Ihnen durch den Kopf ging.«

Sie rutschte unruhig hin und her. »Wahrscheinlich. Er rannte die Treppen hoch, dachte, ich hätte zu große Angst, um ihm zu folgen. Er hat mich unterschätzt …«

»Danach wurde Ihnen schlecht?«

»Ja!« Sie lachte überrascht auf, weinte aber weiter. »Ja, mir war speiübel! Lächerlich! Als ob ich noch nie, Sie wissen schon … Albern.«

Morrow sah zu, wie sie gleichzeitig weinte und sich auslachte. »Sie verlangen sich viel ab.«

»Es ist albern, mein Gott, ich musste kotzen, dabei habe ich wirklich schon Schlimmeres …«

Morrow nickte. »Wir haben bei Atholl das Foto gefunden. Das Gesicht war weggekratzt.«

Rose warf ihr einen warnenden Blick zu.

»Sie kannten Sammy McCaig, nicht wahr? In jener Nacht haben Sie ihn nicht zum ersten Mal getroffen.«

Rose wollte sie nicht ansehen.

»Ich sage das, weil Sie das vor Gericht vorbringen können, man wird es berücksichtigen.«

Als Rose wieder sprach, war ihre Stimme sehr leise. »Nein. Das sage ich denen nicht.«

»Vertrauen Sie ihnen nicht?«

Rose lächelte und sah sie unter ihren zusammengezogenen Augenbrauen hervor an. »Ich *kenne* sie. Ich kenne sie *alle*. Und sie kennen mich.«

»Das ist doch nicht Ihr ganzes Ich«, sagte Morrow.

»Was noch davon übrig ist.« Sie erstarrte, wie Francine vorhin an der Türschwelle. Sie sah Morrow an. »Warum kümmert Sie Michael Brown? Kennen Sie ihn näher?«

»Nein.«

»Warum dann?«

»Es war falsch«, sagte sie. Eine dumme Antwort. Es war falsch, diese Familie auseinanderzureißen, Francine Rose wegzunehmen, Michael Brown in eine Welt zu entlassen, mit der er nicht fertig wurde. Es war falsch, eine Vierzehnjährige zur Verantwortung zu ziehen, weil sie ihren Zuhälter umgebracht hatte. Es war alles falsch. Morrow hatte das alles gemacht, damit sie nachts schlafen konnte, damit sie sich als ein besserer Mensch fühlte, besser als Riddell und Danny. Sie sehnte sich nach einer moralischen Überlegenheit, die sie anstreben konnte, aber es gab keine.

Rose streckte ein Bein aus. »Ich wette, er ist ein totaler Psycho, oder?«

»Michael hat aus schlechten Voraussetzungen das Beste gemacht«, log Morrow. »Sie haben sich auch gut entwickelt. Francine liebt Sie, sie vertraut Ihnen.«

Rose beugte sich über ihre Knie und vergrub das Gesicht zwischen ihren Armen. Tränen tropften auf den Teppich – sie wirkte uralt und gebrochen. »Aber Julius habe ich am meisten geliebt. Und er hat mich nicht geliebt.«

Morrow ging mit dem Laptop im Arm und Rose im Schlepptau die Treppe hinunter. Am Fuß der Treppe warteten die Polizisten auf sie. Francine war im Fernsehzimmer; sie hatte den Fernseher ausgeschaltet und sprach mit den Kindern.

Alle wollten hier so schnell wie möglich weg.

»Ma'am«, sagte McCarthy, »nur ganz kurz: Die Kamera auf der Fähre nach Mull und zurück hat zwei Verdächtige aufgezeichnet.«

»Jemanden, den wir kennen?«

»Ein Unbekannter und Pokey Mulligan.«

32

Morrow durfte ihn nicht verhaften. Es könnte die Anklage gefährden, wenn die Verteidigung sie bei der Verhandlung in den Zeugenstand rief und fragte, ob er ihr Bruder sei. Sie durfte nicht einmal bei der Verhaftung dabei sein. Die Ehre ging an Wainwright, obwohl es ihr Fall war, die Beweise von ihr stammten und sie die richtigen Schlussfolgerungen gezogen hatte. Aber der Fall McMillan überschnitt sich mit ihren beiden Fällen, daher wurde auf höherer Ebene beschlossen, dass Wainwrights Team ein guter Ersatz wäre.

»Bist du sauer?«, fragte Wainwright, als sie das Briefing in der Peel Street verließen.

»Ja, ich bin sauer. Ich hab die ganze Arbeit gemacht.« Aber sie war nicht richtig böse. Der eigentliche Grund, warum sie weiche Knie hatte und ihr Magen flatterte, war purer Nervenkitzel.

»Das ist, wie von einem Diabetiker einen Kuchen geschenkt zu kriegen«, grinste Wainwright. »Du darfst nicht mal ein Stück davon abhaben.«

Er lachte laut, warf den Kopf in den Nacken, lachte über sie hinweg, und Morrow lachte mit und dachte dabei an den Abriss der Wohnblocks in den Gorbals und an all ihre eingebildeten Vorwürfe gegen Danny. Er hatte ihr nie geschadet, das musste sie zugeben, und jetzt stand sie hier und genoss es, wie ihm alles um die Ohren flog.

Der Raum im Revier in der Stewart Street, von dem aus man Dannys Verhör verfolgen konnte, war so gut besucht wie ein Pub bei der Übertragung eines Fußballspiels zwischen Celtic Glasgow und den Glasgow Rangers. Detective Constables und Detective Sergeants drängten sich und nutzten ihre Pausen oder Überstunden, um einen Blick auf Danny zu erhaschen.

Morrow hielt sich im Hintergrund, damit niemand sie beobachten konnte. Immer wieder drehte sich jemand um und sah sie an, begegnete jedoch jedes Mal ihrem Blick, zuckte zusammen und sah wieder nach vorn.

Danny hielt sich gut. Er war nicht auf Streit aus und schrie auch nicht herum wie Michael Brown. Kein höhnisches Feixen. Er sagte nicht mehr als seinen Namen, sein Geburtsdatum und seine Adresse. Er ging zu Boden wie eine Säule, ohne große Staubwolke und herumfliegenden Schutt. Es gab keinen Regen aus Glassplittern, kein Blut auf dem Tisch.

Um ihr Vergnügen betrogen zerstreuten sich die Zuschauer bald wieder.

Meistens antwortete sein Anwalt für ihn. Er kenne Mulligan, aber Mulligan arbeite nicht für ihn. Danny habe den Mord an Robert McMillan und Simon Hume-Laing nicht organisiert. Er wisse nichts darüber.

Wainwright konfrontierte ihn mit einigen Beweisstücken: Die Fotos von Stepper, die belegten, dass er sich mit Pokey getroffen hatte, mehr aber auch nicht; ein Kassenbon über eine Barzahlung beim Tanken am Fährhafen, wo die Fähre nach Mull ablegte. Der Bon war in Dannys Auto gefunden worden – er hatte sie dort hoch gefahren, aber das bewies ebenfalls noch nichts. Morrow wusste, dass Fährhäfen gut mit Überwachungskameras ausgestattet waren, und zweifelte, dass Danny wusste, wo sich die Kameras befanden.

Dann erklärte Wainwright Danny und seinem Anwalt, Mulligan sei bereit vor Gericht auszusagen, dass Danny ihn dafür bezahlt habe, Robert zu ermorden. Mulligan hatte das Geld, und das Geld ließ sich über Dannys Taxiunternehmen zu Danny zurückverfolgen. Die Fingerabdrücke seines Buchhalters waren auf den Scheinen.

Danny schnaubte und rutschte auf seinem Stuhl herum. Der Anwalt sah ihn angespannt von der Seite an; er wusste, dass sie jetzt nicht mehr dem Drehbuch folgten.

»Warum sollte ich ihn dafür bezahlen, irgendwelche Typen auf Mull umzubringen?« Danny grinste, aber Morrow sah ihm an, dass er nervös war.

»Geld«, antwortete Wainwright.

Sein Lachen war dieses Mal echt und bitter. »Ich habe Geld.«

»Sie haben 3,2 Millionen Pfund«, sagte Wainwright.

Danny zeigte keine Regung, aber sein Anwalt beugte sich vor. »Woher haben Sie diese Zahl?«

Wainwright hielt den Blick auf Danny gerichtet. »Der Umsatz des Taxiunternehmens letztes Jahr. Die Buchhaltungsunterlagen im Handelsregister. Sie sind der Lizenzinhaber.«

»Nein«, sagte Danny. »Das bin ich nicht.«

Der Anwalt beugte sich erneut vor, schob sich dazwischen. »Außerdem beantwortet das nicht die Frage: Wenn er so viel Geld hätte, warum sollte er dann Geld annehmen und für jemand anderen einen Mord in Auftrag geben?«

»Um einem mächtigen Freund einen Gefallen zu tun ... Ein Mann kann nicht unendlich viele teure Autos kaufen. Ab einem gewissen Punkt muss jeder Kontakte im Ausland knüpfen, nicht wahr, Danny? Aber Sie haben keine Kontakte.«

Morrow schloss die Augen und hielt den Atem an. An dieser Stelle konnte alles schief gehen – Wainwright könnte es einfach so herausrutschen. Aber nein. Er erwähnte Dawoods Namen nicht.

Er schloss die Akte. »Ich glaube, wir belassen es erst mal hierbei.«

Der Raum hatte sich mittlerweile komplett geleert, und Morrow saß allein vor dem Bildschirm. Dawood McMann hockte wie ein weiser alter Salomo am Tisch in einem der Verhörzimmer und beriet sich flüsternd mit seinem Anwalt. Er entschied, wer ins Gefängnis gehen würde und für wie lange. Ihm war versprochen worden, dass man auf eine Freiheitsstrafe verzichten würde, wenn er gegen eine bestimmte Anzahl Personen aussagte und dadurch eine bestimmte Anzahl an Anklagen zusammenkam.

Morrow sah zu, wie Dawood Mulligan ans Messer lieferte, danach eine Bande Autodiebe und die Familie des jungen Kerls, der ihren Autohändler um den Lotus erleichtert hatte. Zum Abschluss ließ er noch zwei Ringe von Geldverleihern im Osten der Stadt auffliegen, und Danny. Danny würde wegen Verschwörung zum Mord für lange Zeit im Gefängnis verschwinden. Es war abstoßend anzusehen. Dawood war so berechnend, dass Morrow sich vorstellen konnte, dass er Danny gebeten hatte, die Ermordung Robert McMillans zu arrangieren, und zwar nicht, um seine eigenen Aktivitäten zu vertuschen, sondern als Falle, um Danny aus dem Weg zu räumen, damit einer seiner eigenen Getreuen die 3,2 Millionen Pfund einstreichen konnte. Drei Gebiete in der Stadt waren jetzt ohne einen dominierenden Einfluss. Danny war weg, die Mitchells waren geschwächt, der Handel mit gestohlenen Autos unterbrochen, ganze Ökosysteme ausgeschaltet. Der daraus resultierende Kampf um die Vorherrschaft in der Stadt würde jede Menge Blutvergießen nach sich ziehen.

Morrow saß mit verschränkten Armen da und prüfte ihr Gewissen. Sie dachte an die Wohnblocks in der Red Road, die in einer Wolke aus Staub und Schutt zusammenbrachen. Die gleiche Masse in einer anderen Form, ein einziges Chaos.

Dawood lächelte seinem Anwalt zu, sie steckten erneut die Köpfe zusammen und besiegelten ein weiteres Schicksal. Morrow stand auf. Am liebsten hätte sie auf den Bildschirm gespuckt.

Sie zerrte ihren Mantel so schnell vom Stuhl, dass er mit lautem Poltern auf den harten Boden prallte. Es tat gut.

33

Morrow und McCarthy standen auf der Straße und schauten hoch zu den Büroräumen von Intelligence Solutions. Ein schönes altes Haus im Stadtzentrum neben einem Makler für Luxusimmobilien, in dessen Schaufenstern Luftaufnahmen von gigantischen Grundstücken in den Highlands zu sehen waren, die zum Verkauf standen. Auch ein Gebirgszug war zu verkaufen. Das Büro für private Ermittlungen war dagegen nüchtern und diskret. Auf einem Messingschild stand *Intelligence Solutions*, ohne weitere Erklärung, welche Art von Ermittlungen oder Lösungen hier geboten wurden. Morrow hatte sich während der Fahrt im Auto die Website angeschaut. Besonders hervorgehoben wurde die Suche nach den leiblichen Eltern bei Adoptivkindern und die Überprüfung von Bewerbern für Unternehmen, das Sammeln von Beweisen und die Suche nach vermissten Personen. Sie hatte unter der angegebenen Nummer angerufen und war bei einem Anrufbeantworter gelandet, obwohl das Büro eigentlich besetzt sein müsste. Und jetzt war es geschlossen. Das schien seltsam und unhöflich bei einer Firma, die eigentlich Dienstleistungen anbot.

Sie gingen zurück ins Büro. Unterwegs redete McCarthy über Eis, und wie gerne er welche Sorten aß, während Morrow an Harris dachte und wie sehr er ihr fehlte. Nicht zum ersten Mal fragte sie sich, ob sie das Richtige getan hatte, als sie die Wahrheit gesagt hatte, obwohl das ihren eigenen Interessen zuwiderlief, aber dann fiel ihr ein, dass Harris sowieso aufgeflogen wäre. McMahon und Gamerro hatten damals nicht die Wahrheit gesagt.

Wenn sie es getan hätten, wäre Michael Brown vielleicht nicht ins Gefängnis gekommen für ein Verbrechen, das er gar nicht begangen hatte. Sie mussten ihn ähnlich eingeschätzt haben wie sie, als sie ihn zum ersten Mal verhörte, wahrscheinlich hatten sie gedacht, dass er sowieso irgendwann straffällig werden würde; ein Arschloch, dem man nicht vertrauen konnte, aber das gab ihnen nicht das Recht, alles zu vertuschen. Sie hatten Angst gehabt.

McCarthy ging zu den Spinden, um auf sein privates Handy zu schauen, und Morrow stapfte gedankenverloren weiter zum Flügel des CID. Sie begrüßte ihr Team und ging in ihr Büro, stellte die Tasche ab und sah nach ihren Nachrichten. Sie sah auf den Flur hinaus und stellte fest, dass die Tür zu Riddells Büro geschlossen war. Er war wohl in einem Meeting.

Sie überlegte gerade, ob sie klopfen sollte, als die Tür aufging und Riddell auftauchte, jemandem über die Schulter zulächelte und die Hand zum Handschlag ausstreckte. Ein Zivilist verließ das Büro, groß und dick, Brille mit Goldgestell, braune Haare, langes Gesicht. Seine Kleidung weckte ihre Aufmerksamkeit. Jeans und ein sehr gutes Jackett aus braunem, weichem Tweed und so geschneidert, dass es an der Taille etwas enger anlag und die Schultern breiter wirken ließ. Er trug braune Lederschuhe mit Lochmuster, die so stabil und sorgfältig poliert wirkten, als ob sie über mehrere Generationen vererbt worden wären.

Das war kein Zivilist, wie sie ihn sonst in der London Road zu Gesicht bekamen, und anscheinend hatte er Riddell gute Nachrichten gebracht.

»Ah, DI Morrow.« Riddell deutete mit der Hand auf sie, um sie vorzustellen. »Das ist David Monkton.«

Als David Monkton sich umdrehte und ihrem Blick begegnete, wusste Morrow, dass er ihretwegen hier war. Er streckte die Hand aus.

»Alex Morrow, ich habe viel von Ihnen gehört.« Einen Moment sah sie Widerwillen in seinem Blick aufflackern, aber dann schloss er halb die Augen und richtete den Blick nach oben, als wolle er etwas Störendes wegblinzeln. Als er den Blick wieder auf sie richtete, lächelte er freundlich. »Natürlich nur Gutes.«

Wie eine Reihe Dominos, die nacheinander umfallen, begriff sie plötzlich, wie nützlich sie für ihn sein könnte: Klug und fleißig, Mittelpunkt eines Netzwerks aus anderen Polizisten, Kontakte, die sie über Danny und Harris geknüpft hatte, geradlinig und sogar mit dem Ruf, unbestechlich zu sein. Sie gab ihm die Hand.

»Nett, Sie kennenzulernen«, sagte sie. »Ich war gerade bei Ihrem Büro.«

»Verrückt«, sagte er, obwohl sie spürte, dass er das bereits wusste. »Und ich bei Ihrem.«

Er lachte, und auch Riddell lachte.

»Sir ...«, sagte Morrow angespannt.

»Ja«, sagte Riddell, »das andere läuft. Alle werden im Norden verhört.«

Danny und Dawood und Pokey Mulligan in getrennten Verhörräumen. Der SOCA-Bericht wurde ihnen vorgelegt, die Fotos von Stepper und die Aufnahmen der Überwachungskameras von der Fähre. Sie musste Rose Wilson vorladen und sie verhören, und war froh, dass sie Riddell noch nicht gesehen hatte, um ihn darüber zu informieren. Sie sah zu Monkton und hatte das Gefühl, dass er der eigentliche Grund für ihr Handeln war.

»Sie, ähm, haben ...« Riddell warf Monkton einen diskreten Blick zu. »Das sage ich Ihnen nachher.«

Monkton lächelte gnädig, als ob Riddell gerade einen wichtigen Test hinsichtlich seiner zukünftigen Arbeitsstelle bestanden hätte.

»Ich möchte nicht die Polizeiarbeit stören«, feixte er, »ich war nur wegen eines inoffiziellen ...«

»Nein, nein«, sagte Riddell, »es ist nur, äh …« Er sah zu Morrow. »Es ist gut, also, Sie wissen schon, es ist gut. Passt alles zusammen. Mit der anderen Sache.«

Riddell lächelte sie an, Monkton lächelte ihn an, und Morrow dachte an das Polizeifoto des vierzehnjährigen Michael Brown. Sein Schicksal kümmerte niemanden. Allen ging es prächtig.

»DI Morrow, kann ich Sie kurz sprechen?«

Monkton schaute auf die Tür ihres Büros, lehnte sich schon leicht in die Richtung, und Riddell reagierte auf das Stichwort und reckte den Hals in Richtung Tür, lächelnd und froh, dass er den Test bestanden hatte, und erpicht darauf, Monktons Wünschen Folge zu leisten. Der schiere Druck der sozialen Zwänge brachte fast ihr Trommelfell zum Platzen.

»Oben?«, fragte sie.

Beide Männer schauten sie an.

In dem Moment kam Daniel aus dem Teamraum, sah die Gruppe vor Morrows Tür, sah Alex, die zwischen den beiden Männern, die zu dicht bei ihr standen und wütend auf sie herabschauten, fast verschwand.

»Oh«, sagte Daniel und zog sich ins Büro zurück. Sie hatte die Tür schon wieder halb geschlossen.

»Daniel!«, rief Morrow. »Kommen Sie doch bitte mit mir und Mr. Monkton nach oben.«

Daniel lächelte DCI Riddell verlegen an, hielt inne und ging dann Richtung Treppenhaus. Alle schwiegen angespannt, nur das Geräusch von Daniels spektakulären Oberschenkeln, die im Gehen aneinander rieben, war zu hören.

Monkton wandte sich zu Riddell und sagte ganz ruhig: »Es wird nicht lange dauern, Kevin.«

Riddell sah zu Morrow und bat sie mit flehendem Blick, nicht seine neue große Hoffnung zu zerstören. Sie hatte gar nicht gewusst, dass er mit dem Gedanken spielte, den Polizeidienst zu verlassen. Auch Monkton sah sie an.

Sie dachte wieder an das Foto von Michael Brown, ein Junge im schmutzigen gelben T-Shirt, den Blick gesenkt. Er hatte niemanden gehabt, der sich für ihn eingesetzt hatte. Sie sagte: »Nach oben, bitte, Sir.«

Monkton rührte sich nicht. »Für das habe ich keine Zeit.«

»Sie wissen doch gar nicht, was *das* ist.«

»Ich habe einen Termin bei Ihrem Chief …«

»Mr. Monkton, Sie hätten die Zeit gehabt, mit mir in meinem Büro zu reden, also nutzen wir diese Zeit einfach, um uns oben zu unterhalten.«

Und sie nahm ihn am Ellbogen und lotste ihn Richtung Tür zum Treppenhaus. Sie dachte an Danny. Danny, wie er aus seinem Wagen zu ihr herüberschaute, Dannys Bedürfnis, an den Lügen festzuhalten.

Als sie und Monkton zur Treppe gingen, erhaschte sie aus dem Augenwinkel einen Blick auf DCI Riddell, der verloren und enttäuscht allein auf dem Gang stand, wie ein Kind, dem man Weihnachten weggenommen hatte.

Allein mit ihr im Treppenhaus murmelte Monkton: »Ich weiß Bescheid über Sie.«

Sie ignorierte ihn. Verhörzimmer 2 war belegt, also nahm sie Zimmer 3, und Daniel folgte ihnen. Monkton setzte sich gelassen an die Seite des Tisches, an der der zu Verhörende sitzt, grinste und legte die Hände auf die Tischfläche. Sie setzten sich ihm gegenüber, legten die Kassetten ein und informierten ihn, dass er gefilmt wurde.

»Ich kenne die Abläufe«, sagte er.

»Gut. Dann wissen Sie auch, dass das nur ein zwangloses Gespräch mit ein paar Fragen zu einem Fall ist, in dem wir gerade ermitteln.«

Monkton hob langsam die Augenbrauen, deutete an, dass er über jeden Fall Bescheid wusste, den sie untersuchte.

»David«, begann Morrow und registrierte dabei durchaus, dass Daniel sich in Monktons Gegenwart sehr wohl zu fühlen schien, »Sie sind der Inhaber von *Intelligence Solutions*, nicht wahr?«

Er schaute auf die Kamera in der Ecke, leckte sich über die Lippen und bejahte.

»Können Sie mir etwas über Ihr Unternehmen sagen, was Sie machen?«

»Wir sind«, sagte er zur Kamera gewandt, »eine Firma für private Ermittlungen. Wir übernehmen die verschiedensten Fälle, alles natürlich im Einklang mit dem Gesetz, wie ich hinzufügen möchte« – er nahm sich die Zeit, sie anzulächeln, und wandte sich dann wieder zur Kamera. »Das reicht von der Suche nach den leiblichen Eltern bei Adoptivkindern bis zum Ausfindigmachen von Erben. Außerdem übernehmen wir die Überprüfung von Bewerbern für Firmen und so weiter.«

Er schenkte ihr sein 200 000-Pfund-Lächeln und wartete auf ihre nächste Frage.

»Das ist alles sehr schön«, sagte sie. »Und bevor Sie sich selbständig machten …«

»Glauben Sie nicht, dass den Leuten so etwas wichtig ist?« Er schaute jetzt nicht mehr in die Kamera, sondern sah sie an, die Augen abgeschirmt durch die teure Brille, die Nasenlöcher geweitet.

Er schlug Haken. Wollte sie ablenken. Wollte, dass sie sich auf eine Diskussion einließ, bei der sie auf Band argumentierte, es sei nicht gut, Familien wieder zusammenzuführen, und er konnte dann behaupten, es sei gut.

»Sie waren früher bei der Polizei, nicht wahr?«

Er merkte, dass seine Taktik bei ihr nicht funktionierte. Er holte Luft und lächelte.

»Ja, ich war einer von Ihnen.«

»Erinnern Sie sich, was Sie in der Nacht machten, als Prinzessin Diana starb?«

Er erinnerte sich und versuchte wieder, sie abzulenken. »In Paris?«

»Sie waren in Paris?«

»Nein.« Er lachte leichthin, belustigt. »*Sie* war in Paris. Sie starb in Paris. Sehr traurig.« Er setzte eine traurige Miene auf und schüttelte den Kopf, um der Welt mitzuteilen, dass solche Dinge nicht passieren sollten und sie ihn betrübten.

»Wo waren Sie am darauffolgenden Tag?« Morrow klang barsch, denn sie verspürte rechtschaffene Empörung. Sie logen alle, alle miteinander, mieden die Wahrheit aus Angst oder Eigeninteresse oder weil ein paar Hunderter dafür heraussprangen. Aber sie war nicht so.

»Ich nehme an …« Er rieb sich übers Kinn und schaute suchend zur Decke. »Ich nehme an, dass ich gearbeitet habe.«

»Als Polizist?«

»Als Polizist.«

»Auf welchem Revier waren Sie?«

»Stewart Street.«

»Wer war damals Ihr DS?«

»Hm …« Er tat so, als versuche er, sich zu erinnern.

»Wissen Sie, David, die meisten Leute können sich ganz genau daran erinnern, wo sie an jenem Abend waren. Wenn Sie sagen, Sie täten das nicht, könnte man meinen, dass Sie lügen.«

Das gefiel ihm jetzt, denn sie lieferte die gewünschte Ablenkung. Er lächelte sie an, dieser reiche und hinreißende Mann, der Mann mit den guten Beziehungen, der die Mittel und die Macht hatte, Absolution für fast jede Verfehlung zu gewähren.

Sie blinzelte und sah eine Sekunde lang Michael Brown, der am selben Tisch gesessen hatte und dann aufgestanden war und seinen schlaffen Schwanz aus der Hose mit Gummizug hervorgenestelt hatte, damit sie erschreckt und angeekelt wegsah. Und sie erinnerte sich an Browns Gesicht, eine Maske des Schreckens, voll Zorn über seine eigene Angst und Entsetzen über sein Leben.

Sie öffnete die Augen und dachte daran, wie McCarthy die Tischplatte mit alkoholgetränkten Tüchern abgewischt hatte, um die Urinspritzer zu entfernen, die Brown hinterlassen hatte.

»Die Leute erinnern sich.« Sie hatte fast vergessen, worüber sie redeten. »Dianas Tod war ein Schock, und alle redeten darüber, wo sie waren, als sie davon erfuhren. Wieder und wieder erzählen wir diese Geschichten. Warum? Versuchen wir, uns selbst irgendwie einzubringen? Aber warum auch immer, jeder weiß, wo er damals war.«

Monkton dachte, sie würde ihm einen Ausweg anbieten und ging darauf ein. »Ja also, ich glaube nicht, dass ich darüber redete ...«

»Das habe ich nicht gesagt. Ich sage, dass jeder weiß, wo er in jener Nacht war.«

Monkton nickte, glaubte immer noch, sie riete ihm, sich eine bessere Lüge auszudenken.

»Wir haben eindeutige Unterlagen, die zeigen, dass Sie in jener Nacht Michael Brown die Fingerabdrücke abnahmen.«

»*Michael Brown.*« Er sah auf den Tisch, blinzelte, schüttelte den Kopf. »Ich glaube nicht, dass ich mich an einen Michael Brown erinnere ...«

»Ein Teenager, vierzehn Jahre alt. Sie haben ihn in dem Kinderheim abgeholt, wo er untergebracht war, Cleveden House.«

»Nein, ich kann mich nicht ...«

»Das ist merkwürdig. Alle anderen können sich erinnern.«

Er sah sie an, versuchte, ihre Miene zu deuten, und lächelte. »Oh ja. Ein junger Kerl.«

In dem Moment wurde ihr klar, dass er erwartete, dass sie ihm helfen würde. Er hatte nicht begriffen, dass sie ihn verhaften wollte. Er dachte, sie würde ihm ein Hintertürchen auflassen, und vertraute darauf, dass sie es ihm zeigte.

»Jung, ja«, sagte sie. »Sie haben ihm die Fingerabdrücke abgenommen. Auf Papier.«

»Ja.«

»Sie erinnern sich daran?«

»Wir machten das damals auf Karteikarten.«

»Die alten Zehn-Finger-Karten.«

»Genau, mit Tinte.«

»Sie erinnern sich also, dass Sie Michael Brown die Fingerabdrücke abnahmen?«

»Ich glaube …«

»Haben Sie seine Abdrücke mit denen von Rose Wilson vertauscht?«

Sieben Sekunden verstrichen, ohne dass Monkton sich rührte oder atmete. Morrow stellte sich vor, wie er eine ganze Kartei aus Lügen durchging, bis er sich für eine entschied:

»Rose wer?« Er begann langsam den Kopf zu schütteln, wurde dann immer heftiger: »Ich kann mich nicht …«

»Okay.« Sie stand auf. »Ich werde nicht versuchen, Ihrem Gedächtnis auf die Sprünge zu helfen …«

»Ich erinnere mich an Michael Brown.« Panik beschlich ihn. Sie sah es in seinen Augen. Er dachte, er hätte sich für die falsche Lüge entschieden. »Aber mein DS an dem Abend …«

Sie setzte sich wieder. »George Gamerro.«

»Ja.« Er suchte in ihrem Gesicht nach Hinweisen. »George Gamerro …«

»Es ging um Mord. Ein Junge aus dem Heim wurde tot in

einer Seitengasse gefunden, erstochen. Sein jüngerer Bruder wurde von Ihnen und DC McMahon im Heim abgeholt ...«

»Harry.« Das wollte er schnell unterbringen, wollte ihr vermitteln, dass er ihn kannte.

»Harry McMahon. Er arbeitet mittlerweile für Sie.«

»Tatsächlich?«

»Wissen Sie nicht, wer für Sie arbeitet?«

»Wir haben eine große Belegschaft. Ich kenne nicht jeden.«

»Sie haben also den Jungen abgeholt und seine Personalien aufgenommen. McMahon war nicht dabei, als ihm die Fingerabdrücke abgenommen wurden, Sie schon. Was ist passiert?«

»Wie meinen Sie das?«

»Die Abdrücke in der Datei sind nicht die Abdrücke von Michael Brown.«

»Klingt nach einem Fehler in der Datenverwaltung, würde ich sagen.« Ein Schuss ins Blaue. Morrow sah ihn bedeutungsvoll an.

»Es gibt eine ganze Reihe von Verfahren, wie Sie sicherlich wissen, um solche Fehler zu vermeiden.«

»Vielleicht bei der Eingabe ins System? Irgendwie?« Er sah sie an und erkannte, dass es das auch nicht war. »Später vertauscht? Das wurde ja alles computerisiert, da kann es eine Verwechslung gegeben haben.«

Morrow hatte keine weiteren Fragen und nichts, womit sie ihn sonst noch konfrontieren könnte. Sie saß mit ausdruckslosem Gesicht da und sah zu, wie er den Boden unter den Füßen verlor. Seine Blicke wanderten hektisch zu ihr, suchten in ihrer Miene nach dem Hintertürchen, das sie ihm seiner Überzeugung nach offengelassen hatte. Monkton konnte nicht glauben, dass sie ihm nicht helfen wollte.

»Vielleicht hat McMahon sie vertauscht? Gamerro? Meinen Sie das? Oder der diensthabende Sergeant?«

Sie saß schweigend da und betrachtete ihn, genoss sein Unbehagen und dachte dabei an Brown als Kind; ein Junge, dessen Bruder gerade ermordet worden war, der niemanden mehr hatte und den man als Sündenbock auserkor, weil das irgendjemandem aus irgendeinem Grund ins Konzept passte. Vielleicht war man auch nur aus einer Laune heraus auf Brown gekommen.

»Wer war der diensthabende Sergeant an jenem Abend?« Monkton griff nach jedem Strohhalm.

»DS Riddell«, sagte sie. Es war nicht Riddell gewesen, aber sie würde ihm nachher die Aufnahmen zeigen und ihn mit ins Boot holen.

Monkton wirkte enttäuscht, verzichtete aber darauf, Riddell zu beschuldigen, falls das die Hintertür war, die sie ihm bot. »Tja, wenn Riddell … ich meine, das scheint eine polizeiinterne Sache zu sein. Ich weiß nicht, wie ich hier …«

»Sie haben die Fingerabdrücke vertauscht, Monkton.«

Monkton hörte auf, verzweifelt nach einem Ausweg zu suchen. Auf Film würde es nicht zu erkennen sein, aber sie sah, dass er furchtbar wütend auf sie war.

»Sie waren das.«

»Warum in aller Welt sollte ich das tun?«

»Für Anton Atholl.« Sein Gesicht zeigte keine Regung. »Für Julius McMillan.« Wieder nichts. »Für Dawood McMann.«

Da war die Reaktion. Das war die Lösung. Er hatte es für Dawood McMann getan. Eine Dienstleistung. Korruption auf Bestellung.

»Warum sollte ich so etwas für Dawood McMann tun?«

»Für Geld? Um ihm einen Gefallen zu tun? Ihr Motiv ist nicht mein Problem, aber ich weiß, dass Sie es waren.«

»Das ist eine ziemlich schwere Anschuldigung, DI Morrow. Eine ungeheuerliche Anschuldigung gegen einen angesehenen Geschäftsmann und zwei der führenden Anwälte Schottlands.«

»Die beide tot sind.«

»Die beide tot sind«, räumte er ein.

»Wahrscheinlich wird man dann ihnen die Schuld in die Schuhe schieben.«

Monkton erholte sich wieder. »Glauben Sie wirklich, Sie können tun, was Ihnen gefällt, und irgendwelche Behauptungen aufstellen, nur weil Ihr Bruder ein Gangster ist? Ein stadtbekannter Krimineller? Eine Tatsache, die Sie jahrelang bewusst vor Ihren Vorgesetzten geheim hielten?«

»Nein, ich glaube, ich kann das sagen, weil ich Polizistin bin.«

»Eine Polizistin, die sich unter falschen Angaben einen Kredit beschafft hat? Was machen die Reparaturarbeiten an Ihrem Dach, Alex?«

Ihre Gedanken rasten. Eine große Belegschaft, hatte er gesagt, womöglich Hunderte Mitarbeiter. Und dann gab es noch die Subunternehmer: Stepper und seinen Lieferwagen zum Beispiel. Wie um alles in der Welt hatten sie das herausgefunden? Sie hatten bestimmt auch Zugriff auf ihre medizinischen Unterlagen, hatten die Todesurkunde ihres Sohnes gesehen, die Ergebnisse ihrer Abstriche. In Gedanken ging sie sämtliche Dokumente durch, die sie je in ihrem Leben unterschrieben hatte. Er war allgegenwärtig und unglaublich mächtig.

Hilflos wiederholte sie: »Sie haben die Abdrücke vertauscht …« Aber ihre Stimme klang jetzt etwas kleinlaut.

Monkton musste nichts mehr sagen. Er lehnte sich beleidigt zurück und verschränkte die Arme.

Ihre Stimme klang immer noch kleinlaut, als sie sagte: »Versuchen Sie, mich einzuschüchtern, Mr. Monkton?«

»Warum sollte ich?«

»Noch einmal: Ihre Motive kümmern mich nicht, ich frage mich nur, ob Sie versuchen, mich einzuschüchtern. Mir ist zu Ohren gekommen, dass Ihre Firma den *Daily News* einen Tipp bezüglich meines Halbbruders Daniel McGrath gegeben hat.«

»Hat sie das?«

»Nein, ich frage *Sie*, ob sie das hat.«

»Wenn das so war, wusste ich nichts davon. Wir sind ein großes Unternehmen, wir arbeiten in ganz Schottland. Wie gesagt, wir haben sehr viele Mitarbeiter. Ich führe nicht Buch über die einzelnen Operationen unserer Mitarbeiter, das wäre unangemessen ...«

Sie sah, wie jemand an ihre Haustür klopfte, und wie Brian aufmachte. Ein lächelndes Gesicht und eine Schachtel mit drei Flaschen Wein. Ein billiger Trick, ein bisschen Blendwerk. Brian hatte bestimmt vom Kredit erzählt, er war ehrlich. Er hatte von dem Kredit erzählt.

Monkton sah auf und sah Morrow lächeln. Drei Flaschen Wein. Sie hatte noch den Geschmack im Mund. Für den Preis von drei Flaschen Wein. Er war nicht allwissend. Er war ein billiger Betrüger. Fast hätte sie ihm gratuliert.

»Wenden Sie sich rein beruflich manchmal an andere Leute, um unter einem falschen Vorwand Informationen von ihnen zu bekommen, Mr. Monkton?«

Er schüttelte den Kopf, als verblüffe ihn allein schon die Vorstellung.

»Bei mir kam jemand vorbei und sagte, sie betreibe Marktforschung ...«

»Naja, das ist ein weiter Begriff. Das heißt ja nicht, dass diejenigen die Informationen für sich selbst verwenden oder direkt etwas mit dem Markt zu tun haben.«

»Hm.«

Ganz plötzlich änderte er seine Haltung. »Überlegen Sie manchmal, was Sie machen werden, wenn Sie nicht mehr bei der Polizei sind?« Er lächelte. »Ich fand die Zeit ziemlich hart.«

»Hm.«

Jetzt hatte sie ihn und er hatte sie. Sie konnten jetzt beide die

Revolver senken und sich zurückziehen, ohne dass großer Schaden entstanden wäre. Alle könnten weitermachen wie bisher. Er bot ihr einen Job an, und sie konnte sehen, wie nützlich sie ihm sein könnte und wie viel er ihr dafür bezahlen würde.

Beruflich war sie ohnehin erledigt. Niemand würde ihr anrechnen, dass sie Dawood oder Danny oder Pokey Mulligan zur Strecke gebracht oder dass sie den Hundi-Kurierdienst lahmgelegt hatte; die Lorbeeren dafür heimste Wainwright ein. Die Ermittlungen gegen Michael Brown hatten die Staatsanwaltschaft ein Vermögen gekostet, und jetzt musste das Urteil gegen ihn aufgehoben und Rose Wilson noch einmal wegen der Ermordung Pinkie Browns vor Gericht gestellt werden, dabei war kaum genug Geld für die aktuellen Fälle vorhanden. Nach der Polizeireform würde man sie in ein Büro verbannen, wo sie nur noch den Papierkram erledigen durfte. Aber sie konnte Monkton drankriegen. Hier hasste man sie sowieso, da konnte sie auch gleich den zukünftigen Arbeitgeber vieler ihrer Kollegen verhaften.

Alex beugte sich über den Tisch. »Mr. Monkton, ich glaube, dass Sie die Fingerabdrücke absichtlich vertauscht haben und Michael Brown deshalb zu Unrecht wegen des Mordes an seinem Bruder verurteilt wurde.«

Er schwitzte jetzt, war panisch wie ein Pferd in einem brennenden Stall. »Warum ist Ihnen Michael Brown so wichtig? Ist er Ihr Vetter oder so? Ihr Neffe?«

»Infolgedessen, Mr. Monkton, wird Ihnen vorgeworfen, das Recht gebeugt und die Arbeit der Behörden behindert zu haben. Ich lese Ihnen jetzt Ihre Rechte vor, und ich möchte, dass Sie aufmerksam zuhören, schließlich könnten sie sich seit Ihrer Zeit als Polizist geändert haben.«

Und dann tat sie genau das.

Dank

Ich danke Herrn Doktor James Semple, der, wie ich heute weiß, die ganze Arbeit gemacht hat, und nicht Philip oder Gerard, die ihm nur die Schau gestohlen haben. Und: Vielen Dank, Herr Doktor, für den Eimer Methadon.

Wie immer tausend Dank an Jon Wood, Peter Robinson, Susan Lamb, Anthony Keates und Angela McMahon für all die Hilfe und Unterstützung. Jemima Forrester hat Angst vor Meringue, also bitte gebt ihr keine als kleines Dankeschön meinerseits.

Und zuletzt: Danke an Mum, an meine Männer, klein und groß, und an meine Beezer Pals. Ich bin wirklich ein Glückspilz.

Denise Mina in einem Interview über ihre Protagonistin Detective Alex Morrow

Frage: Sprechen wir über die Hauptfigur Ihrer Reihe um die Ermittlerin Alex Morrow: War es schwierig, Genreklischees (Alkoholprobleme, zerrüttete Beziehungen) zu vermeiden, als Sie die Figur entwarfen?

DM: Ich habe versucht, diesen Klischees eine Frau entgegenzusetzen, bei der alles glatt läuft, die ihren Mann und ihr Zuhause liebt. Mein Hintergedanke war, dass das Abstandnehmen von offensichtlichen Problempunkten vielleicht ganz andere, interessantere Konflikte zutage fördern würde.

Frage: Ist Alex so tough, weil sie sich als Vorgesetzte in einer Männerdomäne behaupten muss, oder liegen die Gründe dafür in ihrer Vergangenheit?

DM: Alex mag zwar tough sein, aber sie ist nicht rabiat. Eigentlich bin ich mir gar nicht so sicher, ob sie überhaupt taffer ist als die meisten anderen Frauen aus meinem Bekanntenkreis: Akademikerinnen in Führungspositionen, Mütter, Verkäuferinnen. Vielleicht sind die Frauen in Glasgow einfach alle tough? Auf jeden Fall weiß Alex, wo's langgeht, das ist klar.

Frage: Was hat Sie dazu bewogen, den Verbrechern in der Alex Morrow-Serie genauso viel Aufmerksamkeit zu widmen wie den Ermittlern? Sie schaffen es, dass deren Lebensumstände nie als Entschuldigung für ihre kriminellen Handlungen herhalten müssen. Was hat sie dazu inspiriert, sich den Dingen auf diese Art zu nähern?

DM: Die Alex Morrow-Serie nimmt eine Sonderstellung unter meinen übrigen Romanen ein, die sich vor allem auf einen einzelnen Protagonisten konzentrieren. Ich wollte das Verbrechen diesmal ganzheitlich betrachten und in Episoden Zeit mit den Tätern, den Ermittlern und auch den Opfern verbringen, die sich dann durch die Ereignisse im ersten Kapitel verquicken. Warum sie nicht alle hasserfüllt sind, weiß ich nicht. In Schottland ist die Gefängnisrate sehr hoch, fast jeder kennt jemanden, der schon mal »in Schwierigkeiten war«. Ich als Rechtswissenschaftlerin weiß, dass man in der Kriminologie heute dazu tendiert, Verbrechen als Ausgeburt eines Systems und nicht als Tat einer Einzelperson zu sehen. Dies ist doch eine interessante Betrachtungsweise – erfrischender und näher an der Wahrheit als die alte Vorstellung vom kriminellen Geist.

Aber das soll nicht heißen, manche hätten keine andere Wahl und müssten unweigerlich zu Straftätern werden.

Über Denise Mina

Denise Mina, geboren 1966 in Glasgow, lebte bis zu ihrem 18. Geburtstag abwechselnd in verschiedenen europäischen Ländern, weil ihr Vater als Ingenieur in der Erdölindustrie häufig versetzt wurde. Mit sechzehn schmiss sie die Schule und hielt sich mit Billigjobs über Wasser, bevor sie als Altenpflegehelferin und Sterbebegleiterin arbeitete. Mit einundzwanzig gelang ihr die Aufnahmeprüfung für die Universität in Glasgow, wo sie Jura mit Schwerpunkt Strafrecht studierte und über die Zuschreibung psychischer Krankheiten bei straffälligen Frauen promovierte. Anschließend unterrichtete sie an der Universität Kriminologie. Daneben schrieb sie für die schottische BBC und veröffentlichte zwei Fachbücher. Heute lebt Denise Mina mit ihrer Familie in Glasgow und widmet sich hauptsächlich dem Schreiben.

Denise Minas schriftstellerischer Werdegang

Denise Mina veröffentlichte 1998 ihren ersten Roman, auf den bis heute sieben weitere folgten. Für ihr Werk wurde sie mit dem Dagger Award und dem Barry Award ausgezeichnet. 2007 war sie für den Edgar Award nominiert und 2012 und 2013 gewann sie den Theakstons Crime Novel of the Year Award.

Die Autorin ist nicht nur ein gefeierter Star der Krimiszene, sie schreibt auch erfolgreich Comics. Neben 13 Teilen der Comicbuchserie »Hellblazer« stammt eine Graphic Novel-Adaption der Millennium-Trilogie von Stieg Larsson aus ihrer Feder, die in insgesamt sechs Bänden veröffentlicht werden soll.